Éloges pour
Le sortilège du dragon

«Dans *Le sortilège du dragon*, Donita K. Paul a créé un monde étonnant d'aventures fantastiques. Avec ses chevauchées à dos de dragon, ses sauts en bas de falaises et ses voyages en montagne, cette histoire stimulera assurément l'imagination des lecteurs — jeunes et moins jeunes. Et avec son message identitaire d'un virage de l'état d'esclavage à celui de servir une cause, c'est un livre que les familles adoreront lire pour ensuite en discuter ensemble.»

> — Christopher P.N. Maselli, auteur du livre pour enfants
> *Reality Shift* et fondateur de TruthPop.com

«Une héroïne peu enthousiaste, son dragon qui tombe dans les pommes, et tout un assortiment de compagnons haut en couleur font du livre de Donita K. Paul, *Le sortilège du dragon*, une lecture exquise. C'est l'aventure et la fantaisie à leur meilleur — à lire absolument pour l'âme imaginative.»

> — Linda Windsor, auteure primée de *Along Came Jones* et
> de la trilogie *Fires of Gleannmara*

«*Le sortilège du dragon* est un beau récit bien écrit qui divertira assurément les jeunes et moins jeunes. La preuve a été faite dans notre maison quand notre fils de 11 ans s'est emparé du livre et l'a dévoré. En le retournant, il s'est exclamé: "C'est bon!" — de grands éloges venant d'un admirateur passionné de Tolkien, Lewis, Jacques et compagnie. Je ne peux qu'acquiescer.»

> — Christopher A. Lane, auteur de romans pour enfant et
> adultes et gagnant des prix Gold Medallion et C.S. Lewis

«Inventif, charmant, plein d'esprit, perspicace, touchant et profond — *Le sortilège du dragon* est tout cela et plus encore. Si la seule intention de Donita K. Paul était de créer un monde où les lecteurs rencontrent fantaisie et merveilles à chaque détour, alors elle a admirablement réussi. Dans les faits, elle accomplit beaucoup plus que cela : elle nous permet d'envisager notre relation avec Dieu et Son monde d'un œil nouveau. Un délice pour tous les authentiques mordus de littérature fantastique. »

— Jim Ware, auteur de *God of the Fairy Tale* et coauteur de
Trouver Dieu dans Le seigneur des anneaux

« Enchanteur ! Une quête périlleuse, une bataille intemporelle, une héroïne improbable et une aventure inspirante dans un monde de magie et de mystère — Donita K. Paul a concocté un récit débordant de vérités éternelles et assaisonné de personnages charmants et étonnants qui nous collent à la peau longtemps après la dernière page. *Le sortilège du dragon* est destiné à devenir un classique pour une nouvelle génération d'aventuriers ! »

— Susan May Warren,
auteure primée de *Happily Ever After*

« La meilleure chose qu'un auteur puisse faire, c'est de vous envoûter et de vous transporter au cœur même de la scène, de l'action, de l'histoire... de telle sorte que vous vivez le livre au lieu de simplement le lire. C'est exactement l'exploit de Donita K. Paul dans *Le sortilège du dragon*. Pendant quelques heures, vous voyagerez dans un endroit inconnu grâce à une histoire mémorable. Bon voyage ! »

— Stephen Bly, auteur de *Paperback Writer* et
The Long Trail Home, gagnant du prix Christy

« *Le sortilège du dragon* est une quête fantastique bien ficelée dans un monde imaginaire extraordinairement bien rendu. Avec sept races intelligentes, sept races méchantes, plusieurs dragons charmants, un magicien étrange et une panoplie sans fin de plantes et d'animaux exotiques, vous ne vous ennuierez jamais. »

— Randy Ingermanson, auteur de *Oxygen* et
Premonition, gagnant du prix Christy

« Personne ayant lu ce livre ne pourra ensuite douter que le fantastique chrétien soit un genre viable pour répandre la parole de Dieu. »

— Christine Lynxwiler, présidente de
American Christian Romance Writers

LE SORTILÈGE DU DRAGON

Donita K. Paul

Traduit de l'anglais par
Lynda Leith

éditions

Originally published in English under the title:
DragonSpell by Donita K. Paul
Copyright © 2004 by Donita K. Paul
Published by WaterBrook Press
an imprint of The Crown Publishing Group
a division of Random House, Inc.
12265 Oracle Boulevard, Suite 200
Colorado Springs, Colorado 80921 USA

All non-English language rights are contracted through:
Gospel Literature International
P.O. Box 4060, Ontario, California 91761-1003 USA

This translation published by arrangement with
WaterBrook Press, an imprint of The Crown Publishing Group
a division of Random House, Inc.

French edition © (2009) Editions AdA
Éditions AdA
1385, boul. Lionel-Boulet
Varennes, Québec, Canada, J3X 1P7
Téléphone : 450-929-0296
Télécopieur : 450-929-0220
www.ada-inc.com
info@ada-inc.com

Diffusion
Canada :   Éditions AdA Inc.
France :   D.G. Diffusion
             Z.I. des Bogues
             31750 Escalquens — France
             Téléphone : 05-61-00-09-99
Suisse :   Transat — 23.42.77.40
Belgique :   D.G. Diffusion — 05-61-00-09-99

Éditeur : François Doucet
Traduction : Lynda Leith
Révision linguistique : Isabelle Veillette
Correction d'épreuves : Nancy Coulombe, Carine Paradis
Typographie et mise en pages : Sébastien Michaud
Graphisme de la page couverture : Matthieu Fortin
Illustration de la couverture : Mark D. Ford
ISBN Papier 978-2-89565-786-6
ISBN Numérique 978-2-89683-091-6
Première impression : 2009
Dépôt légal : 2009
Bibliothèque et Archives nationales du Québec
Bibliothèque Nationale du Canada

Imprimé au Canada

Participation de la SODEC.   SODEC
Nous reconnaissons l'aide financière du gouvernement du Canada par l'entremise du Programme d'aide au développement de l'industrie de l'édition (PADIÉ) pour nos activités d'édition.
Gouvernement du Québec — Programme de crédit d'impôt pour l'édition de livres — Gestion SODEC.

Catalogage avant publication de Bibliothèque et Archives Canada

Paul, Donita K.

Le sortilège du dragon

Traduction de: Dragonspell.
Pour les jeunes de 13 ans et plus.
ISBN 978-2-89565-786-6

I. Leith, Lynda. II. Titre.

PS3616.A94D7314 2009   j813'.6   C2009-941383-3

Dieu a été bon envers moi en peuplant ma vie avec les jeunes. Ce livre est dédié à mes premiers lecteurs. Ils m'ont forcée à rester vigilante et ont fait progresser l'histoire.

Mary et Michael Darnell
Regan Gibson
Alexandria Gray
Ryan Haas
Kristianna et Kaleigh Lynxwiler
Jason McDonald
Lynette Nelson
Robert Mikell Rogers
Allison Rozema
Stephanie Desha Veazey

Table des matières

Remerciements

Faute de politique, un peuple tombe ;
le salut est dans le nombre de conseillers.
Proverbes 11,14

Chacune de ces personnes m'a offert, à un moment ou à un autre, sa sagesse, ses encouragements, son aide concrète ou son inspiration pour la composition de ce livre, *Le sortilège du dragon*. Merci.

Donna Abitz
Bonnie Aldrich
Amy Barr
Evangeline Denmark
Kory Denmark
Jan Dennis
Bonnie Doran
Sara Diane Doyle
Kathy Egeler
Barni Feuerhaken
Jane Gibson
Cecilia Gray
Rachel Hauck
Kay Holt
Diann Hunt
Sandra Moore

Scott Myers
Anne Napierkowski
Jill Nelson
Elnora Paul
Sarah Pottenger
Carol Reinsma
Helen Schnieder
Nan Seefluth
Heather Slater
Tom Snider
Armin Sommer
Faye Spieker
J. Case Tompkins
Vikki Walton
Peggy Wilber

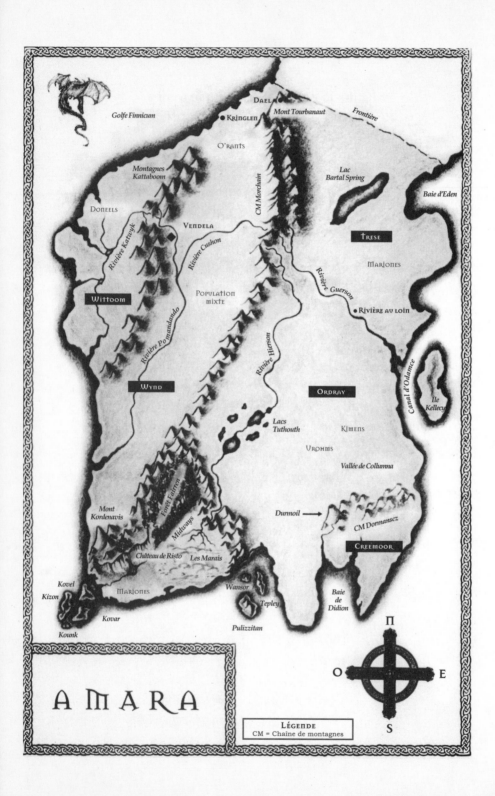

AMARA

I

À DEUX PAS

— Z'êtes sûr de pas vouloir m'accompagner jusqu'en ville ?

Debout à côté du chargement de grains d'orge, Kale entendit à peine la question du fermier. Ses yeux survolèrent la charrette rudimentaire dans laquelle elle avait voyagé, puis se tournèrent vers l'éblouissante cité à l'opposé de la vaste vallée. Vendela, métropole aux murs d'un blanc pur, aux toits bleus étincelants et aux dômes dorés, resplendissait sous le soleil. Plusieurs clochetons, flèches et tourelles dans une grande variété de formes et de couleurs surplombaient la ville. Plus d'une douzaine de châteaux s'aggloméraient à l'extérieur de la capitale et davantage de palais s'éparpillaient le long du paysage de l'autre côté d'une large rivière.

La vue de Vendela rappela à Kale que son existence avait changé à jamais. Elle leva sa main vers sa poitrine et la déposa sur la petite pochette cachée sous ses vêtements.

J'ai un destin. Cette pensée l'effrayait et lui plaisait en même temps. Après avoir été esclave de village pendant les quatorze années de sa vie, elle avait été affranchie.

Enfin, en quelque sorte.

Moins d'un mois auparavant, elle avait quitté Rivière au Loin, son village comptant deux douzaines de maisons, un magasin, une auberge et un temple doublés d'une salle d'assemblée publique. D'ici une semaine, elle franchirait sans doute les hautes grilles de la plus belle cité fortifiée de tout le continent d'Amara, possiblement de tout le monde civilisé. Il lui faudrait ce temps-là pour s'habituer à la cacophonie. Elle pouvait l'entendre jusqu'ici.

Je deviendrais folle dans ma tête si j'entrais dans Vendela ce soir.

La ville palpitait, portée par les pensées et les émotions de plus de gens qu'elle ne pouvait en compter. Les jours de marché à Rivière au Loin, elle réussissait à composer avec la proximité de trente à quarante personnes si proches d'elle qu'elle percevait leurs vibrations ricocher sur les murs de son moi intérieur. Mais Vendela…

Je pourrais étouffer. J'entrerai lentement dans cette cité. Personne n'est au courant de ma venue. Je n'ai pas besoin de me presser. J'avancerai de un kilomètre ou deux par jour. En douceur, jusqu'à ce que je me sente bien.

Beaucoup de choses l'inquiétaient. C'était facile de dire qu'on était heureux de ne plus servir d'esclave. En revanche, c'était autre chose d'entrer seule dans un endroit où l'on n'avait jamais mis les pieds. Personne ne la connaissait ni ne se préoccupait d'elle à Vendela. À Rivière au Loin, la plupart des gens s'intéressaient à elle, même si c'était surtout pour savoir si elle travaillait dur ou non.

— Fillette!

L'aboiement du vieil homme sortit Kale de ses pensées. Il fronça les sourcils.

— J'vais droit en ville. Seriez aussi bien de venir avec moi.

— Merci, fermier Brigg, mais je préfère terminer la route à pied. Je pourrai voir à quel point Vendela est belle.

Elle leva les yeux vers lui en souriant, ressentant une certaine affection pour le vieillard bourru. Elle avait voyagé à côté de lui sur le long banc de bois pendant la dernière étape du voyage. Il s'était montré gentil avec elle; il avait partagé son pain et son fromage ainsi que des histoires à propos des merveilles de la grande cité. Néanmoins, Kale ne permettrait pas qu'on la presse pour entrer dans Vendela. Elle agirait à sa guise.

— Z'allez au Manoir, hein?

Ses yeux bleu pâle pétillèrent sous la broussaille de ses sourcils gris.

Kale resta silencieuse. Répondre par l'affirmative révélerait à son propos bien davantage qu'elle le souhaitait. Ce n'était pas une si bonne idée, faire confiance à un étranger à l'extérieur de son village, même s'il s'agissait d'un vieux fermier bavard aux airs de grand-père.

— Bah, je vois que vous m'le direz pas.

Il lui fit un clin d'œil, puis observa la ville au loin, le regard maintenant grave.

— Si z'avez des ennuis, allez à l'Auberge de l'oie et du jars au nord de la ville. Voyez Maye. Dites que z'êtes une amie à moi, et elle vous aidera si elle peut.

— Je le ferai, déclara Kale, et elle salua le vieil homme de la main avant de grimper avec difficulté la colline en s'éloignant du chemin.

Elle écouta le grincement de l'essieu et le couinement des roues, mais elle ne se retourna pas pour observer la charrette du fermier avancer péniblement le long de la route pentue. Au cours d'une heure passée à lui donner des conseils, dame Meiger lui avait prêché de toujours garder son objectif en tête.

Kale soupira. *Dame Meiger a raison à tous les coups.*

Des buissons d'ajoncs recouvraient la pente herbeuse. La colline se nichait tout contre l'une des montagnes. Fermier Brigg connaissait le nom de toutes les cimes de la chaîne de montagnes Morchain. Ses histoires décrivant l'origine de leurs noms l'avaient fascinée, mais les récits sur Vendela attiraient davantage son attention. Après tout, Vendela deviendrait son foyer.

Juste après la montée, elle trouva un endroit où s'installer. Elle s'assit dos à un eucalyptus, les pieds nus posés sur une formation rocheuse affleurante au sol. Elle déposa ses bras sur ses genoux repliés et y appuya son menton. Puis, Kale prit une longue et profonde respiration pour inspirer l'air chaud de l'été et se permit le luxe de contempler la belle Vendela. Les flèches effilées et les sphères flottantes dépassaient son imagination. Toute la scène ressemblait à un tableau enchanté, net et vibrant, et plein de promesses.

Tirant la lanière vers son cou, Kale retira une pochette écarlate soyeuse. Elle la plaça entre ses mains, caressa doucement le tissu et prit plaisir à son fini satiné, enivrée par le secret de l'œuf dur comme une pierre dissimulé à l'intérieur. L'œuf se réchauffa, en réaction à son excitation. Il bourdonna. La douce vibration communiquait la joie et l'anticipation aux doigts sensibles de Kale.

Ses yeux de nouveau fixés sur la ville, Kale parla tout haut.

— Dans une semaine, nous irons au Manoir. Je deviendrai alors une servante pour les gens, et non une esclave. Je n'aurais jamais rêvé m'élever à un tel statut. De la nourriture succulente, des vêtements luxueux et une éducation soignée.

Elle lissa d'une main rugueuse le tissu soyeux pendu à son cou. Dame Meiger lui avait offert la longue écharpe bleue la nuit où son mari, le conseiller en chef Meiger, avait ordonné à Kale de se rendre à Vendela. Ses autres habits en toile grossière reflétaient son statut social. Son pantalon était rapiécé deux fois : au genou et sur les fesses. Elle portait un chemisier, une tunique et une écharpe bleue. Chaque centimètre de son corps était couvert de la poussière du voyage. Elle trouverait un ruisseau et ferait sa toilette avant d'entrer à Vendela.

Une nouvelle vie l'attendait dans la belle cité. Absolument personne à Rivière au Loin n'avait souvenir qu'une personne du pays ait été envoyée au Manoir. Maître Meiger lui avait dit de chérir cet honneur. Et Kale le serrait contre son cœur avec force, ne serait-ce que pour se convaincre qu'elle n'avait pas peur comme un oisillon piailleur tombé du nid.

Pense à ton objectif.

— Nous voyagerons et obéirons aux ordres de Paladin.

Elle sourit largement à cette pensée.

— Cela me parait plutôt noble et remarquable pour quelqu'un comme moi.

Elle fixa pendant quelques instants les châteaux de conte de fées entourant la ville fortifiée. Du côté est, sept ponts aux couleurs de joyaux enjambaient la rivière Pomandado. Chacun menait à une imposante entrée vers l'intérieur de la cité.

— Des gens de chacune des sept races supérieures traversent ces ponts à un moment ou à un autre, murmura-t-elle.

Une fresque dépeignant une confrérie marchant au pas le long d'un col de montagne ornait le mur de l'auberge à Rivière au Loin. Chacune des races était représentée. Grossièrement dessinés, les personnages paraissaient néanmoins excités par l'aventure.

Kale imagina une procession semblable empruntant l'un des grands ponts.

— Petits doneels, urhoms géants, élégants émerlindians, guerriers mariones, tumanhofers, rapides kimens et o'rants, soupira Kale. Des o'rants, comme moi. Le conseiller en chef Meiger a dit qu'il croyait que j'étais une o'rant, même s'il n'en avait jamais vu. Une autre raison pour laquelle je dois aller au Manoir, selon lui.

Elle plissa les yeux quand une grande silhouette sombre descendit en piqué au-dessus des montagnes éloignées et se dirigea vers Vendela. Elle sauta sur ses pieds et ne put s'empêcher de sautiller lorsqu'elle reconnut un grand dragon. Il tourna autour de la ville, silhouette foncée passant devant les tours blanches irisées.

Kale glissa la pochette en sécurité sous son chemisier et escalada le versant escarpé, espérant profiter d'une meilleure vue. Elle s'arrêta et exprima sa joie d'un youpi! bien senti quand elle aperçut deux autres de ces créatures majestueuses coiffer les montagnes, puis amorcer une descente vers Vendela.

Grimpant à présent la pente raide à quatre pattes, Kale attrapait les branches et les roches saillantes pour monter. Elle atteignit le haut du talus et roula dessus.

Des cris gutturaux accueillirent son arrivée. Des mains rudes et velues agrippèrent ses bras et ses jambes. Une odeur de putréfaction emplit ses narines, et la salive afflua dans sa bouche sous l'impulsion du dégoût. Son estomac se révulsa. *Des grawligs ?*

Kale avait entendu des histoires à l'auberge. Rien ne sentait aussi mauvais que des ogres de montagne. Elle vit des jambes noires et poilues, un pagne de cuir, du tissu en lambeaux sur un torse puissant, de grosses lèvres, des dents jaunes, un nez extrêmement flasque, et des yeux minuscules, noirs et opaques. *Des grawligs !*

Deux des ogres de montagne la firent tourner dans les airs. Ses muscles se crispèrent alors qu'elle s'attendait à s'écraser sur les roches. Au lieu de cela, un autre grawlig la cueillit au passage avant qu'elle ne touche terre, et il lui arracha un hurlement. Des éclats de rire bruyants répondirent à sa crainte. Ses geôliers augmentèrent joyeusement la cadence de leur jeu de passe.

Un grawlig s'empara d'elle comme d'un trophée. Il la lança sur son épaule, ses muscles durs écrasant son ventre et chassant l'air de ses poumons. Il poussa un cri de triomphe et courut vers le camp rudimentaire avec les autres à ses trousses. Kale était suspendue la tête en bas, les bras ballants. À chaque bond, son visage s'enfouissait dans les poils huileux et emmêlés sur le dos du grawlig.

Ils vont me tuer ! Ils vont jouer avec moi, puis ils vont me tuer.

Les mains bien en chair du grawlig se resserrèrent sur ses cuisses, et elle sentit qu'il la balançait au-dessus de sa tête en décrivant un arc. Il sauta et se tortilla, exécutant une sorte de danse rituelle avec les autres qui hurlaient et tournoyaient autour d'eux. Kale tenta désespérément d'avaler une bouffée d'air frais.

— Stupide o'rant. Stupide o'rant.

Le persiflage de l'ogre lui emplissait les oreilles.

— Nous t'avons entendu venir.

Il libéra Kale et lança son corps fragile à travers la clairière vers la crête qu'elle avait grimpée. Juste avant qu'elle ne vole au-dessus du précipice de dix mètres, un autre grawlig l'attrapa par un bras et par le dos de sa tunique. Il la fit tournoyer par-dessus sa tête tout en fredonnant.

— Stupide o'rant. Stupide o'rant. Nous t'avons entendu venir.

Il modifia l'angle dans lequel il la ballotait. À présent, son front s'approchait à quelques centimètres du sol avant de s'élever loin au-dessus du crâne gigantesque du grawlig. La douleur rugissait dans sa tête après chaque mouvement. Quand son corps subit l'impulsion suivante, elle combattit l'obscurité qui s'emparait d'elle. Elle perdit.

2

Dans l'antre de la montagne

De vieilles feuilles moisies et décomposées rendaient le sol spongieux sous Kale. Elle plissa le nez devant l'odeur de pourriture. Sa tête semblait transformée en pastèque fendue et ses paupières refusaient de s'ouvrir. Son estomac se soulevait. L'effluve de détritus en putréfaction l'importunait.

Elle changea de position. Une masse rigide exerça une pression sur sa cage thoracique. L'œuf ! Dur comme une pierre, il n'avait subi aucun dommage. Kale tenta de s'asseoir. Des liens autour de ses poignets et de ses chevilles l'en empêchèrent. *Les grawligs !*

Elle se souvint des immenses grawligs poilus et de leur jeu tumultueux. Elle ressentit de nouveau la détresse à être propulsée d'un ogre brutal à l'autre. La terreur lui donnait la nausée. Ils ne l'avaient pas tuée, mais elle avait l'impression que chaque muscle de son corps avait été piétiné.

Les yeux comme deux fentes, elle scruta les environs. Des grawligs gisaient autour d'un feu de camp. Derrière la lueur jetée par les bûches enflammées, les ombres de la nuit dissimulaient la forêt. Deux femelles tournaient des broches, faisant rôtir ce qui ressemblait à un grand cerf. Un groupe serré se prélassait paresseusement sous les arbres de l'autre côté de la clairière. Ses membres émettaient des sons rythmiques bruyants qui devaient, supposa Kale, former une chanson.

Personne ne semblait s'intéresser à la prisonnière ligotée étendue sous un buisson. Deux grawligs se tenaient à quelques mètres d'elle, comme s'ils étaient chargés de la surveiller. Même eux ne lui prêtaient aucune attention. Ils picoraient des champignons sales provenant d'une pile s'élevant à la hauteur des genoux, les lançant dans leur bouche pleine de bave et faisant claquer leurs lèvres en mâchonnant leurs friandises.

Kale ferma les yeux pour ne plus les voir, espérant ainsi protéger son estomac. Elle ne pouvait pas se débarrasser aussi facilement de l'odeur repoussante des grawligs. Pour se changer les idées, elle fouilla sa mémoire à la recherche de récits sur les ogres de montagnes.

Quelle partie forme la vérité et quelle partie, le mensonge ?

Dans les histoires, ils mangent tout ce qu'ils attrapent. Une chance pour moi, ils semblent préférer le gibier rôti à une o'rant rôtie.

Bêtes et vicieux. Je pense pouvoir confirmer cela.

Effrayés par les endroits étroits ? Peut-être.

Malhabiles de leurs doigts.

Bougeant la tête juste assez pour regarder en bas, Kale examina le tissu liant ses mains ensemble. Elle tortilla ses poignets, et le nœud lâche se défit.

Eh bien, ils ne serrent pas très bien les nœuds.

Elle jeta un coup d'œil aux gardes pour voir s'ils avaient remarqué ses mouvements. Leur attention restait tout entière sur leur plaisir, alors que les champignons de la forêt continuaient de franchir leurs lèvres molles à toute vitesse.

Avec précaution, elle écarta ses chevilles de quelques centimètres, puis recommença l'opération de va-et-vient jusqu'à ce qu'elle puisse glisser ses pieds nus hors des liens.

Puis-je m'échapper ?

Elle observa les deux grawligs se gavant de fongus recouverts d'une croûte de saletés. Leur tas diminuait à vue d'œil. Bientôt, il n'y aurait plus rien pour les distraire. Pouvait-elle ramper pour s'éloigner ? Allaient-ils se tourner et la surprendre ?

Devait-elle guetter le moment où les femelles déclareraient le cerf rôti cuit à point et distribueraient la viande?

Si j'attends trop longtemps, je servirai probablement de dessert.

Kale prit sa décision. Roulant sur le ventre, elle rampa pour s'enfoncer plus profondément dans les buissons entourant le camp. Les braillements des grawligs couvrirent le crissement des feuilles et des brindilles sous elle pendant qu'elle glissait loin de la lumière. De l'autre côté de petits arbustes, elle se retrouva en face du roc faisant partie de la montagne se dessinant derrière les plus basses collines.

Elle se mit à quatre pattes et avança encore de dix mètres à pas de loup. Puis, debout, mais presque courbée en deux, elle suivit le tas de rochers. Ses muscles protestèrent, mais elle continua.

La distance étouffait les voix bruyantes de ses ravisseurs. Kale respira plus profondément, suppliant son corps de se détendre. La tension causait très certainement autant de douleur que les blessures infligées par les grawligs.

Un cri s'éleva du camp, suivi de vociférations et de hurlements émis par les brutes en colère.

Kale accéléra le rythme, regardant derrière son épaule, s'attendant à voir des silhouettes sombres et velues sortir de la forêt pour la poursuivre. Un pied mal placé sombra dans un trou, et elle se retrouva à glisser non pas loin des roches et en bas de la montagne, mais dans une étroite ouverture sous l'immense rocher. Elle tenta d'attraper des racines pour arrêter sa chute. Des particules de poussière pleuvaient autour d'elle pendant qu'elle continuait à gratter la terre. Elle glissa encore trois mètres avant d'atterrir sur un sol de pierre dure.

Le choc secoua son corps endolori. Elle serra les dents et ferma les yeux pour résister à la douleur. Des débris s'abattaient toujours sur sa tête. Instinctivement, elle leva les bras pour protéger ses cheveux.

Le dernier filet de terre coula au ralenti puis se déposa. Kale desserra la mâchoire et ouvrit les paupières. Elle se trouvait dans l'obscurité la plus totale. Elle écouta et entendit le glou-glou de l'eau quelque part derrière elle. Elle frissonna. Ses bras se couvrirent de chair de poule.

Gelée et effrayée, elle jeta un œil autour d'elle pour trouver une issue. Levant les yeux, elle put distinguer une ouverture et voir le ciel étoilé au-dessus.

Une caverne. Ce pourrait être une bonne chose. Les grawligs ne craignent-ils pas les endroits clos ? Je l'espère, en tout cas.

Un bruit l'avertit de la présence des grawligs. Ils se trai-naient les pieds dans la forêt au-dessus d'elle.

Peut-être passeront-ils leur chemin.

Elle entendit des branches craquer, des grognements et des murmures, puis une exclamation enthousiaste. On l'avait découverte. Les têtes hideuses de trois grawligs bloquèrent la pâle lumière venant d'en haut.

Ils chantonnèrent :

— Stupide o'rant. Stupide o'rant. Nous t'avons senti.

Kale s'effondra comme une masse, serra ses genoux contre elle et s'appuya sur le mur de pierre froid. Trop fatiguée pour réfléchir, trop épuisée pour combattre le désespoir, elle laissa couler ses larmes.

— Stupide o'rant. Stupide o'rant. Nous t'avons senti.

Le chant devint plus fort quand d'autres persécuteurs se joignirent aux trois premiers grawligs agenouillés au bord du trou. Un bras poilu s'étira et fouilla à tâtons les parois rocheuses. De la terre, des feuilles et des brindilles tombèrent de nouveau sur la tête de Kale.

La jeune o'rant se recroquevilla davantage, se ratatinant sous les voix provenant d'en haut. Sa main chercha son trésor, le tirant à elle par le cordon de cuir. Elle serra le tissu lisse de la pochette à cordon. Au début, l'œuf à l'intérieur demeura froid et sans réaction. Graduellement, il se réchauffa. Kale concentra son attention sur le doux bourdonnement dans sa paume, fermant son esprit aux « stupide o'rant » chantonnés par les grawligs.

La douleur et la fatigue, la peur et la panique se dissipèrent. Elle bougea pour trouver une position assez confortable sur le sol pierreux. La pochette serrée entre ses doigts et appuyée contre sa joue, elle s'endormit.

Quand elle rouvrit les yeux, des jets de lumière éclairaient la caverne à trois endroits. Le premier se situait juste au-dessus d'elle. Une tête recouverte de cheveux bruns emmêlés s'enfonçait partiellement dans l'orifice. Kale voyait une grande oreille lisse et une partie des lèvres molles de la bête. Des ronflements sonores faisaient gronder l'air.

Un rayon de la largeur d'une main tout au plus descendait du deuxième trou dans le plafond. La troisième brèche à l'opposé de la caverne lugubre semblait plus prometteuse. Non seulement l'ouverture était-elle suffisamment large pour que Kale s'y glisse, mais en plus, de grands rochers semblables à des marches inégales permettaient de l'escalader.

Elle se mit sur ses pieds et trébucha sur le sol raboteux de la caverne. Elle leva les yeux et examina le trou par lequel elle espérait s'enfuir. Comme le plafond de la caverne s'inclinait vers le haut, l'escalade serait longue en comparaison de la glissade de la nuit précédente.

— Heureusement, je ne suis pas tombé par ce trou, murmura-t-elle.

Elle rangea son trésor en l'enfouissant dans l'encolure de sa blouse, puis elle commença à grimper. Elle plaçait chaque pied avec précaution et mettait chaque rebord à l'essai avant de déplacer tout son poids. Elle ne souhaitait pas déclencher une avalanche pour deux raisons : *Je ne veux pas réveiller ces grawligs et je ne veux pas être ensevelie sous une tonne de rochers. Je veux sortir d'ici vivante. Je veux arriver à Vendela en un seul morceau.*

De l'air chaud souffla sur sa main quand elle la déposa sur la pierre suivante. Tranchant sur l'air froid autour d'elle, cela ressemblait au souffle d'un gros animal. Elle retira sa main et écouta. Elle entendit faiblement les ronflements grossiers des grawligs et les jacassements matinaux des oiseaux dans les arbres à l'extérieur ; un étrange mélange. À l'intérieur de la caverne, seul l'égouttement de l'eau parvenait à ses oreilles depuis un coin éloigné.

Avec prudence, elle se souleva pour scruter par-dessus le roc. Un passage étroit s'étirait dans l'obscurité. De l'air humide circulait librement par l'ouverture.

Je me demande ce qu'il y a là-bas.

Encore une fois, elle inclina la tête et écouta avec attention. Aucun son n'émanait par l'entrée du tunnel, pas un bruit.

Elle réfléchissait, piquée par la curiosité.

Qu'y a-t-il dans ce tunnel ? Jusqu'où va-t-il ? Pourquoi de l'air chaud ?

Elle se retrouva accroupie près du trou et se pencha au-dessus de lui. Elle devrait ramper à quatre pattes. Si elle avait une source de lumière, elle pourrait y pénétrer. Elle posa la main sur le plancher du tunnel et passa sa tête dans l'ouverture.

Qu'est-ce que je fabrique ? Je ne veux pas y aller. Je veux fuir les grawligs.

Elle recula comme si elle venait d'échapper de justesse à une chute du haut d'une falaise. Son souffle venait par bouf-fées rapides et empreintes de panique. Serrant les poings, com-battant l'envie de plonger dans le tunnel, elle vit dans sa tête le visage sévère de dame Meiger.

Pense à ton objectif.

Kale étira une main et attrapa un rebord de pierre. Dans une minute, elle serait hors de la caverne.

Elle voulait encore revenir et explorer le tunnel. Le désir puissant de traverser ce passage souterrain l'effrayait. Cela ne faisait aucun sens.

Elle grimpa les derniers mètres jusqu'en haut de la caverne avec détermination. Kale sortit précautionneusement la tête, puis les épaules au-dessus du sol. Plissant les paupières sous le soleil éclatant du matin, elle examina les buissons autour des rochers où elle était tombée dans la caverne. Sa position actuelle était plus élevée et sûrement à six mètres à l'ouest des grawligs affalés par terre.

Ils ne s'étaient pas tous endormis près du trou. Cela signifiait que certains se trouvaient hors de vue.

Éveillés ou endormis ? Et combien ?

Elle comptait onze grawligs frustes étendus les uns sur les autres dans les buissons et autour. La nuit dernière, des douzaines de grawligs s'étaient groupés autour du camp.

Où se trouvent les autres ?

Elle embrassa du regard les alentours en commençant par le sol plus bas devant. Puis, elle pivota et regarda au-dessus d'elle. Le chemin le plus sûr pour fuir se trouvait au-delà des rochers s'étirant à l'ouest.

Du moins, cela me semble la meilleure voie.

Elle observa une nouvelle fois les bêtes sous elle. Les grawligs dormiraient possiblement encore quelque temps. Ils avaient festoyé tard et probablement sifflé du brillum, une bière brassée qu'aucune des sept races supérieures ne consommerait.

Cinq, peut-être dix minutes, et je serai entrée et sortie de ce tunnel.

Elle se glissa de nouveau dans la caverne, puis à l'intérieur du terrier de pierre avant de changer d'avis sur ses plans.

De l'air saturé d'humidité se posa sur sa peau pendant qu'elle tâtonnait dans le noir. Un parfum suave, de plus en plus entêtant à mesure qu'elle s'enfonçait plus profondément et loin de la caverne. L'obscurité, l'odeur, la moiteur criaient « danger ! » dans son esprit. Ses bras et ses pieds continuaient d'avancer. Elle discuta avec elle-même, tentant de forcer son corps à reculer et à quitter le tunnel et la caverne. Aucune de ses paroles marmonnées doucement dans l'atmosphère sirupeuse n'atteignit ses oreilles.

Un sortilège ! comprit-elle en gémissant. Elle ne pouvait pas résister à ce qui l'attirait dans les profondeurs sombres.

Tremblante, elle espérait s'effondrer sous la peur.

Dans ce cas, je m'arrêterais. Je ne pourrais plus alors avancer d'un poil.

Mais je ne pourrais probablement pas filer vers l'arrière non plus.

Je serais piégée. Enfermée jusqu'à ma mort.

3

LA GROTTE BLEUE

L'obscurité du tunnel se refermait sur Kale. À chaque tentative pour s'arrêter, ses bras et ses pieds lui démangeaient et la forçaient à continuer. Elle ravala la plainte qui lui venait aux lèvres.

Pleurnicher ne m'a jamais dispensé d'un brin de travail comme esclave du village. Cela ne m'aidera pas maintenant. Je ne veux pas suivre le sage conseil de dame Meiger.

Je ne dois pas abandonner. Mes connaissances apprises à Rivière au Loin font partie de moi et elles sont bonnes, solides et pures. Qu'a-t-elle dit ? « Pense à ton objectif. Sers-toi de ton expérience. » Sers-toi de ton expérience. Il y a toujours une chose du passé qui te servira pour l'avenir. Sers-toi de ton expérience.

Une fois arrivée là où cette force l'attirait, elle aurait peut-être l'occasion de se défendre.

Elle essaya de s'imaginer décochant des coups de poing à un ennemi invisible. Bolley et Gronmere boxaient souvent sur la place à Rivière au Loin, faisant étalage de leurs talents de guerriers mariones. Elle tenta de visualiser leur façon de positionner leur petit corps musclé avant de plonger l'un sur l'autre. Au lieu de cela, elle vit le poulailler de dame Avion.

Encore un sortilège. Je ne peux même pas évoquer les images de mon choix dans mon propre esprit.

Elle gémit encore une fois et elle se pencha au point de se retrouver presque sur le ventre. Elle se tortilla à travers le tunnel qui rétrécissait. Les murs raboteux se refermaient sur elle, et elle continuait lentement son avancée. La forte odeur des minéraux l'étouffait; néanmoins, elle ne pouvait pas s'arrêter. Centimètre par centimètre, elle avançait dans le noir.

Je suis probablement au milieu de cette montagne à présent.

Ses genoux étaient douloureux à force de frotter sur la surface pierreuse inégale, et le dessus de ses dix orteils était à vif. Au lieu de ralentir, elle augmenta la cadence. Le sortilège opérait plus fort, la poussant en avant.

J'espère ne pas être attendu par une bête affamée. Je ne veux pas lui servir de petit déjeuner.

Son propre estomac grondait. Le pain et le fromage du fermier Brigg constituaient un lointain souvenir.

Une douce lueur azur apparut devant. Elle soupira de soulagement.

L'éclat bleuté continuait de l'attirer. Dans son cœur, l'excitation prit le pas sur l'appréhension. Le passage étroit s'ouvrait subitement sur une vaste chambre souterraine. Elle se tortilla pour ramener ses pieds devant elle. Alors qu'elle sautait dans la grotte, elle vit des lumières provenant de millions de minuscules pierres scintillantes incrustées dans les murs. Une autre lueur émanait de formes semblables à des stalactites, suspendues au plafond et s'élevant du sol.

On dirait des dents acérées de dragon.

Le bouillonnement d'une source souterraine d'eau chaude la déconcentra un moment. La vapeur s'échappant de la surface mousseuse sentait le sucre, comme la sève que l'on fait bouillir après l'avoir extraite des arbres au printemps.

Le sortilège détourna son attention des étranges structures dans la grotte, et elle marcha avec un sang-froid troublant à travers le labyrinthe de colonnes pointues, vers une niche sur le mur opposé.

Sept petites pierres ovales groupées ensemble dans un nid de broer durci.

Des œufs de dragon ! Sa main vola automatiquement vers la pochette suspendue à son cou. *Je sais maintenant pourquoi j'ai vu le poulailler de dame Avion. Cela ressemble trop à la cueillette des œufs pour le petit déjeuner pour être vrai. Est-ce un rêve ?*

Elle toucha à l'une des pierres luisantes, sentit sa froideur, sa surface rude et observa la lumière éclairer partiellement sa main en bleu.

Je suis éveillée.

Elle retira vivement son écharpe autour du cou et l'étala sur le sol. Elle ramassa chacun des œufs et le tint avec émerveillement avant de le déposer sur le doux tissu bleu. Une fois les sept œufs alignés, elle se laissa choir par terre près d'eux et, assise en tailleur, elle admira sa découverte.

— Sept !

Elle murmura le nombre. Elle sortit son trésor et ouvrit la pochette. Elle plaça l'œuf de dragon qu'elle transportait à côté des autres.

— Huit. Je possède huit œufs de dragon.

Le conseiller en chef Meiger avait eu une attaque lorsqu'il en avait vu un.

— Comment l'as-tu trouvé, ma fille ? avait-il demandé.

— Je suis allée au ruisseau cueillir des joncs pour dame Avion. Je barbotais dans l'eau quand j'ai ressenti un picotement sur ma peau.

— Un picotement ?

— Oui, un picotement.

— Continue, continue.

Il avait posé ses mains sur ses hanches larges et lancé un regard furieux.

En tant que marione, il n'était pas très grand ; à peine quelques centimètres de plus que Kale. Cependant, devant son expression sinistre, l'esclave de village se sentait petite et vulnérable. Elle avait ravalé péniblement sa salive avant de poursuivre.

— J'ai marché dans l'eau sous le feuillecourbe jusqu'aux rochers. L'œuf se trouvait là dans un trou.

— Où?

— Sous l'eau.

— Sous l'eau?

— Dans les rochers. J'ai allongé le bras et j'ai tiré l'œuf de là.

— Comment savais-tu qu'il était là?

— Je ne le savais pas.

— Pourquoi as-tu plongé la main dans le trou?

— Je ne sais pas.

— Il y aurait pu se trouver là un blattig aux dents acérées, prêt à engloutir tes doigts.

Kale n'avait rien à répondre. Elle n'avait pas osé se moquer du poisson imaginaire qui mangeait les enfants lorsqu'ils tombaient dans la rivière. Elle ne croyait plus à cette histoire de bonne femme depuis qu'elle était assez vieille pour ramasser des roseaux pour fabriquer des paniers.

— Hum.

Maître Meiger s'était assis lourdement sur le banc devant sa porte.

— On doit tenir une assemblée, avait-il déclaré après un temps de réflexion. Nous devons décider quoi faire de toi.

— Puis-je garder l'œuf?

— Pardon?

— Puis-je garder l'œuf? Il m'appartient, n'est-ce pas?

— Tu vois ce que tu connais? Rien! Un œuf de dragon n'appartient à personne.

Kale avait été déçue. À part ses vêtements, elle ne possédait rien. Elle s'était dit que recevoir la permission de conserver l'œuf lui offrait un léger espoir. Par conséquent, perdre ce qui ne lui appartenait même pas se révélait quand même un peu décevant.

— Tu ne peux pas rester ici.

Les paroles du conseiller avaient bouleversé Kale.

— Tu dois aller à Vendela, ma fille. Mais le conseil du village doit d'abord se réunir.

Il s'était levé et éloigné à pied, mais d'autres mots flottaient jusqu'à elle alors qu'il secouait la tête et lançait des regards mauvais vers le sol.

— Épouvantable! Jamais à Rivière au Loin. Jamais aussi loin au sud.

Kale regarda l'écharpe bleue et les œufs nichés dans ses plis. Elle les recompta. Dans la faible clarté de la grotte, chacun scintillait faiblement en bleu. À la lumière du jour, elle pensait qu'ils seraient blanc albâtre comme celui de Rivière au Loin. Le souffle coupé par l'inquiétude, elle épia son œuf chéri. Elle le ramassa et l'examina avec plus d'attention. L'œuf de Rivière au Loin présentait un enchevêtrement de fines craquelures sombres sur sa surface. Les lignes ne se trouvaient pas là un mois plus tôt.

Le conseil m'a dit de le laisser dans la pochette jusqu'à mon arrivée au Manoir à Vendela. Ai-je pu l'endommager juste en le sortant? Je pensais qu'il était trop dur pour le briser. Qu'arrivera-t-il si je l'ai effectivement brisé? Quel sort réserveront les magiciens du Manoir à une esclave de village ayant abîmé un œuf de dragon?

Elle le retourna dans sa main, espérant voir un signe que la promesse d'une nouvelle vie n'avait pas été compromise. Il se réchauffa et commença à émettre un doux bourdonnement.

— Peut-être est-ce dû à l'éclairage ici.

Elle se détendit et prit plaisir à tenir son trésor. Après seulement un instant, son bien-être fit place à l'étonnement. La lassitude et les douleurs auxquelles son corps avait succombé disparaissaient. Envolée aussi la faim tordant son ventre. Ses yeux s'arrondirent alors que les petites égratignures et les éraflures sur ses genoux et ses orteils guérissaient sous son regard. Les dommages s'effaçaient comme s'ils n'avaient jamais existé, mais le tissu lacéré de son pantalon ne changeait pas et restait, lui, en lambeaux.

Quand la dernière coupure dans sa peau se referma, elle fixa l'œuf dans sa main comme si elle ne l'avait jamais vu auparavant. Si ses vêtements n'étaient pas déchirés et couverts de sang, elle croirait avoir imaginé les blessures. Alors que son excitation croissait, l'œuf sursauta. Elle resserra son étreinte pour l'empêcher de tomber.

— Je pense que tu n'es pas brisé, dit-elle avec un large sourire.

Elle le rangea dans sa pochette et l'enfouit à l'intérieur de sa blouse. Elle déposa les autres œufs sur le rocher et forma un nœud dans l'écharpe à environ trente centimètres d'une des extrémités. Elle disposa un œuf à côté du nœud et replia le doux tissu par-dessus. Avec une longueur de fil provenant du bord effiloché de sa tunique, elle le coinça en sécurité et fit un nœud. Elle plaça un autre œuf dans la bandoulière de fortune et l'attacha. Une fois terminé, elle se retrouva avec un objet ressemblant à une corde avec sept bosses. Elle noua l'écharpe bleue portant les œufs autour de sa taille, près de sa peau, sous sa tunique et sa blouse.

— À présent, sortons d'ici.

Elle se leva et trottina sur le sol de la grotte, évitant prestement les colonnes lumineuses. Une pensée lui vint juste au moment où elle atteignait l'entrée du tunnel. Elle pivota pour fouiller l'endroit du regard.

Découvrant par terre une roche de la grosseur d'un poing, elle se hâta de la ramasser. Des douzaines de cristaux scintillaient dans la pierre brute. Elle sourit et l'emporta dans le tunnel obscur.

Le chemin du retour ne lui sembla pas aussi long. Le sortilège qui l'avait attiré à l'intérieur avait disparu quand elle avait touché le premier œuf. Aucune crainte ne tourmentait ses pensées quant à ce qui l'attendait. La pierre luisait dans le tunnel. Elle pouvait voir à plusieurs mètres devant elle, bien que ce soit malaisé de la tenir et de ramper en même temps.

Elle continua, pressée d'arriver à la caverne et de grimper pour en sortir. Penser au réveil des grawligs l'aidait à se dépêcher. Elle fit une halte dès que sa tête passa légèrement par l'ouverture du tunnel pour pénétrer dans la caverne faiblement éclairée.

Trois rayons de lumière tombaient encore en ligne droite depuis l'extérieur. Ils s'étaient déplacés avec le mouvement du soleil.

Ses oreilles l'avertirent d'un changement. Elle inclina la tête pour essayer d'identifier le chahut. Les grawligs ne ronflaient plus. Au lieu de cela, elle entendit le choc du métal contre le métal, des cris de colère, des ordres frénétiques et des rugissements de fureur. Sauf erreur, les bruits d'une bataille résonnaient par les trois brèches de la caverne.

4

AMI OU ENNEMI?

Cette fois-ci, Kale souleva sa tête hors du trou avec encore plus de précautions. À en juger par le tumulte, elle s'attendait à voir une armée combattre les grawligs. Kale détecta seulement trois assaillants — deux à califourchon sur un dragon. La majorité du tapage provenait des ogres de montagne.

Le troisième attaquant se tenait à l'intérieur d'un cercle de grawligs et les abattait à droite et à gauche, brandissant une arme semblable à une fronde avec une boule garnie de clous à un bout. Elle reconnut en lui un guerrier marione, comme les gens de cette race peuplant Rivière au Loin. Son petit corps musclé restait, tel un bloc, solidement en position malgré les attaques. Fermiers et combattants réputés, les mariones pouvaient transformer n'importe quel morceau de terre en sol fertile et défendre tout territoire contre les envahisseurs.

Les dragons dans les airs n'étaient pas aussi imposants que les grands dragons que Kale avait aperçus plus tôt, volant au-dessus de la cité. Une large bête d'un blanc laiteux transportait un guerrier géant en armure et cotte de mailles. Pendant que les dragons descendaient en piqué vers les grawligs au combat et remontaient en flèche dans le ciel, le cavalier jetait violemment des lances avec une adresse mortelle. Son casque et son habit portaient l'emblème d'une maison royale. Deux grands carquois étaient suspendus sur les épaules du dragon, juste au-dessus des genoux du guerrier.

Éblouie par sa beauté, Kale observa les manœuvres acroba-tiques du second dragon. Les ailes rouges brillaient comme si elles étaient recouvertes de minuscules rubis. Sa poitrine et son ventre chatoyaient sous des reflets de bleu et de violet. Le soleil réfléchissait sur les écailles bleu-vert de sa tête, sa queue et ses pattes arrière.

Un petit cavalier poilu portait des couleurs vives, presque aussi flamboyantes que celles de sa monture. En criant des mots brusques incompréhensibles pour Kale, l'homme proje-tait des lances d'un mètre dans le cercle des grawligs.

— *Je suis Leetu Bends. Nous sommes venus à ta rescousse.*

Une voix féminine prononça ses paroles directement dans l'esprit de Kale. Surprise, la jeune o'rant redressa brusquement la tête.

Une télépathe! Elle scruta les alentours pour essayer de savoir qui avait parlé.

— *Pars maintenant, pendant que nous retenons l'attention des grawligs. Va à l'ouest, par-dessus la crête. Suis le ruisseau au flanc de la montagne. Nous te rattraperons.*

Kale tenait toujours la pierre scintillante ramassée dans la grotte. Elle ouvrit l'encolure de sa blouse et la laissa tomber sous l'étoffe râpée. Elle se posa sur le renflement de l'écharpe d'œufs de dragon autour de sa taille.

Elle pressa ses paumes sur le rebord du trou et se hissa par-dessus. Sans s'arrêter pour regarder le combat, elle grimpa tant bien que mal sur le sol rocailleux pour s'éloigner de la bataille.

Un cri de guerre déchira l'air. Kale pivota et vit le cavalier du plus petit dragon glisser de sa selle et atterrir dans un nœud de grawligs.

Il est tombé!

Le soldat miniature, vêtu de vives teintes de vert et de doré, disparut dans une mêlée féroce de bêtes brunes et noires.

Kale imagina l'homme menu tiraillé de toute part par les ogres tirant sur ses jambes et ses bras. Elle courut jusqu'à une saillie se trouvant juste au-dessus de la poignée de combattants emmêlés. Les grawligs émettaient des sons hideux. De la poussière s'éleva, masquant le vaillant petit guerrier à la vue de Kale. Elle vit des éclairs de couleurs provenant de ses vêtements, mais pas l'homme ni sa façon de se défendre.

Ils le tuent. Je dois faire quelque chose !

Kale saisit une roche et la projeta avec force. Elle rebondit sur la tête d'un grawlig. Il grogna et oscilla puis, sans même lever les yeux pour découvrir ce qui l'avait frappé, il retourna à ses efforts pour rouer de coup l'ennemi en leur sein.

Kale fit voler une roche après l'autre aussi rapidement que possible et avec toute la puissance de ses muscles.

— *Que fais-tu ? Va-t'en. Dar sait se battre. Il n'a pas besoin de toi. Pars ! Vite ! Avant qu'ils ne se tournent vers toi.*

Kale hésita.

— *Va !*

Elle lança la roche qu'elle tenait et se dirigea en vitesse vers le haut de la crête.

Je n'aime pas cela. Pas du tout. À Rivière au Loin, tout le monde criait après moi. Va ! Viens ! Fais ceci ! Fais cela ! Mais au moins, je savais de qui venaient les ordres.

À la fin de son ascension, elle se retourna pour regarder par-dessus son épaule. Le combat violent faisait toujours rage dans la ravine. Elle ne voulait pas être grondée encore une fois ; elle se détourna donc de la bataille et franchit la crête d'un pas lourd et bruyant.

Un ruisseau s'échappait des rochers au milieu d'une rangée d'arbrisseaux au feuillage vert persistant. Kale le suivit facilement. Le bruit des grawligs enragés combattant ses sauveteurs s'évanouit bientôt. La brise murmurait entre les arbres et la rafraîchissait pendant qu'elle continuait sa route d'une démarche traînante. Le soleil étincelait sur l'eau bouillonnante dans son lit de pierres rondes. Des oiseaux chantaient dans la forêt, inconscients de la vilénie des raids des ogres, comme s'ils n'avaient jamais lieu dans tout Amara.

Elle marchait au pas, grommelant à propos de grawligs et d'ordres muets, et sur le fait de ne pas connaître sa destination. Sa marche à côté du ruisseau calma sa colère. Sa bouche s'étira en un bâillement. Ses paupières tombaient. Puis, ses jambes devinrent comme du coton, et il lui fut difficile de rester debout. Elle trébucha plus d'une fois sur le sol qui pourtant aurait dû être facile à parcourir. Des pensées confuses brisaient sa concentration, et elle perdait sans cesse l'équilibre.

Elle a dit qu'ils venaient me secourir. Qui sont-ils ? Comment savaient-ils que je courais un danger ? Comment savaient-ils où me trouver ? Fermier Brigg peut-il l'avoir appris, d'une façon ou d'une autre ? Non. Comment aurait-il pu ?

Je suis tellement fatiguée. Et je commence à avoir faim. Combien de temps prendront-ils à me rejoindre ? Et s'ils avaient perdu la bataille contre les grawligs et que ce sont eux qui me rattrapent ? Et si... je suis tellement fatiguée. Mon corps tout entier crie de douleur.

Kale se laissa choir sur la berge couverte de mousse. *Je vais me reposer une minute seulement.* Elle tira la pochette hors de sa blouse et, en peu de temps, s'endormit en la tenant contre sa joue.

✶   ✶

Le sifflement ressembla d'abord à un roselin à double huppe, mais quelques notes un peu trop hautes résonnèrent à la fin de l'appel. Les yeux de Kale s'ouvrirent brusquement, et elle se redressa. Un doneel était assis sur un rondin près du ruisseau. Une ficelle attachée à son doigt se balançait au-dessus du rebord de pierre et entrait dans l'eau. Ses vêtements étaient en loques, mais de couleurs vives entre les taches de crasse et de sang. Son sifflement changea et imita le chant de la grive tachetée.

Kale compara l'apparence de ce véritable doneel avec la silhouette peinte sur la fresque à l'auberge de Rivière au Loin. Le doneel siffleur était assis mais elle était convaincue que, s'il se levait, il ne mesurerait pas plus de un mètre vingt. Sa tête de fourrure brun clair et blanche était posée sur un corps bien proportionné. Ses grands yeux se cachaient derrière des sourcils broussailleux qui descendaient sur ses tempes et se mêlaient à sa longue moustache. Son nez volumineux dépassait comme le museau d'un chien, et ses lèvres noires surmontaient un menton presque inexistant. Vêtu d'étoffes somptueuses aux couleurs radieuses, il était plus intéressant que l'illustration floue sur le mur sombre de l'auberge.

— As-tu faim ? demanda-t-il.

Illuminé d'un sourire, son visage s'arrondissait, et la moitié était occupée par sa large bouche. Ses deux oreilles couvertes de fourrure étaient nichées sur le dessus de sa tête, près du front. Elles remuaient et tournaient pendant qu'il écoutait.

— Juste un peu.

Jamais elle n'avait parlé à un doneel. Seuls quelques mariones et kimens visitaient Rivière au Loin. Les kimens étaient plus petits que les doneels, et leur corps, beaucoup plus délicat, presque léger comme un nuage. Ils se drapaient dans des étoffes aux couleurs de la forêt. Et ils avaient une tête munie d'une paire d'yeux et d'oreilles, et d'un nez et d'une bouche qui paraissaient normales aux yeux de Kale — bien qu'elle devait admettre qu'elle croyait que leur coupe de cheveux hirsutes et leurs sourcils absents leur donnaient un air perpétuellement étonné.

— Tu as très faim, déclara le doneel.

Sa voix grondait un peu en prononçant les mots.

— Ah oui ?

— Oui.

Il acquiesça fermement.

— Quand as-tu mangé la dernière fois ?

Kale se souvint du pain et du fromage partagés avec le fermier Brigg.

— Hier midi.

Il donna un coup sec sur sa ligne et retira un poisson de rivière aux écailles argentées, son dos noir comme du charbon et ses nageoires aux couleurs de l'arc-en-ciel.

— Tu as été battue par des grawligs, continua le pêcheur dès qu'il eut décroché sa prise de l'hameçon. Tu es tombée dans une caverne et tu t'es soignée avec la magie.

— J'ai fait cela ?

Le doneel lui lança un regard sceptique.

— Oui.

— Avec la magie ?

— L'œuf.

— Oh.

Kale mit sa main sur la pochette. Que savait cet étrange petit homme à propos de l'œuf de dragon ? Toutes les questions déconcertantes qu'elle s'était posées en suivant le cours du ruisseau lui revinrent en mémoire. Était-il aussi au fait de sa nouvelle découverte ? Huit œufs de dragon, c'était sûrement très précieux. Comment était-il possible qu'il sache pour le premier ? Elle n'en avait soufflé mot à âme qui vive depuis son départ de Rivière au Loin.

Le doneel se leva et épousseta son pantalon sale et déchiré.

— Je m'appelle Dar.

Kale se leva à son tour, comme on lui avait appris.

— Et moi Kale.

Une fois de plus, le sourire du doneel lui mangea presque tout le visage.

— Je suis enchanté de faire ta connaissance.

Il marcha vers un bagage déposé sur le sol et en tira un paquet enveloppé de tissu. Il le défit, et de petits pains plats apparurent. Il les tendit à Kale.

— Mange. La magie te donne l'impression de ne pas avoir faim, mais ton corps a besoin de nourriture, particulièrement quand il s'est acharné à guérir des ecchymoses et quelques égratignures.

Kale prit l'offrande et se rassit, cette fois sous un arbre borling. Dar ramassa des brindilles et prépara un feu pendant qu'elle s'alimentait. Elle l'observa avec méfiance. Il sifflait et fredonnait, sans se troubler de son silence. Kale n'avait jamais été très bavarde. On n'encourageait pas les esclaves à se mêler aux conversations. Mais les questions brûlaient en elle, et elle pensait qu'elle se mettrait à crier si elle ne recevait pas au moins quelques réponses.

— D'où viens-tu?

Dar s'accroupit devant un tas de brindilles qu'il arrangea avec une grande précision.

— Du Manoir.

— Pourquoi m'as-tu secourue? Comment savais-tu que je courais un danger?

— En fait, je ne le savais pas. Mais Merlander, si.

— Qui est Merlander?

Les mots résonnèrent plus fortement qu'elle ne s'y attendait, et elle eut un mouvement de recul. Aucun des villageois ne lui aurait pardonné un tel emportement.

Dar semblait ne pas s'en soucier.

— Mon dragon.

— Le beau?

Dar sourit encore largement.

— Elle est spectaculaire à regarder, non? Mais vaniteuse. Ne parle pas trop de sa beauté en sa présence.

Kale acquiesça à sa requête, comme si elle comprenait toutes les subtilités liées à la propriété d'un dragon.

— Tu as dit «mon dragon». On m'a dit que personne ne pouvait posséder un dragon.

— Oh, Merlander n'est pas à moi. Je dis «mon dragon» comme je dirais «mon ami» ou «ma sœur». Elle dirait «mon doneel». Nous sommes ensemble depuis cinq ans.

Kale avala et s'étouffa presque avec son pain. Dar vint vers elle et lui tapa dans le dos. Quand elle respira de nouveau normalement, il tira une lourde tasse en céramique de son bagage et lui apporta de l'eau fraîche du ruisseau.

— Elle parle? Ton dragon parle?

— Non, pas comme toi et moi. Elle connait mes pensées et moi les siennes. Elle m'a dit qu'un nouveau dragon venait de l'est, par-dessus la chaîne de montagnes Morchain. Pendant que tu approchais avec l'œuf, Merlander savait quand tu étais fatiguée, excitée ou effrayée. L'embryon de dragon dans ton œuf reflète déjà tes émotions. Mon dragon savait ce que ressentait ton dragon. Quand tu étais terrorisée par les grawligs, nous le savions. Mais nous ne pouvions pas te rejoindre lorsque tu étais inconsciente. Nous n'avions plus de guide. Puis, tu t'es éveillée et tu souffrais. Nous le savions. Sauf que, peu après, tu t'es endormie.

— Vous saviez tout cela?

— Merlander le savait.

Dar alluma le feu et nettoya le poisson. Il embrocha le pataugeur des rivières sur une broche en métal extirpée de son bagage et la déposa par-dessus le feu.

Kale essaya de comprendre toute l'information que Dar lui avait transmise. Le conseiller en chef Meiger avait raison. Elle ne savait rien.

— Alors, demanda-t-elle au doneel pendant qu'il tournait lentement le poisson en cours de cuisson, vas-tu m'amener au Manoir à présent?

— Non, répondit Dar. J'ai été envoyé pour t'empêcher d'aller au Manoir.

5

DE NOUVEAUX AMIS,
DE NOUVEAUX ENNEMIS

Kale se leva, paniquée. Le doneel était un imposteur. Où pouvait-elle fuir ?

Les anciens du village lui avaient dit où aller. À Vendela. Elle *devait* suivre les instructions. Devait-elle gagner l'Auberge de l'oie et du jars et chercher Maye ? C'était le conseil du fermier Brigg. Avant, il lui avait toujours suffi d'écouter les ordres et d'obéir. Rien ne venait compliquer son existence.

Peut-être l'état d'esclave n'est-il pas si mal. Si seulement je peux me rendre au Manoir, je serai une servante. Cela ressemble suffisamment à la condition d'esclave pour que cette aventure avec les grawligs et les doneels, à fuir le danger et les combats, cesse tout simplement d'exister.

Elle regarda Dar et son corps minuscule. Ses jambes courtes n'arriveraient jamais à la suivre. Elle scruta la forêt et se demanda dans quelle direction courir.

Un cri de salutation fut lancé du ciel. En plaçant sa main sur son front pour se protéger du soleil, Kale plissa les yeux et vit Merlander plonger vers le sol avec ses belles ailes rouges. Le dragon salua encore une fois d'un ton riche et mélodieux. Dar agita le bras en guise de salut. Le souffle du dernier battement d'ailes de Merlander ébouriffa les cheveux de Kale comme une brise printanière. Le dragon replia ses ailes sur ses flancs.

Une jeune femme à cheval sur la bête lança une jambe par-dessus l'arc du cou bleu et glissa sur les écailles scintillantes jusqu'à terre.

— Je suis Leetu Bends, annonça-t-elle en faisant un signe de tête en direction de Kale.

Puis, avec mauvaise humeur, elle se tourna vers le doneel.

— Dar, que lui as-tu dit ?

Et avant qu'il puisse répondre, elle déclara :

— Quelle sottise ! Quelle maladresse !

Dar baissa la tête, cachant son expression. Ses oreilles s'affaissèrent.

— Je suis désolé.

Leetu pivota vers Kale.

— Parmi d'autres comportements déshonorables, Dar pratique la taquinerie. Pense à lui comme à un frère aîné sans aucun sens des convenances. Ou sans aucun sens, point. Paladin a un urgent besoin de ton talent. C'est pourquoi tu dois abandonner l'idée d'aller au Manoir pour l'instant.

Dans sa confusion, Kale se tenait raide. Il s'agissait de la voix autoritaire qu'elle avait entendue lors de la bataille avec les grawligs — celle qui lui avait dit qu'elle venait la secourir. Kale reporta son regard sur le doneel repentant, et ensuite sur la jeune émerlindian pleine d'assurance. Elle portait en effet les couleurs du Manoir. Sa tunique était de la douce teinte beige doré du blé mûr et ses hauts-de-chausse arboraient le riche brun de la terre.

Mais comment Kale pouvait-elle savoir avec certitude qui étaient Dar et Leetu ? Que voulaient-ils réellement ? Se trouvaient-ils là pour l'aider ou lui nuire ?

Leetu Bends arrivait seulement aux épaules de Kale ; elle n'en dominait pas moins de sa présence. Minuscule silhouette aux cheveux blond blanc et aux yeux bleus, Leetu ne paraissait pas du tout délicate, mais plutôt fortement musclée, prête à bondir. Il s'agissait d'une jeune émerlindian. Le menton, le nez, les sourcils et les oreilles étaient tous un peu pointus ; sa beauté anguleuse était dessinée par des lignes nettes.

Kale avait entendu des histoires à propos des émerlindians. Ils naissaient avec un teint presque blanc pur. En vieillissant, leur peau, leur chevelure et leurs yeux s'assombrissaient. Ils vivaient longtemps, des centaines d'années. Les sages mamies brunes, chéries par les jeunes générations, étaient hermaphrodites. Il y avait aussi quelques éminentes créatures noires, des émerlindians qui soi-disant approchaient l'âge vénérable de un millier d'années. Les émerlindians, considérés habituellement comme des êtres nobles, gentils et bienveillants, possédaient des pouvoirs psychiques intéressants.

Kale tressaillit à ce souvenir. *Cette Leetu Bends lit dans mes pensées. Elle sait que je me méfie d'elle.*

Kale baissa le regard vers le sol de la forêt, se concentrant sur les feuilles éparpillées à ses pieds.

Puis-je l'en empêcher ?

Leetu rit.

— Oui. Je t'enseignerai cette technique au cours de ta formation. Pour l'instant, tu ne peux pas élever une barrière.

Kale leva les yeux. Merlander s'était installée en s'allongeant au bord de la clairière. Dar se tenait à côté de son cou, et sa tête atteignait tout juste la joue du dragon. Il s'appuya confortablement contre elle, comme pour lui souhaiter la bienvenue. Kale sentait la paix entre eux.

Leetu Bends n'avait pas bougé. Son visage clair, irradiant de chaleur et de gentillesse, ne portait plus l'expression sévère et autocratique qu'elle avait tournée vers Dar en arrivant. Kale voulait l'aimer.

Pouvait-elle faire confiance à ces deux-là ? Les anciens lui avaient dit d'aller au Manoir. Oserait-elle défier les ordres du conseiller Meiger ? Pourquoi Dar désirerait-il l'empêcher d'arriver là où elle était censée se rendre ? Leetu lui avait appris que Paladin avait besoin de son talent. Quel talent ? Kale se laissa choir en tas sur le sol de manière assez inconvenante.

— Je sais que tout cela est plutôt accablant, déclara Leetu.

Le commentaire de l'émerlindian ne contribua pas beaucoup à apaiser le combat mental de Kale. Depuis qu'elle avait quitté la charrette du fermier Brigg, rien ne s'était déroulé comme elle le prévoyait. La vie était beaucoup plus simple à Rivière au Loin, où dame Meiger disait à Kale dans quelle maison se rendre et que la maîtresse de cette demeure lui donnait des ordres toute la journée.

Leetu s'approcha et s'assit à côté d'elle.

— Essaie de te détendre. Permets-nous de prendre soin de toi. Dar est un bon cuisinier… quand il ne laisse pas tout brûler parce qu'il est distrait par autre chose.

Le doneel revint brusquement sur terre, se précipita vers le feu et tourna le poisson.

Leetu sourit largement puis reprit sa douce conversation avec Kale. Sa voix basse et raisonnable calmait l'anxiété de Kale.

— Tu as vraiment besoin de nourriture. Tu t'es fiée à la magie pour te soutenir, et cela ne fonctionnera pas, tu sais. Enfin, tu ne le sais pas encore, mais tu apprendras. Ton talent consiste à découvrir les œufs de dragon, et il y a un œuf qui *doit* être trouvé.

Leetu sortit un fruit vert, une paspoire, de la pochette sur sa hanche et le tendit à Kale.

— Nous allons parler en mangeant, dit-elle. Tu pourras poser autant de questions que tu le désires, et ensuite, nous commencerons notre quête.

Cela semblait si sensé et pourtant ce ne l'était pas. Kale mordit dans le fruit sucré.

Les anciens lui avaient ordonné de se rendre au Manoir, mais ils étaient loin d'ici. Kale avait suffisamment d'expérience pour savoir qu'ignorer les ordres menait souvent à des ennuis. Elle faisait confiance aux anciens, parce que même s'ils ne s'étaient jamais comportés comme des parents envers elle, ils l'avaient traitée équitablement. Ils voyaient à ce qu'elle ne manque pas de nourriture ou de vêtements, et qu'elle reçoive une certaine éducation. Ils ne permettaient à aucun villageois de profiter d'elle et de la faire travailler trop dur.

Elle était libre à présent. Enfin, en quelque sorte. Elle devait toujours aller là où on lui avait dit d'aller, et quand elle arriverait au Manoir, elle devrait probablement encore suivre les instructions. Mais pour une raison ou pour une autre, c'était différent. Être une servante, c'était mieux qu'être une esclave. N'est-ce pas ?

Leetu Bends lui avait déclaré qu'elle pouvait poser autant de questions qu'elle le souhaitait. À Rivière au Loin, on ne l'avait jamais encouragée à en faire autant. Ça, au moins, c'en était une différence. Mais un problème demeurait. Saurait-elle quelles questions poser ?

Le petit groupe mangea sans trop converser. Dar termina le premier et sortit un harmonica en métal de trente centimètres de longueur. Il s'installa contre un tronc d'arbre et commença à jouer de douces mélodies.

— De la musique digestive, dit Leetu. Les doneels croient fermement que le bon type de musique doit accompagner chacune de leurs activités.

Kale hocha la tête et continua à se délecter du poisson. Prétendre se concentrer sur son repas lui fournissait l'occasion de réfléchir à ce qu'elle désirait savoir. Après chaque pensée, Kale observait le visage de Leetu pour y déceler un signe qui prouvait que l'émerlindian entendait ce qui lui passait par la tête. Son estomac se noua. Elle repoussa son dîner. Rien dans son esprit n'avait de sens.

Je n'ai jamais eu à penser à des choses importantes à Rivière au Loin. Est-ce réellement ce que je veux ? Être entourée d'inconnus pouvant se révéler des amis ou des ennemis ?

Ses compagnons entreprirent les tâches. Une fois les quelques assiettes lavées et rangées dans un bagage de toile, Leetu et Dar s'assirent de chaque côté de Kale. Ses pensées s'entortillaient encore sans logique, mais elle ne pouvait plus retarder le moment.

— Tu dois poser tes questions, déclara Leetu.

Elle fit un geste gracieux de la main englobant ses deux camarades et elle-même réunis autour du feu de camp éteint.

— Nous devons partir.

Kale regarda le dragon chargé de paquets de provisions.

— Où allons-nous?

— Tout d'abord, trouver le magicien Fenworth.

Kale ne distinguait pas un magicien d'un autre. N'y avait-il pas suffisamment de magiciens au Manoir?

— Pourquoi? demanda-t-elle.

— Il a été choisi pour prendre soin de l'œuf de dragon une fois que tu l'auras trouvé.

— Comment sais-tu si je peux le trouver?

— Tu possèdes le don, dit Dar. N'as-tu pas marché droit sur l'œuf que tu portes dans la pochette? N'as-tu pas posé ta main dessus avant même de comprendre pourquoi tu la tendais?

Les mains de Kale serrèrent le bord de sa tunique. C'était injuste qu'ils en sachent autant sur elle et semblent si assurés dans toutes leurs actions. Elle ne savait rien du tout.

— Comment connaissez-vous ces choses sur moi?

Leetu frappa ses genoux de ses mains et secoua la tête.

— Paladin les connait. Nous ne pouvons pas te dire comment il sait toutes ces choses. Il les sait, tout simplement.

Kale battit des paupières devant l'agitation de Leetu, mais comme on lui avait permis de poser des questions, elle ne pouvait pas s'empêcher de poursuivre.

— Pourquoi Paladin m'a-t-il choisi pour partir à la recherche de l'œuf?

Leetu se leva et fit les cent pas.

— Une autre question à laquelle nous ne pouvons pas répondre. Une fois à son service depuis un moment, tu cesseras de t'étonner de son immense savoir.

Leetu détourna le regard une minute, comme pour rassembler les mots qui faciliteraient la situation pour Kale. Elle soupira de frustration et se tourna de nouveau face à son interlocutrice.

— Laisse-moi te parler de l'œuf et de la raison de son importance.

Kale acquiesça.

— Tout d'abord, il s'agit d'un œuf meech.

— Meech?

Dar se joignit à la conversation.

— La plus importante classe de dragon, la plus puissante. Une femelle meech peut pondre trois œufs au cours de toute son existence, soit plus de cinq cents ans. Les œufs sont rares.

Leetu leva une main pour arrêter l'exposé de Dar.

— Cet œuf a été pris par Risto.

— Qui?

Dar se tortilla, les lèvres fermement serrées l'une contre l'autre pendant que ses yeux passaient rapidement du visage de Leetu à celui de Kale. Il n'arriva pas à garder le silence et il lâcha brusquement l'information dont avait besoin Kale.

— Un magicien maléfique! Risto est un magicien maléfique.

Leetu le fit taire d'un regard.

— Risto ne désire pas faire éclore l'œuf. Il veut se servir du pouvoir de l'œuf pour jeter un sort grandiose.

— Bien sûr, dit Dar.

Ses oreilles remuaient, et il se lécha les lèvres en fixant Kale.

— Ses sortilèges sont mauvais.

Les sourcils du petit doneel se rejoignirent en un froncement féroce.

— S'il a besoin du pouvoir d'un œuf meech pour réussir, allez savoir quel méprisable sacrilège il complote.

— Vous voulez dire que vous ne savez pas quel sortilège maléfique il veut jeter? Comment pouvez-vous être si certains que c'est dangereux?

Dar bondit sur ses pieds en ouvrant grand les bras.

— Parce qu'il s'agit de Risto. Il ne fait pas de bonnes actions. Il possède tous les traits de méchanceté qui ternissent les sept races supérieures. L'orgueil, la cupidité, l'hypocrisie, la perfidie…

Dar cracha son indignation.

— Il est cruel, fou de pouvoir, fourbe…

— Il est mauvais, l'interrompit Leetu. En utilisant le pouvoir de l'œuf non éclos, Risto en détruira la vie à l'intérieur.

— Tu vois, déclara Dar en tapant du pied pour marquer son point. Diabolique! Aucun respect pour le bon travail de Wulder. On doit stopper Risto, et Paladin nous envoie pour nous en occuper.

— Avec Fenworth, lui rappela Leetu.

Dar grimaça de dégoût.

— Amener ce magicien mènera au désastre.

— Pourquoi? demanda Kale.

Leetu lança un regard d'avertissement à Dar avant de répondre.

— Il vaut mieux attendre et constater par toi-même, Kale.

6

Une douzaine
d'obstacles

— Merlander ne peut pas porter trois passagers, expliqua Leetu. Elle est trop petite.

Kale observa Dar et l'émerlindian retirer des ballots attachés au dos du dragon.

— Dar, demanda Leetu en plissant le front et en secouant rapidement la tête, est-ce que tu traînes toute ta garde-robe avec toi ?

Elle désigna les paquets à ses pieds.

— Nous devons parcourir des kilomètres à pied. Tu ne peux pas transporter tout cela, et ni moi ni Kale ne t'aiderons. Ces choses ne sont pas nécessaires.

Dar se crispa et grommela dans son épaisse moustache.

— Une personne se doit de montrer de la classe, d'être bien mise. Nous représentons Paladin. Qui sait qui nous rencontrerons au cours d'une quête importante ? Nous pourrions devoir négocier avec les dirigeants de royaumes éloignés.

— Nous traverserons des forêts et des marécages. Tu n'as pas besoin de beaux vêtements aux couleurs vives parfaits pour un bal. Choisis des tenues pratiques vertes ou brunes si tu en possèdes.

Leetu laissa derrière elle le dernier sac de toile qu'elle avait retiré du dos de Merlander et vint se tenir debout près du doneel grincheux. Les mains sur les hanches, elle examina sa collection.

— Deux sacs, c'est tout. Deux sacs suffisamment légers pour que tu puisses les porter seul.

— Nous pourrions nous arrêter au prochain village et acheter un âne, suggéra Dar.

— Deux sacs, déclara Leetu.

Dar tourna deux grands yeux suppliants vers Kale.

— Kale accepterait d'en transporter un pour moi, dit-il.

— Elle aura assez de choses à traîner. Cesse ces enfantillages, Dar. Renvoie les vêtements en trop au Manoir avec Merlander.

Avec ce qui ressemblait beaucoup à un grognement, le doneel céda.

À présent que Leetu avait gagné la partie, elle s'assit le dos contre un arbre et démontra une patience d'ange étonnante. Elle tira un livre de sa poche et feuilleta les pages jusqu'à ce qu'elle trouve l'endroit où reprendre sa lecture.

Dar triait ses effets avec acharnement en tentant d'en mettre le plus possible dans deux sacs. Il se tracassa pour des accessoires et des morceaux de vêtement, s'accordant même le temps d'essayer un manteau en épais velours vert, une chemise en soie à motifs bleus et un gilet cramoisi.

— Trop vif, déclara Leetu en levant à peine les yeux de son livre.

Dar soupira en rangeant le gilet. Il ajouta un veston écarlate assorti, un autre gilet — violet celui-là — et des knickers vert et doré. Il grommela à propos des gens qui ne connaissaient pas la valeur d'être bien mis et de ne pas disposer d'une glace pour l'aider à prendre des décisions importantes.

Kale l'observa avec amusement pendant un moment. Elle devait admettre que les couleurs vives et les belles étoffes l'attiraient, elle aussi. Pendant un instant, elle se permit d'espérer, de s'imaginer en train de marcher dans les couloirs de marbre du Manoir, vêtue d'habits flottants en soie colorée aux teintes brillantes.

Finalement, elle tourna son esprit vers Amara afin de se rappeler sa géographie. La seule carte géographique disponible à Rivière au Loin appartenait à dame Blezig, la maîtresse d'école. Plusieurs années s'étaient écoulées depuis que Kale avait étudié le parchemin jauni, mais elle se souvint des deux chaînes de montagnes s'étirant au nord et au sud, des îles près de la côte, des volcans au sud-est et des énormes forêts au nord-est et au sud-ouest. Une région nommée les Marais couvrait une grande partie au sud-ouest.

Ses sourcils s'arquèrent quand elle comprit que le seul endroit où ils pourraient traverser à la fois des forêts *et* des marécages se situait au sud-ouest, à environ 1600 km.

Nous allons marcher jusqu'aux Marais ?

Leetu redressa brusquement la tête et leva les yeux de son livre pour fixer Kale.

— Tu as presque crié après moi, dit-elle en fermant son bouquin. Il semble que je devrais m'occuper davantage de toi. Tu auras besoin de contenir tes pensées avant que nous entrions dans le marais de Bedderman.

— Pourquoi ? Qu'y a-t-il dans le marais de Bedderman ?

— Il vaut mieux que tu attendes pour voir, Kale.

Kale n'apprécia pas plus que la fois précédente la réplique vague. Qu'en était-il de la promesse de répondre à toutes ses questions ? Elle tenta une dernière fois d'obtenir une réponse claire.

— Allons-nous marcher jusqu'aux Marais ? demanda-t-elle en regardant vers le doneel et en espérant qu'il lâcherait ses pensées impulsivement.

Il semblait plus enclin que Leetu à fournir des bribes d'information utile.

Dar, se tracassant pour ses paquets, ne plaça pas un mot.

— Oui, nous nous y rendrons à pied, dit Leetu. Mais nous traverserons un portail.

Kale resta bouche bée. Les portails faisaient partie des contes de fées. Les héros s'échappaient par les portails ou en surgissaient pour surprendre des ennemis. Les portails allaient de pair avec les animaux parlant et les amulettes magiques.

Les portails existent ?

Kale ferma la bouche et secoua lentement sa tête de gauche à droite. Le conseiller Meiger avait raison. Elle ne savait rien du tout.

— Je suis prêt, annonça Dar.

Il donna une petite tape sur le cou de Merlander, et le dragon se redressa sur ses pattes. Le doneel recula pour éviter d'être frappé par ses ailes. Elle s'éleva dans les airs avec les paquets supplémentaires du petit homme fixés fermement sur sa selle. Dar la regarda grimper très haut dans le ciel sans nuage et prendre la direction de Vendela. Il tourna un visage maussade vers Leetu et Kale.

L'émerlindian bondit sur ses pieds et souleva un ballot. Elle le lança à Kale, qui l'attrapa avec un grognement. Sans un mot, Leetu saisit deux autres paquets et les balança par-dessus son épaule. Elle s'engagea sur un chemin à côté du ruisseau. Kale se leva tant bien que mal juste à temps pour suivre Dar avançant d'un pas lourd sur le sentier.

Ils cheminèrent. Le soleil réchauffait leur dos, des oiseaux sifflaient dans les arbres imposants et le ruisseau chantait sur les pierres rondes. À l'occasion, les racines noueuses des conifères géants s'étendaient jusque dans le ruisseau. Là, l'eau moussait et bouillonnait à travers les pieds bruns des arbres majestueux.

Bientôt, Dar commença à fredonner, puis à chanter doucement pour lui-même. Il avait retrouvé sa bonne humeur. Il chanta plus fort, et ses chansons s'égayèrent pendant qu'ils avançaient au pas. Le moral de Kale répondit aux paroles joyeuses à propos de héros légendaires venant des sept races supérieures. Dar chantait aussi au sujet de fermiers et d'autres gens ordinaires pris dans de drôles de situations. Elle rit et s'étonna de toutes les épreuves que pouvait traverser un voyageur.

Ils randonnèrent jusqu'en bas de la montagne, traversèrent une vallée, puis recommencèrent à grimper. Dar perdit le souffle quand le sentier devint plus abrupt. Ils ne pouvaient plus avancer prestement au rythme de sa musique joyeuse. Kale, bien qu'habituée à travailler dur, n'était pas accoutumée aux longues excursions. Ses jambes protestaient. Elle souhaitait vivement se reposer.

Dar stoppa brusquement, et pendant un instant, Kale pensa que son désir se réalisait. Mais, le doneel leva le nez au vent et ferma les yeux. Leetu s'arrêta et se retourna.

— Des grawligs, dit-elle en lisant de toute évidence dans son esprit. À quelle distance, selon toi?

Elle regarda Dar.

Il réfléchit un moment en reniflant l'air.

— Nous sommes encerclés.

Kale s'était crue trop fatiguée pour continuer longtemps, mais à présent, un frisson de peur insufflait de l'énergie à ses muscles. Elle était prête à courir dès que Leetu en donnerait l'ordre.

L'émerlindian passa en revue les arbres et les buissons entourant la petite clairière.

— Nous prendrons position ici.

Assurément, ils devraient s'enfuir. Kale ouvrit la bouche pour protester. Rien d'autre qu'un croassement ne sortit.

Impatiente, Leetu l'appela d'un geste brusque, et Kale se hâta de la rejoindre. Leetu lança son propre fardeau dans les buissons, puis elle arracha le paquet de Kale et le projeta aussi dans la végétation du sous-bois.

— Dar, tu couvres le centre de la clairière, ordonna Leetu. Kale, grimpe à cet arbre.

Kale regarda le large tronc de l'imposant conifère. Elle avait remarqué plusieurs de ces arbres majestueux sur le sentier qu'elle avait parcouru à travers les cols de montagne. Aucun arbre semblable ne poussait à Rivière au Loin.

— C'est un pin de roche, expliqua Leetu, démontrant encore une fois qu'elle connaissait les pensées de Kale. Son nom ne vient pas du fait qu'il pousse dans les roches. Ces pommes de pin épineuses sont dures comme des pierres. Grimpe aussi haut que tu le peux. Enlève ta tunique et enroule-la autour de la main avec laquelle tu les lanceras. Quand les grawligs attaqueront, commence à les bombarder avec les pommes de roche. Touche tout ce que tu peux, mais vise les oreilles des grawligs. Elles sont sensibles.

Leetu fit la courte échelle avec ses doigts entrelacés. Kale posa son pied dans les mains de Leetu et elle se sentit propulsée dans les airs. Elle attrapa la branche la plus basse et grimpa l'arbre avec difficulté. Les grognements et les grommellements rudes des ogres qui approchaient l'inspirèrent à augmenter l'allure.

Une fois perchée sur une haute branche, elle put voir des silhouettes sombres avançant de tous les côtés, les encerclant complètement.

— Combien? demanda Leetu d'en bas.

Kale scruta la région.

— Douze.

— Cela ne devrait pas nous retarder trop longtemps, dit Dar.

Des branches se balancèrent dans un arbre à côté de Kale. Elle distingua la mince silhouette de Leetu pendant qu'elle grimpait à une branche à environ dix mètres du sol. Dessous, Dar se tenait debout au centre de la clairière, les oreilles dressées, écoutant l'approche des ogres de montagne en maraude. Kale voulait crier : «Grimpe à un arbre!»

— *Il se débrouillera bien.*

La voix calme de Leetu la rassura.

— *Regarde. Il va produire une coquille magique et se battre d'en dessous.*

À ce moment-là, quatre grawligs pénétrèrent une rangée de taillis avec force et entrèrent dans la clairière.

Dar arrondit le dos, et une coquille chatoyante apparut par-dessus son corps. Elle flottait au-dessus de lui comme un bol de verre inversé. Kale pouvait voir les mouvements du doneel à l'intérieur. Deux poignards scintillèrent dans ses mains.

Les grawligs poussèrent un rugissement et attaquèrent. Ils frappaient sur la coquille et tentaient de la soulever. Les mains de Dar fouettaient l'extérieur sous le rebord inférieur. Ses poignards tailladaient et piquaient les orteils des grawligs, ainsi que leurs doigts lorsqu'ils agrippaient le bas de son armure de protection. Les ogres sautillaient partout parmi les cris et les hurlements, mais ils n'abandonnaient pas. Quand l'un d'entre eux se repliait pour sucer ses doigts blessés, un autre prenait sa place.

— *Maintenant!* cria la voix de Leetu dans la tête de Kale, la faisant sursauter au point où elle lâcha presque sa branche.

Davantage d'ogres de montagne affluaient dans la clairière. Leurs jambes massives arrachaient les épais taillis. Ils beuglèrent un cri de guerre, et Kale serra le tronc d'arbre, pensant que les épouvantables vociférations allaient secouer l'arbre et la précipiter par terre.

Dar disparut au milieu d'une douzaine de grawligs fous furieux. Des flèches provenant de l'arc de l'émerlindian pleuvaient sur la tête des ogres.

Je ne peux pas rester assise ici à ne rien faire. Je suis censée les aider.

Kale retira sa tunique en se tortillant et l'enroula à toute vitesse autour de sa main droite. Elle saisit une pomme de pin et elle dut tordre l'orbe de bois porteur de graines pour le détacher. Même avec sa main protégée, elle sentit la piqûre des aiguillons. Elle lança sauvagement la pomme dure comme une roche et réussit à frapper l'un des grawligs dans le dos. La pomme restait collée sur les poils emmêlés.

Au cours des quelques minutes suivantes, elle améliora sa précision ainsi que son habileté à tourner les pommes juste de la bonne manière pour les détacher des branches épaisses couvertes d'aiguilles. Elle grimpa à d'autres branches plusieurs fois pour atteindre de nouveaux groupes d'armes épineuses.

Kale commença à déceler l'avantage de la stratégie de Leetu. Pendant que Dar, sous la sécurité relative de sa coquille, infligeait des blessures graves aux ogres, Leetu, en haut, les criblait de flèches.

Les pommes de pin dures comme la pierre lancées par Kale blessaient les ogres, mais ne nuisaient pas à leur attaque. Néanmoins, les pommes collaient, et Kale constata que c'était une bonne chose. La plupart des grawligs poilus portaient le poids additionnel de dix à vingt pommes dures. Elle pensa que les monstres étaient incroyablement stupides. Leur attention demeurait rivée sur le doneel qu'ils croyaient avoir piégé au sol.

Finalement, l'assaut depuis les airs sembla en déranger certains suffisamment pour qu'ils s'arrêtent et restent bouche bée devant les arbres. Leetu profita des visages tournés vers le haut. Son habile précision envoya plusieurs grawligs hurlants dans les bois, tirant sur les flèches enfoncées dans leur chair.

Kale s'émerveilla de chaque coup direct sur les oreilles d'un grawlig. Ils réagissaient en hurlant de colère et de douleur. Souvent, l'ogre blessé quittait le raid avec une énorme main couvrant le côté de sa tête. Ils boitaient tous douloureusement en raison des blessures infligées à leurs pieds par le doneel.

Elle redoubla d'efforts pour frapper dans le mille, puis elle rit et corrigea sa phrase. Elle voulait toucher l'oreille des grawligs et non le centre d'une cible.

L'escarmouche prit bientôt fin.

Dar avait raison. Ils partent ! Et ce n'est pas trop tôt. Mes bras me font mal à force de lancer toutes ces pommes lourdes. J'ai dû en lancer quelques centaines. Et j'ai l'impression d'avoir serré dans mes mains des pelotes à épingles.

Elle mit la main dans sa blouse et retira la pochette rouge pour la tenir délicatement entre ses paumes.

Pendant un instant, Dar, Leetu et Kale restèrent immobiles, écoutant les grawligs se frayer difficilement un chemin dans la forêt, hurlant et sifflant et faisant autant de bruit en quittant les lieux qu'en attaquant. Comme les sons diminuaient, Dar libéra sa coquille protectrice. Elle s'évanouit en fumée. Il se tint debout et renifla le vent.

— Ils sont partis, annonça-t-il.

Il nettoya ses poignards ensanglantés en les essuyant sur l'herbe piétinée. Ils disparurent dans ses manches, et le pointilleux doneel inspecta ses knickers éclaboussés.

Leetu glissa de branche en branche et atterrit sur le sol en douceur.

— Un travail salissant, dit-elle en guise de commentaire.

Elle entreprit de ramasser les flèches qui avaient rebondi sur la tête dure des grawligs ou que ceux-ci avaient retirées en les lançant par terre avec colère.

Kale descendit de son arbre plus lentement. Elle avait participé à une bataille! Même si elle avait voulu croire qu'il s'agissait d'un rêve, elle ne pourrait pas. Des éclaboussures de sang des grawligs tachaient la petite clairière. Elle se faufila doucement jusqu'au coin le plus éloigné pour s'assoir à l'écart de ses compagnons. Elle avait l'estomac barbouillé et nulle envie de parler à quelqu'un.

Dar avait déjà retiré ses bottes et ses bas et ouvert un de ses sacs pour chercher des vêtements propres.

— *Tout va bien.*

Kale entendit la voix calme de Leetu dans sa tête, mais elle n'arrivait pas à se convaincre de lever les yeux pour regarder les traits sereins de l'émerlindian. Au lieu de cela, elle examina les brindilles, la poussière et les cailloux à ses pieds. Un insecte rampa dans un endroit à découvert, puis disparut sous une feuille de trang-a-nog.

Kale répondit sciemment à Leetu en pensée. *Un des combattants mariones de Rivière au Loin s'est rendu à la frontière pour se battre contre des blimmets. Il a dit que de tuer des blimmets n'était* pas plus gênant que d'écraser des mouches. Il n'avait pas la nausée à la vue du sang. Si Paladin s'attend à me voir combattre, peut-être a-t-il choisi la mauvaise o'rant.

La voix de Leetu pénétra son esprit.

— Ne te sens pas mal d'éprouver des nausées après ce genre de chose. Ne t'habitue jamais à tuer. Si tu t'endurcis, alors peu importe le rang élevé que tu occupes de naissance parmi les sept races supérieures, tu descendras au niveau de ceux nés de l'esprit maléfique de Pretender.

Paladin approuve le meurtre ? demanda Kale.

Il y eut une longue pause.

— Paladin croit à l'obligation de protéger son peuple.

Qu'est-ce que cela signifie ?

— Il vaut mieux que tu attendes pour voir par toi-même.

Kale grogna en silence et elle entendit en réponse le rire de Leetu dans sa tête et dans ses oreilles.

Mamie Noon

Une fois que Dar se fut changé, ils reprirent leur périple avec Leetu en tête et Kale en queue. La forêt devint plus dense, plus opaque, plus calme, plus froide, et dégagea une odeur de renfermé plus forte. Les pas des trois voyageurs étaient étouffés par l'épais tapis de vieilles feuilles.

Abîmée dans ses pensées sombres, Kale ne voyait pas son environnement. Elle retournait dans son esprit chaque aspect de son pèlerinage depuis Rivière au Loin jusqu'au moment où elle avait quitté le fermier Brigg sur la route de Vendela.

Si j'étais restée avec lui, je vivrais à présent en sécurité à l'intérieur des murs du Manoir. Je suis la seule coupable. Je n'ai pas respecté les instructions des anciens et maintenant, voyez où j'en suis.

Elle se cogna contre Dar avant de réaliser que le doneel s'était arrêté brusquement.

— Désolée, murmura-t-elle.

Il ne répondit pas, mais scruta l'épaisse végétation devant eux. Leetu avait disparu. Kale remarqua la fraîcheur dans l'air et frissonna. Elle croisa les bras et glissa ses mains dans les manches en tissu rugueux de sa tunique. Elle s'apprêta à demander s'il y avait un problème, mais le petit homme poilu leva une main et lui souffla :

— Chut !

La gorge de Kale se contracta, ses muscles se tendirent et son cœur battit comme un petit tambour. Elle serra les poings, ne sachant pas si elle devait se préparer à combattre ou à courir. Elle préférait la fuite. Elle se força à scruter l'endroit autour d'eux avec seulement ses yeux, en maintenant sa tête parfaitement immobile.

Il n'y a pas cinq centimètres entre ces troncs d'arbre. Comment avons-nous pu nous enfoncer aussi loin ? Suivions-nous un sentier ? Où se trouve Leetu ? Que fixe Dar ? Est-ce que quelque chose surgira de derrière ce mur de feuilles ? Pourquoi restons-nous debout ici ?

Elle entendit d'abord le bruissement des feuilles, puis elle vit frémir le mur devant eux. Les branches miroitèrent, prirent une teinte argentée et commencèrent à luire. La lumière s'intensifia graduellement. Kale jeta un coup d'œil et se protégea les yeux avec un bras. L'air se réchauffa, l'éclat déclina, et Kale sentit l'arôme piquant de la terre fraîchement labourée après la pluie. Elle baissa son bras protecteur et ouvrit les paupières.

Leetu se tenait dans le passage voûté couvert de vignes en fleurs, là où le solide mur de feuilles s'élevait auparavant. À ses côtés, une autre émerlindian, ridée et noircie par l'âge, leur adressa un signe de tête. Ses épais cheveux bruns descendaient presque jusqu'au sol. Des yeux sombres rieurs étincelèrent en signe de bienvenue.

Kale prit petite une respiration.

— Une mamie, murmura-t-elle dans un souffle.

— Oui, ma chère. Je suis Mamie Noon. Bienvenue dans ma maison.

Dar avança d'un pas et exécuta une élégante révérence pour la saluer.

Mamie Noon rit.

— Dar, je peux toujours compter sur toi pour apporter du raffinement à mon humble demeure.

Elle se tourna vers Leetu Bends.

— Comme tu as noirci depuis notre dernière rencontre, Bends. Je suis tombé sur tes parents au Festin du solstice d'été. Ta mère raconte que tu lis encore chaque fois que tu en as l'occasion.

Kale elle-même savait que c'était vrai. Elle jeta un coup d'œil à la jeune émerlindian et la vit rougir.

— Ils allaient bien? demanda Leetu, et Kale se dit qu'elle ne voulait pas parler de ses habitudes de lecture.

— Oh! Oui, absolument, répondit Mamie Noon en passant son bras sous celui de Kale et en la tirant un peu vers l'ouverture. Et ils sont fiers de leur fille.

Elle tapota le bras de Kale.

— Viens mon enfant, tu es à deux doigts de l'épuisement, et j'ai cuisiné des petits pains nordy.

Kale entendit Dar se lécher les babines et en conclut que les petits pains devaient être quelque chose de spécial. Après quelques pas, les feuilles couvrant les murs commencèrent à diminuer, et de la terre compacte apparut entre les vignes clairsemées. Le plancher s'inclina graduellement vers le bas. Des racines épaisses traversaient à l'occasion la pente et ensuite, elles formèrent un escalier abrupt descendant plus profondément dans la terre.

De la lumière émanait de pierres similaires à celles que Kale avait vues dans l'antre de la montagne où elle avait trouvé le tas d'œufs de dragon. Ces pierres luminescentes n'étaient pas imbriquées dans les murs, mais perchées sur des étagères en bois sculptées minutieusement à intervalles réguliers. Derrière chacune d'elles, une glace courbée réfléchissait vers l'extérieur le doux éclat de la pierre-soleil. Les cheveux blonds de Leetu et les taches blanches dans la fourrure de Dar chatoyaient d'une jolie teinte azurée. Chaque morceau de vêtements pâles portés par le petit groupe affichait aussi des reflets bleutés.

Au bas de l'escalier de racines, l'odeur de levure s'échappant d'une fournée de pain frais flotta hors du couloir sombre devant eux. Ils avancèrent encore seulement quelques mètres avant d'entrer dans une pièce chaleureuse avec un tapis vert mousse, des murs tapissés de livres, une belle flambée dans un foyer bien placé et des meubles en bois rembourrés avec des coussins rebondis. Au centre de la pièce, des tabourets à trois pattes entouraient une table ronde dressée avec une élégante porcelaine et de longues bougies disposées dans des chandeliers en argent brillant.

L'estomac de Kale gronda à la vue et à l'odeur de la délicieuse nourriture. Mamie Noon serra son bras avec compréhension. Ses dents blanches étincelantes pointaient entre ses lèvres mordorées souriantes. Même dans la faible lumière de la maison souterraine, Kale pouvait voir la chaleur et l'affection dans le visage de la vieille femme. Pour la première fois depuis que la jeune o'rant avait affronté les grawligs, elle ressentait un certain degré de sécurité. Elle laissa la paix s'installer dans son cœur. Ses muscles contractés se détendirent, et elle ne se raidit pas quand Mamie Noon posa un bras dans son dos.

— Tu peux rafraîchir ta toilette dans la pièce par là.

Elle désigna d'un signe de tête une porte en bois solide.

— Je vais mettre une bouilloire sur le feu pour le thé.

Quelques minutes plus tard, Kale s'assit à une table croulant sous les plats chauds. Plutôt qu'avaler à la hâte n'importe lequel des mets appétissants, elle se força à conserver le contrôle d'elle-même. Elle avait appris les bonnes manières en servant dans les meilleures maisons à Rivière au Loin. Mais à présent, elle voulait engouffrer les minuscules sandwichs de pain rôti croustillant garnis de minces tranches de viande et de fromage. Mamie Noon souleva la tête en céramique d'une soupière en forme de lapin posée au centre de la table et versa des louches de ragoût aux légumes parfumés dans des bols.

Dar l'aspira bruyamment, et Leetu l'observa en fronçant les sourcils, mais Mamie Noon ne sembla rien remarquer. Elle passa à la ronde de petits pains bruns sucrés, probablement ceux qu'elle avait mentionnés à l'entrée voutée. Dar coupa le sien en deux et beurra généreusement chaque moitié. Mamie s'éclaircit la gorge. Dar la regarda, puis il en offrit de bonne grâce une moitié à Kale.

— Merci.

Elle prit le pain chaud et sentit une bouffée de l'arôme qui s'échappait de la portion brune dans sa main. Kale mordit dans le petit pain nordy, et un merveilleux goût de noix envahit sa bouche. Elle ferma les yeux et mâcha lentement tout en se demandant avant même de l'avaler si elle pouvait en prendre un autre, ou même deux autres.

— Mange ton poisson, ma chère, lui intima Mamie Noon.

Kale ouvrit les yeux pour voir une nouvelle assiette devant elle contenant une tranche de poisson d'un blanc pur et une montagne de purée de pommes de terre roses. Kale avait seulement mangé des pommes de terre pnard les rares fois où il en restait après un dîner de fête. Les pommes de terre pnard étaient si délicieuses que la plupart des gens raclaient leurs bols et n'en laissaient pas pour les esclaves.

Quand Kale déposa enfin sa fourchette, son ventre poussait de manière inconfortable sur l'écharpe bleue attachée autour de sa taille.

— Merci, Mamie Noon. C'était le meilleur repas de ma vie.

Leetu et Dar renchérirent sur son appréciation.

La vieille femme sourit et hocha la tête.

— Nous nettoierons plus tard. Il n'est pas bon de s'activer dans la cuisine quand on a besoin de digérer son dîner. Peut-être Dar jouera-t-il pour nous.

Le doneel rayonna de fierté à la demande et il partit immédiatement chercher son sac. Il fouilla parmi un certain nombre de petits instruments et choisit une flûte. Mamie Noon installa Kale sur des coussins devant le foyer. Leetu porta son choix sur un livre d'une étagère proche et s'assit plus près d'un chandelier à branches debout au milieu de pierres luisantes. Mamie s'installa dans une berceuse et sortit un tricot d'un panier. En quelques minutes, la tête de Kale dodelina, et elle posa sa joue contre l'étoffe de velours soyeux du coussin.

Ce qu'elle désirait le plus, c'était de rester dans la chaleureuse maison souterraine avec la plus vieille et la plus gentille personne qu'elle n'ait jamais rencontrée. Elle voulait oublier

Vendela, les quêtes, les œufs de dragon, les magiciens et les grawligs — particulièrement les grawligs. Peut-être aussi, vivre avec Mamie Noon et devenir sa servante. Ce serait un rêve transformé en réalité.

8

Des explications

— *Kale.*

Kale ne voulait pas sortir de son sommeil. Elle gémit doucement. Aucune lumière matinale vive ne tomba sur ses paupières. La pièce était plongée dans le noir. L'aube ne se lèverait pas encore avant longtemps. Elle se déplaça et sentit le sol dur sous sa hanche. Une bûche grésilla et siffla dans l'âtre. Dame Meiger n'aimait pas qu'elle place du pin dans le feu. Le bois dégageait trop de chaleur en brûlant, et la résine qui y était emprisonnée crépitait et lançait des étincelles quand les flammes la léchaient. Kale ouvrit les yeux.

Je ne suis pas à la maison.

— *Non, tu n'y es pas.*

La voix de Mamie Noon pénétra ses pensées.

— *Je ne peux plus te laisser dormir, ma chère. J'ai trop de choses à te dire avant que tu commences ton périple. Lève-toi à présent.*

Kale s'assit et vit la vieille émerlindian debout de l'autre côté de la pièce. Elle fit signe à Kale de la suivre et ouvrit une porte menant à une nouvelle salle. De la lumière s'échappa par la porte, formant comme un chemin jusqu'à l'endroit où Kale reposait parmi les coussins. Les ronflements étouffés de Dar s'élevaient d'une carpette pelucheuse à l'opposé de la pièce. Leetu n'était nulle part en vue.

Kale marcha sur la pointe des pieds vers la porte et entra avec précaution.

— J'ai préparé un bain chaud et des vêtements pour toi.

La douce voix de Mamie Noon lui parvenait de derrière un paravent.

— Viens ici, mon enfant. J'ai rempli un sac de voyage pour toi et j'ai cousu des poches dans la doublure d'une cape pour que tu puisses transporter tes œufs de dragon.

Elle sait !

— *Bien sûr, ma chère ; j'en suis très excitée pour toi. Quel trésor ! Quelle responsabilité ! Quel plaisir tu ressentiras à élever ces précieuses créatures !*

Kale sourit et sentit une vague de joie déferler dans son cœur. Elle s'approcha du paravent et jeta un coup d'œil derrière. De la vapeur montait au-dessus d'une baignoire en étain. Mamie Noon disposa un gant de toilette, un morceau de savon marbré et une immense serviette de bain. Elle tapota une pile de vêtements pliés.

— Enfile-les quand tu auras terminé. Je m'installe là pour filer la laine pendant que tu te baignes. Et je vais t'apprendre certaines des choses que tu brûles d'envie de savoir. N'oublie pas de laver tes cheveux. Attends. Assieds-toi ici ; je vais d'abord les couper.

Mamie Noon sortit une longue paire de ciseaux brillants de la poche de son tablier. Elle pointa un tabouret en bois, et Kale s'y hissa avec réticence. Elle grinça des dents quand Mamie Noon s'attaqua à ses boucles. Les lames scintillantes coupaient ses mèches à une vitesse étonnante.

— Reste tranquille, ordonna la minuscule vieille femme. Voyons voir… par où commencer ? En premier lieu, ne sois pas intimidée par ton don. Tu finiras par maîtriser la force d'attraction qu'exercent sur toi les œufs de dragon.

— Je n'ai pas aimé traverser le tunnel jusqu'à l'antre.

— Bien sûr que non, ma chère. Très intelligent de ta part. Insérer ta main dans des trous, ramper dans des passages souterrains obscurs. Des entreprises risquées. Tu ferais bien d'agir avec un peu plus de prudence.

Elle secoua la tête et émit un *tss-tss* sans interrompre ses coups de ciseaux.

— Je n'ai pas pu m'en empêcher. C'était effrayant. Dans le tunnel, je ne pouvais pas m'arrêter.

— Oui, enfin. Maintenant, tu sais un peu plus de quoi il s'agit. Ton esprit essayait de te le dire, même à ce moment-là.

— Ah oui ?

— La scène du poulailler de dame Avion était la seule qui se rapprochait pour toi d'une expérience similaire. Si tu avais pu te détendre, tu aurais sûrement conjuré une image de l'œuf déjà en ta possession et ensuite, en additionnant deux et deux, tu aurais compris que tu te dirigeais vers un groupe d'œufs de dragon.

— Vous croyez, Mamie Noon ?

Kale secoua la tête.

— Je n'ai pas l'impression d'être aussi intelligente.

— Ne bouge pas.

Mamie Noon la frappa doucement sur le crâne avec le côté des ciseaux.

— Oui, je le pense. Tout ce qu'il te faut, c'est de l'expérience au service de Paladin.

Mamie laissa courir ses doigts dans la chevelure bouclée de Kale, puis les ciseaux tranchants claquèrent autour de ses oreilles. Kale serra les paupières comme si cela la protégeait contre les morsures de ces lames brillantes.

— Du discernement, c'est ce dont tu as besoin, dit Mamie Noon.

Kale souhaitait seulement que la vieille émerlindian se concentre sur la coupe de cheveux et n'essaie pas de parler en même temps.

— J'aimerais pouvoir t'en fournir, mais tu dois en faire l'apprentissage. Étape par étape. Une expérience à la fois. Ils auraient dû te choisir des compagnons plus âgés pour ce périple.

— Dar et Leetu sont plus vieux.

Mamie rit.

— Leetu est beaucoup plus âgée, mais encore une enfant émerlindian. Et Dar n'est pas mieux. Envoyer trois enfants pour trouver Fenworth. Naturellement, il est aussi ancien que le marais, cela devrait donc ramener l'équilibre de la sagesse.

— J'ai bien peur de ne pas comprendre.

— Bien sûr que non, ma chère. C'est pourquoi j'ai dit que tu as besoin de discernement.

Kale étouffa une remarque qui lui venait aux lèvres. N'y avait-il personne à l'extérieur de Rivière au Loin capable d'expliquer correctement les choses ?

— Les deux personnes ayant volé à ton secours avec Dar et Leetu Bends, continua Mamie Noon, étaient Lee Ark, un général marione de Paladin, et Brunstetter, seigneur urhom et souverain d'une petite province dans l'est d'Ordray. Je n'arrive pas à croire que Bends n'a pas réussi à trouver l'occasion de te dire tout cela. Cette fille ! Et elle m'a informée qu'elle ne t'avait donné aucune instruction sur tes aptitudes de télépathe.

— Moi ? Télépathe !

— Bien sûr, ma chère.

Les coups de ciseaux ralentissaient à présent à un rythme régulier pendant que Mamie Noon circulait autour de Kale.

— Comment te sentais-tu en t'approchant de Vendela ?

— Un peu effrayée, admit Kale.

— Non, non, cela mis à part. Ne te sentais-tu pas envahie ? Comme s'il y avait un bourdonnement, comme si des abeilles se cognaient contre ton cerveau ?

Kale aspira brusquement. Voilà exactement ce qu'elle avait ressenti lorsqu'elle était assise dans la charrette et se rapprochait de Vendela. À Rivière au Loin également, les jours de marché.

Mamie Noon continua comme si Kale avait répondu.

— Tu vois, c'est parce que tu es télépathe. Un télépathe entend les pensées et communique en pensée.

Elle eut un petit rire, et l'air vibra autour de Kale comme si la joie de Mamie Noon égayait tout dans la pièce.

— À présent, regarde en bas ma chère pour que je puisse atteindre ces fines mèches de cheveux en bataille sur ton cou.

Kale baissa le menton, et Mamie Noon parla en travaillant.

— Vivre au milieu des mariones constituait un désavantage. Très peu de membres de cette race sont très compétents en matière de conversations par la pensée. Et ils figurent parmi les plus difficiles à lire, même si tu es doué. Tu n'as reçu aucune formation, mais tes talents se développeront rapidement maintenant que tu côtoies Bends. Le simple fait de t'exercer à l'écouter et à lui envoyer tes réflexions fera l'affaire.

— J'ai fait cela !

Kale se tourna d'un coup pour voir le visage de Mamie Noon.

— Je l'ai fait ! Tout de suite après l'attaque des grawligs. Elle m'a dit de ne pas m'inquiéter parce que j'avais la nausée, et je lui ai demandé ce que Paladin pensait du meurtre.

Mamie Noon acquiesça, puis elle plaça les mains sur la tête de Kale pour la positionner fermement afin de pouvoir continuer à définir la coupe sur les tempes.

— Tu vois, tu commences déjà à t'améliorer. Maintenant, pour protéger tes pensées. Il vaut mieux que tu prennes cette mesure et que tu la gardes en place. On ne sait jamais qui peut écouter.

— Est-ce difficile ? Puis-je le faire tout de suite ? C'est *en effet* inconfortable de savoir que Leetu peut entendre tout ce que je pense.

— En fait, ce n'est pas le cas.

— Non ?

— Non. La plupart du temps, Leetu Bends réfléchit à autre chose. À moins qu'une pensée surprenne, plonger dans l'esprit d'autrui exige de la concentration. Maintenant, pour te protéger contre l'écoute aux portes, dis dans ta tête : « Mes pensées sont ma propriété et celle de Wulder. »

— C'est tout ?

— T'attendais-tu à psalmodier sans fin un jargon obscur ?

Kale se répéta rapidement la phrase, puis elle répondit à la question de sa guide.

— Je pensais que je devrais imaginer des murs ou autre chose.

Mamie Noon gloussa et rangea les ciseaux dans son ample poche.

— Enfin, tu apprendras.

Encore une fois, je vois à quel point maître Meiger avait raison. Je ne sais rien du tout.

Dès que cette pensée traversa son esprit, elle regarda la réaction de Mamie Noon.

La vieille femme trempa sa main dans la baignoire, puis la retira en secouant ses doigts pour chasser les gouttes d'eau. Elle grimaça de dégoût.

— Trop froide. Je vais ajouter un peu d'eau chaude.

Ça fonctionne! Kale cacha son sourire en baissant la tête. Elle aperçut alors le tas de boucles foncées entourant le tabouret. Ses mains volèrent à ses cheveux et ses doigts explorèrent les douces frisettes couvrant sa tête comme un casque bien ajusté. Une petite glace était suspendue au mur. Kale sauta en bas de son siège et se regarda.

— C'est pratique, dit Mamie Noon.

— J'ai l'air…

— Eh bien?

Mamie Noon se tenait debout, une main sur la hanche et son visage sérieux incliné vers Kale en attendant.

Kale s'observa dans la glace, incapable d'exprimer en mots ce qu'elle voyait.

— Hum! dit Mamie Noon en se retournant. Tu es jolie, mon enfant. Sans cette masse de cheveux en désordre pour cacher ton apparence, on découvre tes beaux yeux, ton nez mutin, ton menton fort et ton adorable sourire.

La vieille émerlindian s'approcha de l'âtre. Avec sa main protégée par un linge épais, elle souleva une grande bouilloire qui semblait trop grande pour une dame si petite. Elle n'eut aucune difficulté à la hisser très haut et à verser l'eau bouillante dans la baignoire. Kale avait transporté à bout de bras de nombreuses bouilloires semblables en tant qu'esclave de village. Elle connaissait leur poids et elle se demanda de nouveau quel âge pouvait au juste avoir la brune émerlindian. Mamie Noon mit la bouilloire de côté et s'assit derrière son rouet.

— Installe-toi dans cette baignoire avant que l'eau refroidisse encore.

Sa voix autoritaire portait les traces de tendresse d'une mère.

Kale passa derrière le paravent et retira ses vêtements, écoutant les paroles mélodieuses de Mamie Noon en plongeant dans l'eau chaude.

— Pour pénétrer un esprit bloqué, il faut penser ces mots : « Au service de Wulder, je cherche la vérité. » Si tu t'apprêtes à écouter les pensées d'une personne réputée mauvaise, tu dois te protéger. Dis : « Je suis sous l'autorité de Wulder. » Bien sûr, il n'est pas nécessaire de prononcer exactement ces paroles comme je te les enseigne, mais il est bon de rester aussi fidèle que possible à la formule originale, afin de ne pas te mettre en danger sans le vouloir.

— Et si une personne méchante désire lire mes pensées ? Ne peut-elle pas proférer ces mots et pénétrer mon esprit ? Qu'est-ce que ça vaut de bloquer quelqu'un qui sait comment lever le voile ?

Le rire doux de Mamie Noon se mêla au ronronnement de son rouet.

— Mon enfant, les forces du mal *ne peuvent pas* faire appel à l'autorité de Wulder et utiliser Son pouvoir. Maintenant, Kale, répète les trois phrases que je t'ai apprises jusqu'à présent.

Kale s'allongea dans la baignoire en étain. Sa tête reposant sur le rebord, elle ferma les yeux pour se concentrer.

— Mes pensées sont ma propriété et celle de Wulder. Au service de Wulder, je cherche la vérité. Je suis sous l'autorité de Wulder.

Je pense que Wulder sera très important dans ma vie à compter d'aujourd'hui.

— *Bien, ma chère, il s'agit là de la vérité, pure et merveilleuse.*

Le doux ronronnement du rouet accentua le silence tombé dans la pièce. Kale se reposa dans l'aura de paix émanant de la vieille femme.

Le soupir de Mamie Noon souffla sur le contentement de Kale. Sa belle sérénité vacilla, secouée par un soupçon d'avertissement. Le faible tracas ne détruisit pas le plaisir ressenti par la jeune o'rant, celui d'être seule et dorlotée par la vieille émerlindian. Kale n'arrivait pas à savoir si le son alarmant était entré par ses oreilles ou venait de son esprit.

— *Mon enfant, Pretender sera aussi plus actif dans ta vie.*

Kale frissonna. Pretender ? Personne ne parlait beaucoup ni de Wulder ni de Pretender à Rivière au Loin. À cause même de son nom, Pretender*, Kale avait toujours cru qu'il s'agissait d'un être imaginaire, et non d'une véritable source du mal. Mais, il semblait que, comme les portails, Pretender *existait* et qu'il n'était pas juste un personnage des légendes racontées autour du feu.

Dans quoi me suis-je embarquée, Mamie Noon ?

Le petit rire rassurant qu'elle reçut pour réponse résonna doucement dans l'esprit de Kale.

— *Dans rien que tu dois affronter seule, mon enfant.*

La pièce paisible donna l'impression à Kale de se trouver dans un sanctuaire, jusqu'à ce que la voix de Mamie Noon revienne dans ses pensées pour formuler un avertissement.

— *Cette quête que tu entreprends n'est pas un choix que tu aurais fait en toute liberté.*

Dangereuse ?

— *Et plus encore.*

Pourquoi moi ?

— *Parce que tu as reçu un don et que celui qui en reçoit un se doit de l'utiliser.*

Il le faut ?

— *Il le faut !*

---

* N.d.T. : En français, « imposteur ».

9

Ni ici ni là

Kale se creusa la tête au sujet de la cape offerte par Mamie Noon. Drapée sur ses épaules, elle tombait au sol et oscillait légèrement quand elle bougeait. Un phénomène étrange se produisait avec la couleur du vêtement chaque fois qu'elle l'observait furtivement du coin de l'œil.

Je ne suis pas habituée à une tenue aussi élégante, c'est tout.

C'était peut-être l'explication, mais quelque chose dans la cape brouillait sa vision.

Elle se tenait au centre de la pièce douillette, s'émerveillant de la sensation procurée par ses nouveaux habits. Tout — ses sous-vêtements, ses bas, ses bottes, sa jupe, son chemisier et sa cape — sentait le neuf. De douces teintes de brun, de beige et de blanc enveloppaient sa silhouette délicate des épaules jusqu'au bout des orteils. Kale ne pouvait pas s'empêcher d'arborer un large sourire. Elle aimait avoir l'air propre et bien mise. Elle resterait au chaud et afficherait une apparence respectable. Mais la cape…

À l'intérieur de la doublure, Mamie Noon avait cousu deux rangées de poches de chaque côté de l'ouverture. Depuis la taille jusqu'à l'ourlet, huit poches, quatre à droite et quatre à gauche, contenaient chacune un œuf de dragon. Deux poches plus profondes descendaient le long des coutures sur ses hanches. Mamie Noon les appelait les *cavités* et elle avait dit à Kale de les remplir avec des objets essentiels pour la quête. Avec tous les articles qu'elles avaient glissés dans ces poches, la cape aurait dû bomber. Ce n'était pas le cas.

Je ne sais peut-être pas grand-chose, mais je sais que des poches pleines devraient paraître pleines.

Mamie Noon lui avait expliqué l'utilité de chacun des objets qui, bien que familiers, servaient d'étranges objectifs. Avant même que Mamie range la dernière plume dans la poche droite, Kale constatait que son esprit était embrouillé par tous les petits bouts d'information incompréhensibles à ses yeux. Elle tenta de comprendre les instructions de Mamie Noon pendant que les autres s'occupaient à leurs propres préparatifs.

Dar se tenait derrière une planche à repasser, lissant les plis dans les vêtements qu'il avait lavés et séchés. Leetu étudiait les bibliothèques, cherchant un bon livre à emprunter. Mamie Noon s'affairait entre les armoires et la table pour emballer des provisions de nourriture pour leur voyage.

Kale caressa la surface lisse de la cape, par-dessus l'endroit où la poche « cavité » se situait. *Les fèves feront pousser un petit déjeuner. Les feuilles jaunes séchées soignent le mal de tête. Les feuilles roses séchées guérissent les maux d'estomac. Les brindilles indiquent où trouver de l'eau. La plume blanche constitue un gage de paix. La plume noire avertit d'un danger. La plume grise signifie « Suis-moi ». À quoi sert le petit coquillage ?*

Kale fixa le feu en fouillant sa mémoire. *Ah oui, à convoquer un corbeau. Sauf que je ne me souviens pas pourquoi je voudrais convoquer un corbeau.*

Elle tourna lentement la tête, observant les autres occupants dans la pièce et se demandant comment elle pouvait poser la question à Mamie Noon sans éveiller l'attention de Dar et Leetu Bends sur son incapacité à se rappeler les instructions simples. Elle pourrait essayer de pratiquer la télépathie avec Mamie Noon. Comment pouvait-elle empêcher Leetu d'écouter et communiquer uniquement avec Mamie ?

En bougeant ses yeux, elle surprit sa réflexion dans la glace et elle se tint immédiatement en alerte. Pendant juste un instant, elle n'avait vu que sa tête…

La cape ! Il y avait *réellement* quelque chose de bizarre à son propos. L'étoffe gris pâle miroitait dans la lumière — ondulait, en réalité — emprisonnant la couleur des choses environnantes comme si le tissu réfléchissait les images, à l'instar de la vieille glace sur le mur.

Dar brisa le silence complice dans la pièce.

— Mamie Noon a tissé l'étoffe avec des rayons-de-lune.

— Des rayons de lune ! s'écria Kale. Du tissu fait de lumière ?

Elle caressa l'étoffe lisse et chaude, inclinant la tête pour l'examiner de plus près.

— Dar, tu es incorrigible, dit Mamie Noon.

Elle fronça les sourcils dans sa direction, puis elle regarda Kale par-dessus son panier.

— Il s'agit d'un type de buisson avec des fleurs blanches rondes. D'où son nom, la plante rayons-de-lune.

— Pourquoi a-t-elle l'air si étrange ?

Elle souleva les bras pour maintenir la cape loin de son corps. En plissant les yeux, elle tenta de revoir la même chose qu'un peu plus tôt. Elle soupira et secoua la tête, perplexe.

— Ensuite, elle semble normale.

— Quand tu bouges, le tissu ressemble à n'importe quel autre, expliqua Mamie Noon en retournant à sa tâche d'emballer de petits paquets avec du tissu blanc vaporeux. Mais lorsque tu restes immobile, tu te fonds dans ton environnement.

— Je suis invisible ?

— Non, pas invisible. Plutôt bien cachée, comme un caméléon. Et tu devras remonter le capuchon sur ta tête et devant ton visage pour les garder hors de vue.

Kale tendit la main derrière son épaule et souleva le tissu souple qui reposait autour de son cou comme un col froissé. Le capuchon la surprit en retombant à la fois sur son visage et sur sa tête. Elle regarda à travers l'étoffe tissée lâchement.

— Voilà, dit Dar. À présent, rentre tes mains à l'intérieur et ne bouge plus.

Kale l'entendit applaudir.

— Parfait ! Tu as disparu.

— Vraiment ?

Les plis entourant sa figure étouffaient sa voix. Son souffle chaud revenait vers elle et chatouillait ses joues.

— Non, répliqua Leetu. Dar, tu vas lui donner trop confiance en cette cape, et ensuite elle s'attirera des ennuis.

Leetu transportait trois livres dans ses mains quand elle traversa la pièce pour se tenir devant Kale.

— La cape agit avec plus d'efficacité dans l'ombre ou la nuit. Sous le soleil éclatant, ta silhouette sera nettement visible. Ne risque jamais ta vie en pensant que la cape te sauvera. C'est l'une des premières règles quand on est au service de Paladin. Fais confiance à la réalité, et non à ce qui est illusoire.

— Enfin !

Mamie Noon s'approcha pour prendre Leetu dans ses bras.

— Je commençais à croire que nous faisions erreur en t'envoyant pour servir de guide à cette enfant o'rant.

Le visage de Leetu s'assombrit alors qu'elle se dégagea de l'étreinte de Mamie Noon. La jeune émerlindian tendit les trois livres à Kale.

— Tiens. Mets-les dans une des cavités de la cape.

— Mes poches sont pleines, répliqua Kale en regardant les titres. *Soins et alimentation des dragons nains ; S'exercer pour améliorer sa performance : un guide complet pour garder des dragons;* et *Les pièges de la magie.*

— Pas les cavités. Ils y auront une place, déclara Leetu.

Elle traversa la pièce en quelques enjambées gracieuses. Même lorsqu'elle était agacée, elle se déplaçait comme une feuille flottant dans la brise caressante.

— Ne fais pas attention à elle.

Dar s'approcha et parla trop doucement pour être entendu par Leetu. Il remit à Kale son écharpe bleue, lavée et repassée.

— Elle est vexée parce que Lee Ark l'a envoyée avec nous au lieu de l'amener avec lui pour défendre la frontière méridionale d'une invasion de quiss.

— Des quiss ? Les créatures de la mer ?

— Rien d'autre que des rumeurs, dit Dar. La migration des quiss ne doit pas avoir lieu avant encore un an. Leetu vivra probablement plus d'aventures avec nous qu'à patrouiller sur les côtes d'un rivage lointain.

Kale regarda son écharpe pliée en un carré soigné. Pourquoi Dar avait-il posé ce geste gentil pour elle ? Il n'était ni esclave ni serviteur. Pourquoi ?

Des grawligs et des portails, des télépathes et des mamies, Pretender et les quiss. Je ne m'attendais pas à cela en quittant Rivière au Loin. Y a-t-il quelque chose de normal par ici ?

Elle tâta le tissu soyeux que lui avait offert dame Meiger. La belle écharpe bleue se trouvait dans un triste état la dernière fois qu'elle l'avait vue. Elle regarda le visage amical du doneel. Il était debout à côté d'elle, l'observant en ayant l'air d'espérer quelque chose.

— Tu as lavé mon écharpe ? demanda-t-elle, ne croyant pas encore tout à fait qu'une personne pouvait exécuter pour elle cette tâche de domestique.

Dar détourna le regard, en apparence gêné.

— Merci, dit Kale.

Il hocha la tête, un sourire retroussant le coin de ses lèvres, fit une élégante révérence et retourna à son repassage.

Mamie Noon posa une main sur l'épaule de Kale.

— Pour un doneel, les vêtements sont symboliques. Il m'a vu jeter tes vieux habits et il a récupéré l'écharpe. Ce serait important pour lui de transporter ou de porter quelque chose provenant de chez lui.

Kale regarda tour à tour le dos rigide de Leetu et la petite silhouette de Dar. L'émerlindian examinait de nouveau les

étagères de livres pendant que le doneel pressait méticuleuse-
ment un pli dans un pantalon. Leetu était peut-être digne de
porter les couleurs du Manoir et de diriger leur expédition,
mais Kale était très heureuse que Dar fasse aussi partie du
voyage.

10

Par le portail

Le pied de Kale heurta un caillou sur le sol du tunnel ombrageux pendant qu'elle suivait les autres dans les profondeurs de la montagne. Il rebondit avec fracas sur la surface mal équarrie du sentier. Il se cogna contre la botte polie de Dar et roula sur le côté.

Le dos de Dar restait à une distance régulière devant elle. Son veston jaune brillait et prenait une teinte verte sous la lumière bleu pâle. Elle apercevait rarement Leetu, plus loin devant. Et elle n'avait pas vu Mamie Noon depuis un très long moment. L'aînée émerlindian dirigeait la petite procession.

La jupe de Kale l'encombrait. Elle n'avait jamais porté autre chose que des pantalons courts lui arrivant juste au-dessous du genou. Mamie Noon lui avait offert une jupe longue et des bottes de cuir souple qui enveloppaient ses mollets. Ses jambes s'empêtraient dans ces accoutrements. Elle trébuchait continuellement. Et elle semblait encore plus maladroite quand Leetu l'observait.

Puis, il y avait la cape. Kale aimait la façon dont le tissu flottait autour d'elle. Sauf qu'elle ressentait le besoin incessant de le ramener près d'elle, afin de le protéger de la poussière et des murs de pierres dans les galeries plus étroites. Jamais auparavant elle ne s'était inquiétée de salir ses habits.

Elle répugnait à porter ses nouveaux vêtements dans ces affreux passages souterrains. Elle détestait la terre humide, l'odeur de renfermé et les ombres. Elle n'aimait pas le fait de ne pas toujours voir son environnement ni d'ignorer leur destination.

Au portail. Mais où est situé ce portail et combien de temps mettrons-nous pour y arriver ? J'ai horreur de me trouver aussi profondément dans la montagne.

Le terrier éclairé menant aux appartements de Mamie Noon était propre et douillet. Quelqu'un avait installé des pierres-soleil scintillantes sur des étagères pratiques fabriquées à cet effet. Mais dans ces tunnels, la lumière rayonnait à intervalles irréguliers le long du sentier. Des pierres-soleil imbriquées dans les murs scintillaient selon leur disposition naturelle. Certaines parties du passage brillaient vivement, là où les pierres étaient regroupées. Parfois, les voyageurs marchaient parmi des ombres épaisses avec seulement de petites pierres-soleil faibles pour tracer la voie.

Au début, le souterrain était frais et propre. À présent, l'air chaud et humide piquait le nez de Kale et lui laissait un goût métallique dans la bouche. Elle pensa qu'ils pourraient finir à l'autre bout du monde s'ils continuaient ainsi, toujours plus bas, s'enfonçant sans cesse plus profondément dans la montagne.

Dar pénétra dans une section plus obscure de la galerie, et Kale marcha un peu plus vite. Elle ne voulait pas qu'on l'oublie derrière. Quelque chose se frappa contre sa cheville. Elle se retourna brusquement. Des dents sifflantes apparurent dans un éclair près du sol. Elle recula d'un bond. Un animal foncé pas plus gros qu'un rat s'enfuit dans l'ombre. Elle pivota sur un pied et courut rejoindre Dar.

— Qu'y a-t-il ? demanda-t-il quand elle arriva derrière lui.

— Un animal.

Elle haletait, non pas en raison de la courte course, mais de peur.

— Foncé, rapide, de vilaines dents.

— Un druddum.

Dar continua d'avancer, pas plus vite qu'avant.

— Ils ne te feront pas de mal, tant que tu es accompagnée.

Elle calma sa nervosité et se concentra sur les pensées de Dar. Elle ne saisit aucun mot, mais elle eut l'impression que le doneel rigolait.

Il me taquine encore une fois.

— Dis-moi la vérité, insista-t-elle.

Dar lui lança un regard espiègle par-dessus son épaule. Ses sourcils en broussaille s'arquèrent, ses oreilles se redressèrent et remuèrent, et sa bouche s'ouvrit dans un très large sourire. Puis, il haussa les épaules et se tourna de nouveau vers le tunnel en poursuivant sa route d'un pas régulier.

— Ils ne font de mal à personne, dit-il sans se retourner. Cependant, ils volent des choses. De la nourriture, bien sûr. Mais ils s'emparent aussi d'objets uniquement pour les admirer ou les toucher. Ils cachent leurs butins et, c'est *vrai*, ils te mordront si tu tentes de prendre quelque chose dans leur réserve.

Dar ajusta le paquet qu'il portait en travers de sa poitrine pour le suspendre par-dessus son épaule. Un autre druddum déboula d'un tournant du tunnel. Le petit animal et Kale poussèrent un cri haut perché. Le druddum exécuta une pirouette dans les airs et s'enfuit par où il était venu. Dar rit.

— Une fois, je suis tombé sur un nid de druddum, raconta-t-il. Je me suis arrêté brusquement avant qu'il ne m'aperçoive et je l'ai observé un moment. Il tenait un morceau de tissu soyeux et il retournait sans cesse ce petit carré entre ses pattes, le caressant comme s'il s'agissait d'un animal de compagnie. Ses yeux à demi fermés, il fredonnait une note, un peu de la façon dont un chat ronronne. Ce druddum était assis sur une glace, et des tas d'objets luisants dépassaient pêle-mêle de sa couche d'herbe séchée.

Kale n'avait aucun intérêt pour les nids de druddum.

— Ils n'attaqueront pas ?

— Non.

Dar enjamba une grosse roche sur le chemin, et Kale l'imita.

— Ils courent dans ces tunnels à une grande vitesse et, parfois, ils foncent droit dans les murs. Le druddum s'est probablement payé une peur bleue en se cognant contre toi.

Rassurée par les paroles de Dar, Kale n'en demeura pas moins près de lui.

— À quelle distance sommes-nous du portail ? lui demanda Kale.

— Je ne suis jamais allé à ce portail, alors je ne sais pas.

— Dar, lis-tu dans mes pensées ?

— Nan ; je ne possède pas ce talent.

— Pas du tout ?

— Pas la moindre trace.

Kale se concentra, fixant l'arrière de la tête de Dar. Cette fois encore, elle n'entendit pas ses pensées, mais elle sentit son excitation générale, et elle comprit qu'il était impatient de passer le portail et de commencer la quête de l'œuf meech.

— Dar, peux-tu m'empêcher de lire ton esprit ?

— Non, mais les doneels sont encore plus difficiles à lire que les mariones.

Il se tourna pour la regarder et lui lancer un autre grand sourire.

— C'est à cause de leur grosse tête.

Après un clin d'œil, il se retourna pour suivre les autres.

— Après t'être exercée un certain temps, tu pourras lire mes pensées et me dire quoi faire, exactement comme Leetu Bends.

— Oh, je ne crois pas.

Kale ne pouvait pas s'imaginer en train de donner des ordres à qui que ce soit, et certainement pas avec l'audace de la jeune émerlindian.

Dar augmenta sa cadence. Kale se précipita pour garder le rythme. Elle était étonnée par la vitesse à laquelle le doneel se déplaçait sur ses courtes jambes. Il ne trébuchait jamais non plus. Tous ses muscles à elle étaient fatigués. Elle aurait voulu se traîner jusqu'au lit confortable chez Mamie Noon et s'y glisser de nouveau.

C'était excitant de se lever avant l'aube et de converser avec Mamie Noon, seulement elle et moi. Mais à présent, j'aimerais avoir dormi plus longtemps. Et mes muscles sont encore une fois endoloris. J'ai grimpé, couru, marché et je suis tombée davantage que je ne l'avais jamais fait à Rivière au Loin… j'ai fait davantage de tout! Je pensais travailler dur en tant qu'esclave du village, mais au moins j'avais l'occasion de prendre un siège et de peler des légumes une fois par jour. Je pouvais même m'asseoir en trayant les vaches. Ces gens ne s'arrêtent donc jamais pour s'asseoir et se reposer?

Sa main se posa sur la pochette revenue sous son chemisier. Tripotant maladroitement le cordon, elle la retira pour la porter en marchant. Juste avant de quitter la demeure de Mamie Noon, Kale avait glissé son œuf spécial, le premier qu'elle avait trouvé, dans la pochette offerte par dame Meiger. C'était sa place. Il ne devait pas être rangé dans n'importe quelle poche. La présence de l'œuf suspendu autour de son cou bondissant parfois contre sa poitrine réconfortait Kale. Dans la poche de la cape, elle ne pouvait pas le sentir et à l'occasion, elle voulait pouvoir le faire.

Comme maintenant.

Elle serra l'œuf dans la pochette et elle sentit ses forces revenir dans ses jambes et l'énergie circuler dans son corps. Elle eut bientôt l'impression de pouvoir suivre les autres pendant un jour additionnel s'il le fallait.

Mamie Noon lui avait expliqué comment la magie de l'œuf fonctionnait pour la guérir. Kale repensa attentivement à ses propos. Mamie Noon parlait beaucoup de Wulder et elle s'exprimait toujours d'un ton de voix qui donnait des frissons à Kale. Des frissons agréables.

La vieille émerlindian relatait un grand mystère vénéré depuis des lustres par des gens dont Kale n'avait jamais entendu parler. Elle reconnaissait la vérité dans les paroles de Mamie Noon, mais elles semblaient ne rien avoir à faire avec une esclave devenue servante. Elle croyait que les mots choisis par Mamie Noon devaient provenir de lieux lointains et d'un temps merveilleux.

Quand les conteurs et les ménestrels racontent les légendes à l'auberge le samedi soir, ils utilisent des mots tels que « Il y a long-temps, dans un pays lointain ». Mamie Noon, elle, parle comme si « il y a longtemps, dans un pays lointain », c'était ici et maintenant.

Kale serra l'œuf dur comme la pierre dans sa pochette et sentit le dragon réagir par un bourdonnement régulier. Elle laissa sa main dessus et resserra son étreinte, lui imprimant une petite secousse chaque fois qu'ils rencontraient un druddum pressé. Elle réussit tout de même à ne pas pousser de cris aigus quand les paquets de poils rapides comme l'éclair déboulaient dans les coins. Mais lorsqu'ils donnaient de la bande sur ses jambes ou arrivaient en groupe de douze ou plus, elle se collait contre le mur et appelait Dar.

— Avance, dit-il en la pressant. Si nous arrêtons pour que tu reprennes tes sens chaque fois que nous rencontrons quelque chose de déplaisant, nous ferions aussi bien d'aban-donner notre quête tout de suite.

Kale ravala sa réponse. *Et bien, maître Dar, je n'ai pas exacte-ment demandé de me joindre à cette quête. J'avais un destin, et c'était de me rendre au Manoir, et non de suivre un doneel vêtu avec élégance à travers des galeries sans fin avec de méchantes petites bêtes ressemblant à des rats courant comme des fous…*

— Nous sommes arrivés, annonça la voix de Mamie Noon juste devant Dar.

La brune émerlindian, petite et délicate, semblait aussi à l'aise dans la lumière fantasmagorique du tunnel que devant son âtre à plusieurs kilomètres derrière eux. Leetu se tenait d'un côté du passage sous une saillie de pierres-soleil. Son visage et sa chevelure reflétaient la lueur bleutée. Kale regarda par-delà ses compagnons à la recherche d'une porte, d'une grille d'entrée, d'une ouverture, mais elle ne vit rien.

— Vous ne serez plus sous mon autorité, dit Mamie Noon, et vous allez entrer dans des royaumes dangereux non seulement pour vous, mais pour l'ensemble des sept races supérieures. Je ne vous accompagne pas, mais mon espoir, si. Vous serez forts. Vous serez courageux. Chacun de vous se donnera pour le bien des autres. Ne laissez pas la peur vous asservir. Ne laissez pas la panique vous paralyser. Cherchez la vérité. Défendez l'honneur. Obéissez à l'appel pour servir Paladin.

L'air vibra près de Mamie Noon. Des vagues de couleurs irisées irradièrent depuis le sol de pierre jusqu'au plafond vouté.

Mamie Noon serra Leetu Bends contre son cœur, tapota son dos et l'embrassa sur la joue. La jeune émerlindian lui rendit son baiser affectueux, puis elle se glissa en silence dans l'air chatoyant. Les lumières la retinrent une seconde, puis elle disparut.

Dar s'avança et exécuta son habituelle révérence avec grâce et un grand geste du bras. Mamie Noon émit un petit rire, se pencha et étreignit le doneel en pressant sa joue brune contre ses favoris touffus, là où les sourcils tombants se mêlaient à sa longue moustache.

Kale regarda Dar quitter Mamie Noon et passer le portail. À nouveau, le rayonnement illumina et retint sa silhouette un instant avant qu'il poursuive sa route vers un lieu que Kale ne pouvait pas voir. Elle fixa le point comme si l'on allait enfin lui permettre d'apercevoir l'autre côté.

— Alors, ma jeune o'rant, est-ce que tu as peur ? s'enquit Mamie Noon,

— Oui, beaucoup.

— Excitée ?

— Ça aussi.

— Tu réussiras bien, Kale Allerion.

Le regard de Kale se détacha d'un coup du portail miroitant pour regarder Mamie en face.

— Allerion ? Je n'ai jamais eu d'autre nom que Kale.

— Tu en as un, à présent.

Mamie Noon s'approcha, étreignit Kale comme elle l'avait fait avec Leetu et lui donna un baiser d'adieu.

— Va, mon enfant. Ton destin est de l'autre côté du portail.

Kale s'attarda.

— Mamie Noon, je ne suis pas digne.

— Aucun d'entre nous ne l'est, ma chère.

Kale plongea son regard dans les yeux très, très sombres de Mamie Noon. De la gentillesse, de la force et du courage se reflétaient dans leur profondeur. Kale acquiesça d'un brusque hochement de tête et se tourna vers le portail.

Hypnotisée par le flux et reflux réguliers des couleurs prismatiques, elle sentit la présence de Mamie Noon dans son dos. Mamie Noon posa ses petites mains fortes sur les maigres épaules de la jeune o'rant. Kale fut rassurée par le léger serrement.

— Fais confiance à Wulder, lui dit à l'oreille la vieille femme de sa voix douce. Suis l'exemple de Paladin. C'est ce qu'il y a de mieux. Tu t'en sortiras bien.

La pression des doigts de Mamie Noon se relâcha.

— Prends une profonde respiration maintenant et pars. Parfois, la traversée serre un peu les poumons.

Kale inspira profondément, leva le menton, redressa les épaules et avança d'un pas.

II

La légende Urohm

Laissant derrière elle la lueur azurée réfléchie sur les murs de pierre froids, Kale pénétra dans un kaléidoscope de couleurs imprégnées de petites explosions de lumière. L'air se raréfia autour d'elle. Son corps se fraya un chemin à travers la lumière, les couleurs et l'air moite. Elle émergea sous un ciel ensoleillé, entourée par des arbres, et des odeurs émanant de la pluie fraîchement tombée et des fleurs parfumées. Une légère brise caressa sa joue et ébouriffa ses boucles courtes.

— Respire ! cria Dar.

Elle l'entendit à peine par-dessus le bruit tonitruant dans ses oreilles.

La pression augmentait dans sa poitrine, et elle avait l'impression que ses poumons étaient en feu. Ses yeux piquaient et s'emplissaient de larmes, brouillant sa vision.

— Respire ! répéta Dar.

Il bondit pour la rejoindre et lui assena des tapes entre les omoplates. Kale toussa et aspira de grandes goulées d'air par la bouche pour remplir ses poumons. Sa respiration était haletante, et une minute ou deux s'écoulèrent avant qu'elle ne reprenne son rythme naturel. Dar la guida vers un rondin et la fit asseoir.

Graduellement, elle remarqua la richesse et la diversité d'arbres verts et de broussailles, ainsi que l'étalage de fleurs sauvages géantes et luxuriantes sur des vignes prolifiques. Les couleurs vives l'incitèrent à cligner des yeux. Le rugissement dans ses oreilles se transforma en chants d'oiseaux — des croassements rauques, des gazouillis, des pépiements, des sifflements et des trilles mélodieux. Une légion d'insectes de la forêt ajoutait au chahut.

— Nous mangerons notre déjeuner, annonça Leetu en abaissant son paquet vers le sol. Après un petit repos, nous commencerons notre randonnée vers les Marais.

— Où sommes-nous ? demanda Kale.

— Dans la forêt Fairren, répondit Dar. À environ huit kilomètres du marais Bedderman. Mamie Noon ne nous déposerait pas dans le marais. Trop facile de passer le portail et de mettre le pied dans quelque chose de dangereux.

Dar gloussa.

— Ou même sur *quelqu'un* de dangereux.

— Quel genre de créatures vivent ici ?

— Pas autant de cannibales que tu pourrais le croire.

— *Dar !*

Kale entendit l'avertissement livré directement dans l'esprit du doneel.

Sa réponse fut étouffée, car il baissa vivement la tête pour fouiller dans son sac.

— Enfin, ce n'est pas complètement sans angoisse. Mais il y a de bonnes chances que nous ne soyons pas abordés par les horribles bisonbecks ou les détestables mordakleeps.

— Dar…

Leetu lança un regard furieux au doneel.

— Quoi ?

Il ouvrit les bras en signe d'innocence.

— Mange ton repas, ordonna-t-elle.

— Parfait, puisque tu ne vois aucune raison de t'inquiéter des bisonbecks qui répondent aux ordres de Risto — il s'assit sur un rondin et sortit son repas — ou des mordakleeps qui s'associent avec toute action méchante et qui en ce moment entretiennent une formidable relation de travail avec le même magicien maléfique Risto, pourquoi alors devrais-je me casser la tête ? Pourquoi devrions-nous mettre Kale en garde ?

La mine de Leetu se renfrogna davantage.

Dar porta le sandwich à sa bouche, mais il avait encore une chose à ajouter avant de mordre dedans.

— En fait, je suis d'accord avec toi. Se faire du mouron maintenant pour une rencontre qui pourrait arriver plus tard ne ferait que nuire à notre digestion.

Leetu lança ses bras en l'air dans un geste d'exaspération. Elle se détourna du doneel et fit face à Kale.

— Mange, ordonna-t-elle. Nous avons une longue route à parcourir. Il est inutile de conjurer des visions désastreuses. Paladin nous a outillés pour affronter toutes les situations.

L'émerlindian prit un siège et se munit d'un livre ainsi que d'un sachet de nourriture. Elle lança un autre regard furieux à Dar qui mâchait avec contentement sans montrer le moindre signe d'inquiétude pour avoir contrarié la chef de leur expédition.

Kale inséra la main dans la cavité gauche à l'intérieur de sa cape et en sortit un des paquets fournis par Mamie Noon. Quand elle ouvrit le petit tas emballé de tissu vaporeux, elle découvrit un sandwich de savoureuses charcuteries jimmin. La laitue craqua de fraîcheur sous sa dent et du jus de tomate coula sur son menton.

Son estomac gronda de satisfaction, mais son esprit s'attardait sur autre chose que sa faim. Elle ignora fermement les allusions au danger de Dar. Elle ne voulait pas réfléchir à la possibilité qu'il s'agisse de taquinerie ou non. Ou démêler la blague du sérieux. Le fait qu'elle avait « surpris » la semonce de Leetu à Dar constituait un élément beaucoup plus réconfortant sur lequel s'appesantir.

J'ai entendu Leetu parler en pensée à Dar. Elle a prononcé son nom sèchement et avec colère. J'ai entendu le ton ainsi que les mots, et c'était sans conteste avec mon esprit et non mes oreilles. Elle ne communiquait pas par télépathie avec moi, mais avec Dar. Je ne savais pas que je pouvais, comme cela, écouter la conversation des autres.

Je ne pouvais probablement pas avant.

Mamie Noon a affirmé que mes talents se développeraient au contact de Leetu. J'imagine que c'est de ce genre d'expérience dont elle parlait.

Kale observa l'émerlindian tourner les pages de son bouquin tout en mangeant.

Je me demande si je peux écouter les pensées de Leetu pendant qu'elle lit.

Kale mâchonna lentement son sandwich en tendant son esprit vers celui de Leetu. Pendant un moment, des mots imprimés furent projetés dans sa tête. Les pages du livre de Leetu s'embrouillèrent, et Kale vit les pensées de Leetu, des images de formidables soldats urohms montés sur des cheveaux gigantesques se déplaçant en formation à travers la plaine. Au loin, une douzaine de dragons volaient en ligne, menés par une bête argentée. Leur destination était une chaîne de montagnes morne noir obsidienne et gris cendre. Les tempêtes soufflaient sur les cratères à sa cime et les enveloppaient comme dans un linceul. Les nuages d'orage crachaient des éclairs verts et bleus dans tous les coins du ciel, accompagnés par les roulements menaçants du tonnerre.

Kale savait qu'il s'agissait de l'ancienne légende à propos de la bataille d'Ordray. Une fois, elle en avait entendu le récit à l'auberge sans pouvoir se faire une idée de ce à quoi ressemblait l'armée. Elle n'était pas non plus en mesure d'imaginer seule le paysage de ce grand conflit.

L'imagination de Leetu, nourrie par sa connaissance de la race des urohms, formait les images entrevues par Kale. Leetu avait également vu la vallée de Collumna. La beauté des prés fleuris s'arrêtait brusquement au pied de la sombre corniche des montagnes. Kale ferma les yeux et absorba tous les détails rassemblés par Leetu pendant sa lecture.

Le chef des forces des urohms, Corne, était assis avec le minuscule kimen, Ezthra, devant lui sur le cou de son cheval de guerre. Quelques jours plus tôt, Ezthra s'était présenté avec une supplique urgente.

Kale se délecta de l'histoire qu'elle partageait grâce à l'imagination de Leetu. Il s'agissait là d'un des plus excitants comptes-rendus relatant une intervention directe de Wulder pour aider Son peuple. La requête des kimens et la réponse des urohms avaient causé du plaisir à Wulder, et Sa récompense avait été stupéfiante. Kale se pencha en avant et oublia de manger pendant que Leetu continuait de lire.

En arrivant, Ezthra, crevé de peur et épuisé par un long voyage périlleux, raconta son histoire à Corne et aux autres chefs urohms. Les kimens, les plus petits êtres des sept races supérieures, souffraient depuis trois ans de la sécheresse. Un esclave bisonbeck de Pretender s'était adressé au grand conseil des kimens et leur avait livré un ultimatum. Pretender, à travers son messager, révélait qu'il contrôlait leur température et qu'à moins qu'ils ne lui prêtent serment d'allégeance, il ferait tomber une pluie de feu pour achever la destruction de leurs forêts et de leurs prairies.

Les kimens doutaient de la prétention de Pretender. C'est Wulder qui commandait le vent, la pluie et le soleil. Ils renvoyèrent une riposte de défi.

Deux kimens suivirent discrètement le bisonbeck pour espionner et rapporter les nouvelles.

Un revint.

Il fit son rapport à Ezthra et aux autres anciens. L'espion n'avait rien à dire au sujet de la présomption de Pretender d'avoir pris le contrôle des forces naturelles. Mais il avait vu des armées de bisonbecks prêtes à fondre sur les kimens. Il s'était faufilé en catimini dans la tente de camp d'un commandant, et il avait écouté leurs plans pour capturer et asservir les kimens, pour détruire leurs maisons et éradiquer leur culture.

Les bisonbecks étaient d'abominables ennemis ; il s'agissait de la plus intelligente des sept races inférieures issues de l'esprit diabolique de Pretender. Affublés de muscles durs comme la pierre, d'une peau épaisse comme un melon crocodile et reconnus pour leur force et leur endurance au combat, les bisonbecks ajoutaient une rage sans nom à leur formidable capacité à anéantir quiconque s'opposait à eux. Quelle chance avait le doux et pacifique peuple kimen contre eux ?

Kale avait vu quelques kimens. Ils avaient l'habitude de venir à Rivière au Loin. Elle éprouvait toujours de l'émerveillement pour les minuscules créatures et elle devait s'empêcher de les regarder fixement. Les kimens mesuraient un peu plus de soixante centimètres, et leur corps délicat était parfois soulevé par un vent fort, de telle sorte qu'ils semblaient voler.

Dans le livre de Leetu, le narrateur expliquait que les kimens pouvaient se camoufler, mais que c'était leur unique moyen de défense. En se cachant, ils prolongeraient sûrement leur existence. Cependant, comme les bisonbecks occuperaient leur territoire, les kimens seraient capturés un à un. Ceux qui resteraient libres subiraient des souffrances indescriptibles et mourraient lentement d'inanition. Si Pretender faisait vraiment pleuvoir du feu sur eux, alors les kimens périraient assurément.

Pretender n'avait en aucune façon menacé les urohms. Le narrateur était très clair sur ce point en relatant l'histoire. Corne se leva et parla pour son peuple. Sa réponse compatissante à la situation critique des kimens a inspiré les paroles de nombreuses chansons dans les auberges. Les urohms ne resteraient pas en sécurité derrière les corniches noires de Dormanscz. Les urohms ne permettraient pas à l'une des sept races supérieures de souffrir et de disparaître.

Ils aiguisèrent leurs haches de bûcheron pour s'en servir au combat. Ils sortirent leurs armes de chasse, fabriquèrent des flèches supplémentaires et affutèrent le tranchant de leurs petites lames. Les femmes et les filles cousirent des armures de

LE SORTÍLÈGE DU DRAGON   95

fortune dans des peaux de cuir épais. En trois jours, ils étaient prêts à combattre contre vents et marées.

Alors que les hommes dormaient une dernière nuit dans leur foyer en compagnie de leur famille, Wulder descendit parmi eux et augmenta la taille de ce peuple valeureux au même niveau que la compassion dans leur cœur. Ils s'éveillèrent le matin en tant que guerriers de près de quatre mètres de hauteur avec de nouvelles aptitudes au combat insufflées dans leur esprit et leur âme.

Leurs vêtements, leurs animaux d'élevage et leurs armes avaient aussi été agrandis, mais leur maison et leurs meubles n'avaient pas changé. Encore aujourd'hui, les urohms construisaient tout, sauf leurs lits, à petite échelle pour se rappeler le formidable don qu'on leur avait accordé.

La légende se déroulait sur les pages de Leetu. Kale savoura la marche à travers la vallée de Collumna. Le magicien Dayen montait un majestueux dragon dans le ciel. Lui et onze autres magiciens avaient été convoqués sous l'autorité de Paladin pour envoyer les guerriers au sol. Même avec ses renforts inattendus, la bataille entreprise s'avéra coûteuse.

Kale attendait avec anxiété le moment où Leetu tournerait la page. Le souvenir flou de la légende entendue par Kale plusieurs années auparavant prenait vie grâce à la lecture de Leetu. Elle vit l'ahurissement des urohms à leur réveil et ressentit ensuite leur courage neuf lorsqu'ils comprirent le don extraordinaire que leur avait offert Wulder pour la bataille. Quand le chef des urohms, Corne, aperçut pour la première fois le bataillon de dragons majestueux approchant pour se joindre à eux, Kale frissonna de joie pour ses espérances et son espoir grandissant.

Les images s'interrompirent. Kale ouvrit les yeux et vit Leetu, son livre déposé sur ses genoux. L'émerlindian regardait Kale d'un air furibond.

Je suis désolée ! La honte submergea Kale. Elle avait écouté aux portes. Sournoiserie. Voler le plaisir de Leetu. Il ne s'agissait pas de partage, plutôt d'entrée par effraction. Méprisable.

— Je suis désolée.

Leetu referma le livre d'un coup, sauta sur ses pieds et s'éloigna à grandes enjambées vers un grand trang-a-nog. Elle fit claquer sa main contre l'écorce verte et lisse et se tint raide, fixant la forêt aux allures de jungle.

Kale tourna le regard vers Dar et constata qu'il observait Leetu. Il se retourna vers Kale.

— Que s'est-il passé ? murmura-t-il.

— Je l'ai offensée. Elle est en colère contre moi à juste titre.

Dar s'adossa à un arbre, se détendit et en apparence examina l'étoffe de sa chemise de lin.

Il ne s'en soucie pas. Pourquoi le devrait-il ?

La solitude étreignit le cœur de Kale. La frustration aussi. Elle n'était pas très douée pour cette affaire de quête. Et pas plus pour agir en amie.

Dar s'éclaircit la gorge, regarda Leetu d'un air inquisiteur et s'adressa ensuite à Kale d'une voix pouvant être entendue par les deux filles.

— Il est difficile de regagner la confiance d'une amie. Mais nous suivons le code de conduite de Paladin et Leetu, bien que jeune, est très au fait de ses habitudes.

Que devrais-je faire ?

— *Tu as dit que tu étais désolée. Attends.*

Kale saisit clairement ses paroles, mais elle ne put éprouver aucun plaisir à cette nouvelle étape franchie avec succès en matière de télépathie.

Kale patienta, son sandwich à moitié mangé oublié dans sa main. Leetu ressemblait à une statue. Seule la brise soulevant des mèches de ses cheveux blancs fins et poussant sur le tissu de sa tunique prouvait qu'elle ne s'était pas changée en pierre.

Enfin, ses épaules bougèrent comme si elle prenait plusieurs respirations profondes. Elle pivota, et Kale fut soulagée de constater que l'expression froide et menaçante s'était effacée sur le visage de l'émerlindian. Elle se leva quand Leetu traversa d'un pas décidé la clairière de la forêt. Kale ravala un autre mot d'excuse précipité lorsque celle-ci stoppa à un mètre devant elle.

— Je te dois des excuses, commença Leetu.

Kale retint son souffle.

Elle s'apprêta à l'interrompre, mais Leetu leva une main.

— Oui, c'est moi qui dois te demander pardon, même si je vais aussi t'en arracher un. Mamie Noon m'a reproché de négliger ma responsabilité envers toi. Elle a raison, comme d'habitude.

Leetu secoua lentement la tête et haussa les épaules.

— Je ne m'étais jamais vu en instructeur et quand on m'a donné cette mission, j'ai accepté avec mes lèvres, mais pas avec mon cœur.

Elle détourna les yeux de Kale et les y ramena. Leetu concentra son attention sur le visage de sa compagne en la fixant délibérément droit dans les yeux.

— Juste maintenant, j'étais en colère parce que tu as expérimenté avec ton talent non cultivé et envahi ma vie privée. Si j'avais pris le temps de te guider, ce ne serait pas arrivé. Je te demande pardon.

Kale restait debout à observer le visage blême de l'émerlindian. Ses yeux étaient sérieux. Ses lèvres pâles se courbaient en une petite grimace tordue, montrant sa répugnance pour cette conversation.

Dar tira sur la manche de Kale. Elle sursauta légèrement. Elle ne l'avait pas vu s'approcher.

— Accepte, l'encouragea Dar.

Kale acquiesça et regarda de nouveau la chef de leur quête.

— J'accepte.

Leetu laissa échapper un soupir.

— Maintenant, en ce qui concerne l'intrusion. Tu as compris, n'est-ce pas, que c'était une erreur que de fouiller les pensées d'une camarade pour passer le temps?

— Oui, répondit Kale. Je me suis sentie très mal quand j'ai réalisé mon méfait. Je *suis* désolée, Leetu.

— Bien. Termine ton sandwich en marchant. Dar peut prendre la tête. Toi et moi discuterons étiquette, parmi d'autres subtilités de ton talent. Dar, surveille les mordakleeps de près. La rumeur circule qu'on les a aperçus près de cours d'eau de plus en plus loin des marais.

UNE OMBRE DANS LES MARAIS

La première différence que Kale remarqua entre la forêt Fairren et les Entre-deux, une région aux abords des Marais, ce fut le changement d'odeur dans l'air. La forêt Fairren sentait le frais avec la brise qui portait le parfum des fleurs tropicales. À présent, l'air chaud soulevait l'arôme de moisi de l'humus riche couvrant le sol noir à leurs pieds. Pas un souffle de vent ne venait rafraîchir la sueur sur le visage du trio pendant qu'il enjambait des tertres et contournait les nœuds d'herbes dos-d'âne.

Les arbres de la forêt Fairren regorgeaient de vie avec des oiseaux aux couleurs vives et de petits animaux à fourrure d'un très grand nombre d'espèces ; Kale n'avait pu n'en nommer que une ou deux. Dar avait suggéré de lui apprendre le nom des plantes et des bêtes, mais Leetu l'avait fait taire.

— Au cours d'un autre voyage, Dar, avait dit l'émerlindian. Maintenant, Kale et moi devons nous consacrer à l'outiller pour ce périple.

Leetu conserva sa concentration pendant l'inconfortable randonnée sous le soleil accablant de l'après-midi. Elle soumit Kale à un entraînement militaire sur le contenu des cavités de sa cape, s'assurant que Kale connaissait l'identité et l'usage de tous les objets fournis par Mamie Noon. Leetu pratiqua également ment des exercices de conversations mentales avec Kale, y insérant à l'occasion les règles de convenance régissant la communauté des télépathes.

Kale et Leetu communiquaient uniquement par télépathie. Leetu s'excusa auprès de Dar, disant que ce n'était pas pour parler dans son dos, mais qu'elle désirait offrir le plus de pratique possible à Kale. Là où Leetu s'était montrée négligente auparavant, elle agissait maintenant avec méthode, au point où Kale souffrait d'un mal de tête en raison de tous ces exercices psychiques.

Le marais Bedderman commença aussi brusquement que la forêt Fairren avait disparu. Après avoir traversé le large espace dégagé des Entre-deux, la terre s'inclina et des parcelles marécageuses s'enfonçaient sous leurs bottes. Kale accepta avec plaisir la nécessité de concentrer son attention sur le marais dangereux plutôt que sur les leçons de Leetu.

D'immenses arbres les entouraient. Leurs racines, partiellement ancrées dans la boue et l'eau trouble, formaient une partie du sentier pédestre des voyageurs. Quand le sol spongieux n'offrait aucune prise pour les pieds, Dar les guidait sur les racines faisant le dos rond au-dessus de l'eau, comme des pierres de gué.

Dans la forêt Fairren, les vignes étaient couvertes d'épaisses feuilles vertes. Dans les Marais, de larges vignes de marais ornées de feuilles pâles clairsemées s'enroulaient autour des troncs d'arbre. Des enchevêtrements de vignes délicates comme des rameaux de saule se drapaient sur toutes les plus grosses branches comme des nuages gris vert ressemblant à de l'écume ruisselante. Dar dit que c'était de la mousse et que cela brûlait bien dans un feu de camp.

Leetu reprit la tête. L'émerlindian sautait de racine en racine et de tertre et en tertre avec la même grâce que lorsqu'elle était grimpée à un arbre après l'attaque des grawligs. Dar suivait habilement. Kale, de nouveau à la fin de la file, espérait ne pas s'écraser en plein visage dans l'eau du marais.

En passant sous un amas de mousses suspendues plus bas dans les arbres, Kale entendit un hoquet derrière elle. Elle se tourna d'un coup, s'empêtra le pied dans une vigne et tomba en position assise sur la racine d'un cynœud. Sa principale inquiétude, de pair avec le bois noueux qui blessait son postérieur, c'était le hoquet qu'elle perçut de nouveau. Elle dirigea son regard vers le son, entendit nettement un sifflement, et elle crut qu'une ombre bougeait parmi les teintes mouvantes de vert à quelques mètres plus loin.

— Qu'est-ce qui ne va pas ? demanda Dar, juste derrière elle.

— J'ai cru voir quelque chose.

— Alors, tu t'es assise pour regarder cette chose ?

Kale attrapa une vigne enroulée autour d'un arbre et tira pour se mettre sur ses pieds. En équilibre sur la racine, elle fixait toujours la mousse grimpante.

— Kale.

Dar secoua sa manche.

— Quoi ?

— Il n'y a rien.

— J'ai entendu un hoquet.

— Un hoquet ?

— Deux, et un sifflement.

— Deux hoquets et un sifflement.

Il glissa une main dans le creux de son bras et la fit pivoter en direction du trajet qu'ils devaient suivre.

— Viens, Kale. C'était probablement une grenouille batteuse.

— J'ai vu quelque chose bouger, et c'était trop grand pour être une grenouille.

— D'accord.

Le ton de Dar se voulait patient.

— Utilise ton esprit. Concentre-toi et tente de détecter s'il y a près d'ici une présence autre que celle de Leetu Bends et la mienne.

— Je ne crois pas connaître la méthode pour y arriver.

Dar haussa les épaules et s'en alla rejoindre Leetu.

— Attends, l'appela Kale, et il s'arrêta. Ne sentais-tu pas quelque chose ? Je veux dire, tu as bien senti les grawligs arriver.

— Tout dégage la même odeur dans ce marais.

Dar plissa le nez.

— Enfin, je suppose que je détecterais un grawlig. Rien ne peut masquer la puanteur d'un grawlig. Mais en ce moment, Kale, tout ce que je sens, c'est l'humidité et le moisi et l'eau stagnante et la végétation pourrissante.

Kale renifla l'air et regarda autour.

— Ça ne sent pas *si* mauvais.

Dar fit claquer sa langue et secoua la tête. Une fois encore, il partit rejoindre Leetu en parlant derrière son épaule.

— Oh, posséder l'équipement olfactif affreusement défi- cient d'une o'rant.

Kale lança un dernier regard à l'endroit où elle avait pensé voir quelque chose et suivit Dar. Après seulement quelques minutes, elle sentit ses poils du cou se hérisser.

Quelqu'un nous observe.

Elle s'arrêta et écouta. Elle entendit les pas de Dar devant elle, mais pas ceux de la preste Leetu. Les insectes et les oiseaux formaient des sons assez naturels. À l'occasion, elle captait un petit « plouf ! » au loin, comme si un minuscule poisson avait sauté ou que quelque chose était tombé à l'eau. Rien comme le hoquet humain ou le sifflement de serpent déjà perçu. Comme si elle l'avait conjuré par ses pensées, un serpent vert luisant ondula sur la branche d'arbre à sa droite. Ses yeux passèrent du serpent à Dar, plusieurs mètres devant elle. Kale renonça à essayer de trouver quoi que ce soit, sauf la façon de suivre le rythme du doneel.

Les arbres se rapprochèrent et l'eau devint plus profonde. Moins de parcelles de terre pointaient à travers le marais, et Leetu les guida vers le haut pour traverser les Marais en marchant sur les plus basses branches des cynœuds. À intervalles réguliers sur chaque énorme tronc, des rameaux s'étiraient en ligne droite et s'entremêlaient à ceux des arbres voisins. Cela formait un plancher de verdure tissée serrée dans un réseau de branches solide.

Se déplacer sur ce réseau se révélait plus facile que d'avancer parmi les racines et l'eau en bas. Habituellement, la distance entre une couche de branches et une autre au-dessus était d'environ un mètre et demi. Dar et Leetu étaient tous les deux suffisamment petits pour ne pas être dérangés par les branches à l'étage au-dessus. Dar, agile comme il l'était, n'éprouvait aucune difficulté. Et, bien sûr, le pied de Leetu se posait immanquablement sur une branche solide.

Kale se démenait. Sa jupe et sa cape se prenaient dans les petites branches et s'enroulaient autour de ses jambes. Elle était juste assez grande pour que ses cheveux s'accrochent et elle devait parfois s'accroupir. Entre faire attention où elle mettait les pieds et maintenir sa tête hors de la couche supérieure de branches, elle se laissa distancer.

Chaque fois qu'elle approchait du tronc de l'arbre suivant, les branches plus épaisses étaient plus faciles à franchir, et elle se dépêcha. La plupart du temps, les arbres poussaient suffisamment près les uns des autres, et il était difficile de déterminer à quel endroit un arbre se terminait et où un autre prenait la relève. Cependant, quelques cynœuds étaient assez distancés pour que des branchettes s'entrelacent en formant un plancher chancelant. Là, Kale savait qu'un mauvais pas l'enverrait s'écraser dans l'eau en contrebas. Elle venait juste de se sortir d'un tel endroit quand elle leva les yeux pour constater jusqu'où Leetu et Dar avaient avancé.

À environ quatre mètres devant elle se tenait un homme. Elle vit d'abord ses pieds. Ses bottes brunes s'affaissaient autour de ses chevilles. Une robe gris vert pendait comme de l'écorce fripée sur ses épaules étroites. Sa tête disparaissait dans les branches du cynœud au niveau suivant. Une longue barbe couleur de mousse et de fines mèches de cheveux gris en bataille tombaient sur sa poitrine.

Kale cligna des yeux. L'homme se trouvait toujours là.

Elle recula d'un pas et perdit l'équilibre. Elle bascula en arrière vers les branches plus minces. Elles cédèrent, mais s'accrochèrent à ses vêtements ; elle se retrouva donc suspendue dans les airs.

Kale s'efforça de s'agripper à la structure oscillante et réussit à enrouler un bras autour d'une branche. La vision de Kale était obscurcie, puisqu'elle était tombée sous la plupart des branches, mais elle pouvait entendre.

— Oh zut, oh zut, tut tut, oh zut.

Le grommellement venait de l'homme qu'elle avait vu.

— Aidez-moi ! demanda-t-elle.

— Oh zut.

Kale réussit à passer sa main à travers le feuillage et à attraper une branche pour se hisser plus haut. Elle regarda dans la direction où elle avait aperçu le vieil homme et ne vit qu'un tronc d'arbre avec une abondance de mousse là où elle pensait avoir vu une barbe.

Dar et Leetu revenaient en courant entre les cynœuds.

En quelques instants, ils la soulevèrent ; Dar la tirait, et Leetu décrochait ses vêtements.

— L'avez-vous vu ? souffla Kale

— Qui ? demanda Dar.

— Le vieil homme.

Kale pointa un tronc d'arbre.

Leetu secoua la tête.

— Juste un jeu de lumière. Il n'y a personne.

— Il a parlé ! insista Kale.

— Qu'a-t-il dit ? s'enquit Dar.

— Et bien, il a dit : « Oh zut. »

— C'est tout ?

Kale sentit la chaleur envahir ses joues.

— Il a dit : « tut tut ».

Leetu tendit le bras et aida Kale à se relever.

— Selon moi, on dirait des bruits d'oiseaux.

— Ce n'était pas un oiseau. Il s'agissait d'un homme. Un vieil homme. Un grand et vieil homme.

— Où est-il allé, dans ce cas ? demanda Leetu, scrutant de nouveau l'endroit.

Kale regarda autour d'elle avec désespoir. *Où est-il allé ?*

Un oiseau voltigea à travers la canopée et atterrit près du tronc que Kale avait pris pour un homme. Il lissa ses plumes pendant un moment, faisait courir son bec jaune vif sur les plumes couleur d'ébène de ses ailes.

— Tut tut, gazouilla-t-il.

Kale tapa du pied sur l'épaisse branche sous elle, et les feuilles tout autour s'agitèrent en guise de protestation.

— Oh zut, tut tut.

L'oiseau secouait doucement la tête et regardait de côté ces gens qui envahissaient son territoire.

— Tut tut tut tut tut tut…

— Ah, va-t'en, stupide oiseau.

Kale serra les poings et croisa ensuite les bras sur sa poitrine. *Je ne pleurerai pas.*

Dar avança d'un pas vers l'oiseau et il l'observa, l'œil inquisiteur.

— Peut-être s'agit-il de Fenworth, dit-il.

— L'oiseau ? s'enquit Kale.

— Non, pas l'oiseau, répondit Leetu, puis elle commença à scruter l'endroit plus attentivement.

— Mais le magicien Fenworth a la réputation…

L'oiseau s'envola quand elle se dirigea vers le tronc d'arbre et posa ses doigts sur l'écorce. Dar prit la main de Kale et la tira pour qu'elle se tienne à côté de Leetu.

— Fenworth ?

La voix de Leetu retentit, douce et persuasive.

— Magicien Fenworth, dit Dar. Nous avons vraiment besoin de vous parler.

Kale avait l'impression qu'elle devait se joindre à leur appel, mais elle ne trouvait rien à dire.

— Monsieur? croassa-t-elle.

Sur une branche éloignée, l'oiseau observait.

— Oh zut, oh zut, oh zut, oh zut, oh zut, oh zut, oh zut, tut tut tut.

— Je pense que nous parlons à un arbre, dit Dar, et il se détourna.

Leetu soupira.

— Il est le maître des Marais. Nous ne le trouverons pas à moins qu'il ne désire être découvert.

Elle s'en alla ramasser le paquet qu'elle avait laissé tombé en courant secourir Kale.

— Alors, qu'allons-nous faire? demanda Kale.

— Continuer à marcher, répondit Dar.

— Pour aller où? Pendant combien de temps?

— La destination n'a aucune importance. Et combien de temps? Jusqu'à ce que le magicien Fenworth décide que nous pouvons le trouver.

— N'y a-t-il pas d'autres choix?

— Non, répondirent à l'unisson Leetu et Dar.

13

Des ombres dangereuses

Le crépuscule dans les Marais incitait une multitude d'insectes à sortir. Ils chantaient, stridulaient et grésillaient dans la végétation. Ils bourdonnaient et vrombissaient dans les oreilles des voyageurs. Certains piquaient et mordaient. Kale détestait les voir ramper sur sa peau.

Dar, Leetu et Kale firent halte pour la nuit, installant leur campement dans les branches épaisses près du tronc d'un cynœud. La verdure s'entrelaçait serrée pour former un plancher sécuritaire. Kale ne doutait pas un instant de dormir comme un loir si elle réussissait à ignorer les insectes. Étalant sa cape sur les rameaux souples, elle s'assit pour manger son prochain repas, enveloppé par Mamie Noon dans le tissu lâchement tissé. Le sandwich, avec sa laitue encore croquante et la viande aussi fraîche que lorsqu'elle avait été coupée, satisfit sa faim.

Dar la rejoignit.

— Fatiguée? lui demanda-t-il.

— Oui, admit Kale.

Il lui tendit une barre cireuse.

— Frotte ceci sur ton visage, tes mains et tes chevilles. Ça repousse les insectes.

Kale accepta l'épais bâton à l'odeur suave avec gratitude et le passa avec vigueur sur sa peau exposée.

Quand elle le remit à Dar, elle remarqua ses vêtements.

— Tu t'es changé.

Le doneel portait un pantalon vert ample. Par-dessus une chemise blanche immaculée, un long veston émeraude flottait jusqu'à ses genoux.

— Je n'aime pas garder les mêmes habits le soir que ceux que j'ai endossés toute la journée. Je ne dors pas bien dans des vêtements sales.

Il s'assit en tailleur à côté d'elle et toucha l'étoffe de la cape de Kale.

— Elle ne s'est pas déchiré quand tu es tombée à travers le plancher de cynœuds.

— Non, par contre ma jupe est percée de gros trous.

Les oreilles de Dar se redressèrent.

— Donne-la-moi, et je la repriserai.

Kale le regarda fixement.

— Vraiment, insista Dar. J'aime coudre. Plusieurs membres de ma famille sont tailleurs.

— Est-ce ce que tu voudrais devenir ?

Dar secoua la tête.

— Non. Malheureusement, je suis né avec la bougeotte. Cela arrive parfois avec les doneels. Si tu es habité par l'esprit d'aventure, c'est douloureux de rester à un seul endroit.

— Est-ce là pourquoi tu es au service de Paladin ?

— Je suis un auxiliaire.

— J'ignore ce que c'est.

— Je vous accompagne d'une manière officielle, toi et Leetu, parce que l'œuf meech a été volé dans notre région du Wittoom. Je ne viens pas officiellement du Manoir.

— Oh, je croyais que si.

— Je sais.

Dar regarda vers l'endroit où Leetu était assise à lire un livre. Elle avait posé une pierre-soleil sur ses genoux, et sa lueur illuminait à la fois les pages de son bouquin et son visage. Il ramassa une large feuille sur le sol et la plia et la replia entre ses doigts.

— J'espère être admis un jour au Manoir à titre de guerrier. Mais, il y a un préjugé envers les doneels. Nous sommes considérés comme trop délicats. Notre amour de la musique est censé être en désaccord avec le désir de se battre pour la justice.

Il soupira et lança la feuille au loin.

— Comme c'est idiot!

— Je suis d'accord, déclara Kale. Je t'ai vu affronter les grawligs, et tu *es* un courageux guerrier.

Dar lui fit un clin d'œil et étira ses lèvres en un large sourire.

— Mais c'est vrai que j'aime bien paraître.

Kale sourit en retour. Elle se pencha plus près pour murmurer :

— J'aime aussi bien paraître.

— Alors, donne-moi ta jupe, et je la réparerai.

Dar bondit sur ses pieds et lui tourna le dos.

Kale se leva et détacha le cordon à sa taille. Quand elle retira la jupe déchirée et tachée, la blouse que Mamie Noon lui avait offerte tomba sur ses genoux comme une chemise de nuit.

— Tiens, dit-elle.

Dar tendit une main par-dessus son épaule. Kale déposa la jupe entre ses doigts et se rassit pendant qu'il s'éloignait. Dar siffla avec talent, et le son se fit entendre derrière lui. Des violonistes jouaient le même air compliqué à l'auberge de Rivière au Loin. La mélodie lui rappela combien elle avait évolué en si peu de temps. Son ancien foyer lui apparaissait comme un monde totalement différent à présent.

N'arriverais-je jamais à ma nouvelle maison ?

Elle glissa sa main dans une cavité de sa cape et en tira sa pierre-soleil et un des livres que Leetu lui avait remis chez Mamie Noon. *Soins et alimentation des dragons nains.*

Le premier chapitre décrivait les types de dragons, leurs habitudes de nidification et de ponte. Kale identifia ses œufs comme ceux de dragons nains. Ces créatures écloraient de leur coquille trente-trois jours après avoir été « stimulées ». Pour stimuler un œuf de dragon, une créature à sang chaud devait en prendre soin. En lisant, Kale comprit que c'est ce qu'elle avait fait avec le premier œuf. En le rangeant dans une pochette et en la suspendant en contact avec sa peau, près de son cœur, elle avait stimulé l'embryon à l'intérieur.

Deux semaines ? Avec des doigts prudents, elle toucha l'endroit où il y avait un léger renflement dans sa blouse à cause de la pochette avec l'œuf.

J'ai trouvé l'œuf et je l'ai montré au conseil du village. Ensuite, ils ont dû réfléchir et discuter et réfléchir encore et discuter encore pour décider de la bonne action. Tout cela a pris trois jours. J'ai voyagé pendant vingt-sept jours. J'ai passé une nuit dans la caverne et voyagé un autre jour. Et aujourd'hui s'additionne à ce compte. Trente-deux !

Kale tira sur la pochette de l'œuf sous sa blouse et l'ouvrit en toute hâte. Quand elle glissa l'œuf dans sa main, elle vit un fin réseau de fissures couvrant la coquille. L'œuf était blanc albâtre auparavant. À présent, il semblait bleu-gris, même sous la lueur azure de sa pierre. En tenant l'œuf avec tendresse dans sa paume, elle sentit un mouvement à l'intérieur.

— Oh, oh ! murmura-t-elle, à peine capable de contenir son excitation.

Elle jeta un œil autour pour voir si ses compagnons avaient remarqué ce qui se passait.

Dar était penché sur son ouvrage de couture ; Leetu avait le nez dans son livre.

Devrais-je le leur montrer ? Kale rapporta son regard sur l'œuf. *Non. Cela concerne seulement moi et le dragon à l'intérieur.*

Elle pressa l'œuf sur sa poitrine avec une main et reprit le livre de l'autre. Elle devait lire pour en savoir un peu plus. Que devrait-elle faire quand la coquille se fendrait ? Avec quoi devrait-elle nourrir le bébé dragon ? Devrait-il être emmailloté chaudement ou maintenu à la fraîcheur ?

Elle lut tant qu'elle put garder les yeux ouverts. Pour finir, elle retourna l'œuf dans la pochette, la glissa en sécurité sous sa blouse, et rangea le livre et la pierre-soleil. Même alors qu'elle fermait les yeux, elle continuait de se questionner à propos du bébé dragon.

Serais-je capable de prendre bien soin de lui ? Wulder a-t-Il vraiment décidé que je devrais être celle qui élève le dragon ? Est-ce un garçon ou une fille ? Quel nom donne-t-on à un dragon ? Si Wulder m'a confié cette responsabilité, me dira-t-Il aussi comment bien réussir mon travail ? Quand dame Meiger m'assignait une nouvelle tâche, elle s'assurait chaque fois que je savais comment l'exécuter. Assurément, Wulder est plus intelligent que dame Meiger.

⊷ ⊶

Des rayons de soleil filtraient à travers les branches denses et dessinaient des taches de lumière verte sur la charmille autour des trois voyageurs. Kale ouvrit les yeux, toucha la pochette sous sa blouse et s'assit. L'œuf était toujours entier, Dar et Leetu étaient éveillés, et Kale, affamée. Sa jupe était soigneusement pliée à côté d'elle. Elle s'en empara pour l'enfiler et découvrit que Dar l'avait remodelée avec son aiguille. À présent, il s'agissait d'un pantalon court.

— Dar !

Il leva les yeux à son appel et arbora un large sourire comique s'étalant d'une oreille à l'autre.

— L'aimes-tu ?

— C'est merveilleux.

Kale se mit debout pendant qu'il retournait à son petit déjeuner. Elle tira sur le pantalon et rentra sa blouse à l'intérieur. Tournoyant sur le sol de branches tissées serrées sous ses pieds, elle rit.

— Ce sera tellement plus facile de marcher avec cela.

— Enfile tes bottes, lui ordonna Leetu, mais Kale aperçut le sourire amical sur les lèvres de l'émerlindian. Mange ton petit déjeuner, espèce d'endormie. Nous avons des kilomètres à parcourir aujourd'hui.

Kale s'assit et chaussa ses bottes de cuir souple, enfournant les nouvelles jambes de pantalon à l'intérieur.

— Savons-nous où nous allons ? demanda-t-elle.

— Non, admit Leetu. Mais j'ai l'intention de ne pas perdre une seconde en y allant.

Dar rit. Il tenait un bol et mangeait à la cuillère un mélange ressemblant à du gruau. Kale loucha sur son petit déjeuner, et son estomac gronda.

Le doneel émit un autre rire enjoué.

— Il y en a amplement pour toi, si Leetu veut bien attendre assez longtemps pour que tu manges.

Leetu avait plié bagages. Elle se rassit, s'adossa confortablement à un tronc et sortit son livre.

Kale sourit à Dar et lui fit un clin d'œil.

— Je pense avoir le temps.

Elle savoura la bouillie chaude au goût de cannelle et de pomme, pendant que Dar chauffait de l'eau pour laver la vaisselle dans une bouilloire sur le feu.

Le doneel s'empara des bols quand elle termina son repas.

— Je vais aller en bas avec cela et utiliser l'eau du marais pour rincer le plus gros des restes.

Il disparut à travers le trou dans le plancher.

Kale passa sa cape, puis elle sortit l'œuf pour le regarder une dernière fois avant de commencer le trajet de la journée. Alors qu'elle le berçait, trois petits coups secs se firent sentir dans sa paume. Puis, le dragon à l'intérieur resta tranquille un instant. Les coups résonnèrent ensuite de l'autre côté de l'œuf.

Exactement comme on le dit dans le livre ! Il, ou elle, remue et tourne. Peut-être l'œuf éclora-t-il aujourd'hui. Elle regarda à l'endroit où Leetu poursuivait sa lecture. *Peut-être devrais-je l'en informer. Supposons que nous devions rester en place pour laisser le dragon se reposer au lieu de le bousculer tout le temps ?* Elle se souvint de la page où l'on disait que les dragons supportaient bien les voyages, mais elle ne pouvait pas s'empêcher de penser à la fragilité d'un œuf de poule. Bien sûr, un œuf de dragon ressemblait davantage à une pierre.

Elle fit courir ses doigts sur la surface fissurée de son œuf et elle réalisa que la coquille ressemblait maintenant davantage à du cuir qu'à une pierre. Du coin de son œil gauche, elle aperçut un mouvement. Dar était descendu au niveau du marais à sa droite. Pourquoi remonterait-il par une autre direction ?

Elle tourna la tête, mais ne vit qu'une ombre noire sur les feuilles. Elle ondulait un peu, très semblable aux taches de lumière sombres et claires projetées par le soleil et les branches au-dessus. Un frisson de peur lui parcourut l'échine. L'ombre se dirigeait vers son amie émerlindian.

— Leetu ! cria Kale.

Leetu bondit sur ses pieds, un poignard à longue lame dans sa main. L'ombre s'éleva et se transforma en un monstre hideux. Grande et immense, la silhouette noire semblait remplir la petite charmille. Maintenant que la forme était debout, Kale pouvait voir des bras se tendant vers Leetu et une tête comme une grosse goutte remuant d'avant en arrière silencieusement. Le monstre se tenait sur deux jambes épaisses. Une queue étroite disparaissait par le plancher de feuilles à l'endroit où l'ombre était apparue la première fois.

Un mordakleep !

Serrant toujours le précieux œuf, Kale scruta les alentours à la recherche d'une arme quelconque. L'épée de Dar gisait dans son fourreau sur ses paquets. Elle bondit pour l'attraper. Quand elle se tourna avec l'épée à la main, elle vit que deux autres mordakleeps s'étaient infiltrés à travers le plancher et prenaient forme autour de Leetu. Les mordakleeps n'émettaient aucun son, mais ils avançaient d'un pas lourd et décidé. Leur bouche grotesque mâchait bruyamment, leurs lèvres s'entrechoquaient, découvrant des dents pointues et jaunes. Ils semblaient impatients de mordre dans tout ce qui se trouvait sur leur chemin.

Agitant sauvagement l'épée devant elle, Kale chargea les monstres attaquant Leetu. Sa lame entailla le mordakleep le plus près. Une glu noire en jaillit et éclaboussa le devant de sa cape, ses bras et ses bottes. Le liquide grésilla en touchant l'étoffe de rayons-de-lune et s'évapora en fumée nauséabonde. Les gouttes de glu noire formèrent une flaque et s'éparpillèrent comme du mercure.

Le monstre se tourna à vive allure et lui coupa le menton avec un coup donné du revers de l'un de ses énormes bras. Kale vola par en arrière et atterrit contre un tronc de cynœud. Elle chercha son souffle et hurla de nouveau quand elle vit le mordakleep se pencher et ramasser l'œuf qu'elle avait laissé tomber.

Une terreur froide et un vide angoissant envahirent son cœur. Des larmes coulaient à flot sur ses joues alors qu'elle se levait pour affronter le monstre avançant vers elle. Elle pouvait maintenant discerner les traits de son visage, les cavités grises dans lesquelles de petits yeux rouges brillaient, la large bouche avec sa langue verte qui entrait et sortait par légers coups entre ses lèvres minces.

Il progressait lentement en titubant sur les rameaux entrelacés, son poids énorme faisant onduler tout le plancher comme les vagues sur un océan. Serrant avec force l'épée de Dar par la poignée avec ses deux mains, Kale attendit que le monstre s'approche pesamment assez près pour qu'elle puisse le frapper. Elle vit le débordement d'activités derrière. Leetu combattait trois créatures. Deux autres mordakleeps surgirent du plancher de cynœuds. Dar était réapparu pour aider au combat. Mais l'attention de Kale était centrée sur l'affreuse masse gluante qui la menaçait.

— Dar, il a pris mon œuf! cria-t-elle.

La créature plongea ensuite pour la saisir par la gorge. Au lieu de lui balancer son épée, elle l'évita et roula de côté.

— Coupe sa queue, hurla Dar.

Il brandissait un poignard brillant dans chaque main et il chargea les monstres attaquant Leetu.

Kale tenta de se frayer un chemin autour de lui, mais le mordakleep, malgré sa grandeur, se tortillait et tournait ingénieusement. Dar se tenait derrière un monstre rôdant près de Leetu. Il abaissa son arme en dessinant un grand arc et trancha sa longue queue noire. Sans attendre de voir le corps de la créature se dissoudre et former une flaque qui dégoutterait à travers le sol de feuilles, il décrivit un cercle et coupa la queue de l'autre mordakleep.

Kale sautait et poignardait le monstre qui approchait d'elle avec les mains positionnées pour l'attraper et la mettre en pièces. La plupart du temps, son épée fendait l'air au lieu de la chair du mordakleep. Enfin, la créature trébucha juste comme Kale tombait de côté. Avec un grand coup, elle trancha la queue ressemblant à une corde. Elle roula au loin, haletant quand l'odeur nauséabonde s'éleva de la créature morte.

Comme les autres monstres, ce mordakleep se désintégra une fois privé de sa queue. Pendant que la silhouette sombre fondait dans l'ombre et s'écoulait peu à peu par le plancher de cynœuds, il laissa l'œuf derrière. Kale s'en empara d'un geste vif, essuya les dernières gouttes de glu sur la coquille et le serra contre sa poitrine.

Dar s'agenouilla près d'elle. Elle jeta un œil autour et constata la disparition de tous les monstres. Il déposa une main sur son épaule. Les sanglots de Kale l'empêchèrent presque de parler.

— A-t-il t-tué l'œuf ? lui demanda-t-elle. A-t-il tué le b-bébé dragon ?

— Je l'ignore, répondit Dar.

— Est-ce que Leetu le saura ?

Kale regarda encore une fois la charmille vide.

Dar serra l'épaule de Kale.

— Ils ont enlevé Leetu.

14

En présence de Wulder

Kale scruta l'enchevêtrement de couloirs de cynœuds comme si elle avait une chance d'apercevoir Leetu et ses kidnappeurs. La faible lumière de l'étage ombragée ne révélait rien de plus que des branches droites reliant des troncs à différentes distances.

C'est sans espoir.

— Que pouvons-nous faire? demanda-t-elle.

Dar s'assit à côté de Kale.

— Tout d'abord, communique avec ton esprit. Essaie d'entrer en contact avec Leetu.

Bien sûr.

Les mots sonnaient creux dans sa tête. Elle savait qu'il s'agissait de la bonne action à suivre.

Comme c'est simple.

Mais l'âme blessée de Kale était incapable de relever le défi. Elle combattait la peur et la tristesse en elle. Des larmes débordaient déjà, et les sanglots qui gênaient ses paroles une minute plus tôt menaçaient de reprendre le dessus.

Je dois me calmer. Je ne peux rien faire quand je suis dans tous mes états.

Elle ferma les yeux. Dar posait encore une main sur son épaule, et son contact la rassurait.

Leetu ?

L'obscurité envahit Kale. Elle se pencha en avant, puis elle s'effondra en tas et se recroquevilla en boule. Elle voulait échapper à l'angoisse qui la tourmentait. Le néant remplit son âme. Le vide faisait pression sur elle de tous côtés. L'oubli la menaçait de l'envelopper contre son gré et de la maintenir dans un endroit sans couleurs, ni sons, ni vie.

Kale hurla, appelant à l'aide en prononçant une suite de syllabes incompréhensibles.

Elle sentit la main de Dar lui secouer violemment l'épaule.

— Qu'est-ce qu'il y a?

Il saisit son autre épaule.

— Kale, arrête!

Elle s'écroula de tout son long sur le sol de la charmille. Haletante, elle ouvrit les yeux et vit Dar penché sur elle, les traits marqués par l'inquiétude.

— Je ne peux pas continuer, s'écria-t-elle. Je ne peux pas. Quand j'ai tendu l'esprit, je n'ai pas trouvé Leetu, mais une chose monstrueuse. J'avais l'impression que l'on comprimait mon cœur, et je ne pouvais plus respirer.

— Ça va. Il y aura une autre façon.

Dar s'assit sur ses talons et sembla réfléchir à la situation.

— Je vais te préparer un peu de thé.

Kale acquiesça. Elle n'avait pas soif, mais une tasse de thé était normale. Une tasse de thé, voilà ce qu'elle buvait l'après-midi après les corvées du matin, et avant celles du repas du soir. Elle avait savouré une tasse de thé chez Mamie Noon. Une tasse de thé la réconforterait.

Elle ne bougea pas en regardant Dar s'activer. Il installa une minuscule plaque de cuisson tirée de son bagage, il craqua une allumette, il versa de l'eau fraîche provenant de leur réserve embouteillée dans une bouilloire à deux tasses, puis il sortit sa flûte pour en jouer pendant que l'eau chauffait.

Kale serra l'œuf de dragon froid sur sa poitrine d'une main crispée par la peur et l'effort. Chaque gouttelette des restes de mordakleeps s'était infiltrée dans le sol et avait disparu. Aucune éclaboussure n'avait taché le plancher feuillu ou les rudes troncs des cynœuds. Le sang des grawligs avait été un épouvantable rappel de leur bataille quand le trio avait combattu les ogres de montagne avant de rejoindre Mamie Noon. Les mordakleeps mourants ne laissaient pas de sang.

Kale frissonna en se remémorant l'efficacité de Leetu à décocher une flèche après l'autre dans la mêlée de grawligs sous les arbres où l'émerlindian était grimpée. Kale avait cru Leetu invincible, une brave guerrière du Manoir, la servante compétente de Paladin. Où se trouvait-elle à présent?

— Est-elle en vie?

La question jaillit de ses lèvres. Elle n'avait pas prévu verbaliser ses doutes à voix haute.

Dar cessa de souffler dans les petits trous de sa flûte argentée. La mélodie cadencée s'arrêta sur une note élevée.

— Je l'ignore.

— Serons-nous capables de la retrouver?

Dar glissa le long et brillant instrument dans un étui de velours.

— Wulder sait où elle se trouve. Il connaît notre inquiétude.

— Mais comment cela nous aide-t-il?

Kale s'exprima d'une voix stridente, forte et impatiente.

— Nous?

Dar secoua la tête et tendit le bras vers son bagage.

— Kale, dans ton esprit, tu nous as placés au centre des événements. Wulder est le centre.

Kale avait mal à la tête.

— Wulder sait ce qui s'est passé.

Dar plaça des feuilles de thé dans la bouilloire et la retira du petit feu.

— Nous devons patienter, Kale. Paladin, sans aucun doute, a un plan, mais nous ne le connaissons pas. Nous attendons. À son heure, il nous montrera la voie.

— Nous devons faire le pied de grue ici?

Kale observa la charmille déserte. Le livre de Leetu gisait ouvert près de l'endroit où elle avait subi l'attaque. Ses paquets attendaient qu'elle les ramasse pour reprendre leur périple.

— Je ne veux pas prendre racine ici.

Dar vint la rejoindre en tenant deux lourdes tasses en céramique. Des spirales de fumée s'échappaient du liquide foncé à l'intérieur.

— J'ai mis beaucoup de sucre dedans.

Dar sourit, mais pas de son habituel sourire qui lui fendait le visage en deux, plutôt d'un sourire tendu. Il lui remit une tasse. Il s'assit ensuite à côté d'elle pour boire dans la sienne.

— L'attente est un état d'esprit, dit-il. L'important n'est pas de savoir si nous bougeons ou pas, mais si nous avons établi nos plans avec trop peu d'informations. Parfois, les gens planifient simplement pour faire quelque chose.

— Je n'ai jamais été responsable d'élaborer des plans, dit Kale.

— Bien.

Dar lui lança un clin d'œil.

— C'est une mauvaise habitude.

Elle ne pensait pas que le conseil du village se montrerait d'accord avec cette déclaration. Les conseillers passaient des heures à planifier, défaire les plans précédents et en refaire.

Un petit sourire étira le coin de ses lèvres. Elle se sentait un peu mieux. Elle pencha la tasse vers sa bouche. Le thé chaud et sucré avait bon goût.

— Dar, pourquoi m'as-tu dit de couper la queue des mordakleeps? Pourquoi est-ce que cela les tue?

— L'extrémité de la queue des mordakleeps est équipée de centaines de branchies. À environ trente centimètres du bout se trouvent leurs poumons. Les mordakleeps doivent immerger le bout de leur queue dans l'eau en tout temps, ou ils suffoquent. Heureusement pour eux, ils possèdent de très longues queues qu'ils peuvent en plus étirer beaucoup. Malheureusement pour eux, si la queue est coupée du corps, ils meurent dans la seconde.

— Comment as-tu découvert toutes ces choses?

— J'aime apprendre. J'écoute. Et je crois que toute parcelle d'information qui me vient aux oreilles n'est pas un hasard. Paladin a une façon de fournir à ses serviteurs ce dont ils ont besoin.

— Il t'enseigne ?

— Oh oui.

Dar but dans sa tasse et fit claquer ses lèvres. Kale savait que Leetu l'aurait regardé avec un froncement de sourcils. Elle ne désirait pas penser à Leetu.

— Je pensais qu'il fallait aller au Manoir, dit-elle.

— Pour apprendre ?

Dar eut l'air sincèrement étonné.

— Non, Kale ; Wulder est partout, donc Ses leçons sont partout.

— Je sais que tout a été créé par Wulder et que Pretender tente d'imiter Son travail. Mais j'ignorais que Wulder est partout. Comment est-ce possible ?

— Tu imagines Wulder en tant que personne possédant un corps et se déplaçant d'un lieu à l'autre.

Dar se leva et tourna sur lui-même, les bras grands ouverts.

— Wulder est partout. Tu peux constater Sa puissance en reconnaissant Son travail. Lorsqu'une fleur s'épanouit, il s'agit de Son œuvre. Quand les étoiles brillent la nuit, il s'agit de Son œuvre.

Il s'arrêta en face d'elle. Il laissa retomber ses mains sur ses flancs.

— Regarde-moi, Kale. À cet instant, je suis debout avec Wulder tout autour de moi. Je suis sous Sa protection, je fais partie de Sa volonté, je respecte Sa promesse. Et Wulder est, au même moment, en moi.

— En moi aussi ? demanda Kale.

— Oui.

Dar s'agenouilla devant elle, son visage sérieux placé à quelques centimètres du sien.

Elle plongea son regard dans ses yeux brun foncé et y vit la force et la paix. Elle s'émerveilla de sa patience envers elle. Souvent, ses maîtres mariones lui expliquaient d'un ton bourru les choses qu'ils pensaient qu'elle devrait déjà comprendre.

Dar fit un clin d'œil avant de continuer ; son drôle de visage était sérieux, néanmoins joyeux de transmettre ce qui devait constituer pour lui de vieilles connaissances.

— Tant de gens ignorent qui est Wulder et ce dont Il est capable. Leur ignorance ne diminue en rien l'être qu'est Wulder ; c'est eux qui en sont amoindris. Tant qu'ils ne savent pas, ils demeurent incomplets.

Il se pencha en arrière et soupira, ouvrit grand ses bras en signe d'explication et poursuivit.

— C'est tellement simple, Kale. Tout tourne autour de Sa volonté à prendre part à notre monde. Quand une montagne reste debout au lieu de s'effondrer, c'est Lui qui la tient là. S'Il devait nous quitter…

Dar secoua la tête.

— S'Il devait nous quitter, tout ce qu'Il maintient en ordre partirait en vrille. Mais Il ne partira jamais.

— Comment le sais-tu ?

— Il a fait une promesse… et Il a envoyé Paladin.

— Tu dois penser que je suis terriblement stupide.

— Non, Kale. Comment peux-tu connaître des choses que l'on ne t'a jamais apprises ? Là où tu vivais, personne n'était informé de ce que tu es destinée à savoir. Tu es spéciale, Kale. Wulder te guide sur un sentier particulier.

— Je ne sais pas si je désire être spéciale, Dar.

Dar fit un grand sourire, déposa sa tasse vide et sortit son instrument.

— Oui, tu le veux, Kale. Moi, je veux être spécial. Leetu veut être spéciale, tu veux être spéciale. Attends de rencontrer Paladin.

— Pourquoi ? En quoi fera-t-il une différence ? Et d'ailleurs, une personne comme moi a peu de chances de rencontrer Paladin.

Sous le souffle de Dar, la flûte joua un trille de notes joyeuses. Un sourire malicieux lui mangea le visage.

— Devrais-je lui dire ? s'enquit-il auprès de personne en particulier.

Puis, il laissa échapper un gazouillis léger de son fifre argenté.

Oui ! Je veux le savoir !

Kale pressa fortement son œuf contre son cœur jusqu'à ce que sa douce rondeur lui fasse mal. Elle tendit son esprit grâce à son talent et le souffle lui manqua quand elle tomba sur une rapsodie sauvage dans la tête de Dar. Sa joie s'écoulait de lui et submergeait Kale. Avec autant d'excitation bourdonnant en elle, elle ne put demeurer assise une seule minute supplémentaire. Elle bondit sur ses pieds et resta un moment debout maladroitement, comme une marionnette juste avant que le marionnettiste ne bouge ses cordes.

Puis, la musique la transporta et dirigea ses pas. Au début, c'était comme si une personne la guidait pour suivre le rythme de la mélodie de Dar. Quelqu'un d'autre contrôlait chaque entrechat et chaque pirouette. Peu à peu, elle sut qu'elle réagissait à présent d'elle-même à cette ivresse extraordinaire. Elle dansa et dansa autour de la charmille.

La musique débordante de joie de Dar se déversait par sa flûte argentée. Elle remplissait l'air et entrait à flots dans le cœur de Kale. Grâce au rythme de la mélodie, elle embrassait la liberté, celle de répondre à la présence de Wulder.

Des kimens sortirent de l'ombre des arbres. D'abord un, puis trois, puis six et puis une douzaine. Légers comme le duvet, ils tournoyaient en entrant et sortant d'entre les branches, autour de Kale et de Dar. Ils voltigeaient dans la lumière tachetée des rayons de soleil filtrant à travers les nombreuses couches de rameaux de cynœuds entremêlées.

Kale s'arrêta pour observer la danse de spirales étour-
dissante autour d'elle. Elle avait aperçu à l'occasion des kimens
à Rivière au Loin. Ils portaient alors des vêtements dans les
teintes de vert et de brun, l'étoffe flottante de leurs habits fré-
missant à chaque coup de vent. Ces danseurs étaient vêtus de
tons pastel qui miroitaient d'une lueur spéciale; leurs habits
étaient un moment submergés de vagues aux couleurs de l'arc-
en-ciel, puis affichaient des blancs, argentés, jaunes et dorés
étincelants.

Kale baissa les yeux sur sa cape en tissu de rayons-de-lune.
Elle aussi irradiait à présent ses merveilleuses couleurs. Elle
leva l'œuf très haut au-dessus de sa tête et rejoignit la danse.
Rien n'était plus important que d'exprimer la fête qui balayait
son cœur en s'écoulant dans ses veines et tout son corps.

Elle prit conscience du chant des kimens. Leurs voix se fondaient avec les notes de la flûte. Elle voulait comprendre les
phrases, mais elle ne reconnut pas le langage. Elle avait envie
de chanter la chanson, mais elle ne connaissait pas les paroles.
Malgré tout, rien n'entama sa joie. Elle dansa.

La mélodie s'éleva très haut, puis se calma. Comme les
feuilles d'automne flottant sur le doux zéphyr, les danseurs
dérivaient, rasaient le sol, voltigeaient et se déposaient sur le
plancher de cynœuds.

Les yeux fermés, Kale resta immobile. Les dernières notes
de musique céleste s'évanouirent à travers les branches au-
dessus. Elle respira rapidement et profondément, mais son
corps n'était pas fatigué. Elle écouta le léger bruissement des
feuilles; ou s'agissait-il du souffle délicat des kimens? Le son
disparut, et elle sut sans avoir besoin de regarder que les frêles
kimens avaient quitté la charmille.

Elle sentait les battements de son propre cœur, le «tap-tap»
dans une veine de son cou, le pouls régulier dans la paume de
sa main.

Ses yeux s'ouvrirent d'un coup et se concentrèrent sur l'œuf.

— Dar! appela-t-elle. Il vit. L'œuf va éclore. Dar, viens vite.

15

Un dragon

— Que devrions-nous faire ? s'enquit Kale.

Dar s'assit en tailleur à côté d'elle.

— C'est toi qui as lu le bouquin.

— Attendre, simplement attendre, reprit Kale. C'est tout ce que nous pouvons faire. Le livre dit qu'il faut se montrer patient.

— Cela me parait un bon conseil.

Elle réalisa que Dar lui avait prodigué le même conseil un peu plus tôt. Elle leva les yeux pour apercevoir son large sourire familier s'épanouir sur son visage. Elle sourit en retour.

— Il est écrit dans le manuel de laisser l'œuf éclore tout seul. Je peux tenir la coquille, mais pas retirer les petits éclats pendant qu'elle se brise.

— Combien de temps cela prendra-t-il ?

— Entre quinze minutes et une heure et demie.

— Assez pour une autre tasse de thé.

Il se mit debout et retourna à sa plaque de cuisson.

Kale berça l'œuf, décidée à observer chaque moment.

Une fissure s'élargit, et un minuscule morceau de coquille se souleva.

— Dar, il y a un trou. Un tout petit trou.

Il interrompit sa tâche de laisser tomber des feuilles de thé dans la bouilloire pour lever les yeux.

— Peux-tu voir le dragon ?

Kale examina la membrane grisâtre exposée par le trou.

— Je le pense.

— Quelle couleur est-il ?

S'agit-il de la peau du dragon ?

— Je ne saurais le dire.

— Je parie qu'il sera vert.

Kale se remémora ce qu'elle avait lu le soir précédent. Les dragons nains possédaient différentes aptitudes. Ils pouvaient tous voler. Ils pouvaient tous converser avec les gens par télépathie. Mais certains étaient des guerriers, d'autres des conciliateurs, d'autres encore des maîtres du feu ou des guérisseurs, et la liste continuait de s'allonger. La couleur de leurs écailles indiquait à quelle sous-espèce ils appartenaient. En pensant aux fois où elle avait été guérie en tenant cet œuf, Kale acquiesça.

— Un dragon guérisseur ? Vert. Oui, je le crois aussi.

Dar lui apporta une nouvelle tasse de thé pendant qu'elle observait, mais il ne rôda pas autour de l'œuf comme elle. Du coin de l'œil, elle le vit retourner à la plaque de cuisson. Il versa de l'huile dans un petit chaudron et avec ses provisions, il façonna une pâte molle.

Kale entendit grésiller. Elle leva les yeux en se demandant ce qu'il fabriquait. Il roula la pâte pour former une mince corde et la laissa tomber dans le chaudron. Un arôme de pain sucré s'éleva en même temps que de furieux crépitements. Elle ignorait complètement ce qu'il pouvait bien cuisiner. Elle ramena son attention sur l'œuf.

— Dar, il vient juste de briser un morceau de la taille de mon pouce.

— Peux-tu voir sa couleur à présent ?

Kale plissa le nez.

— Un vert terne. Pas aussi beau que ta Merlander, et de loin. Mais le livre dit que la couleur s'avivera une fois qu'il sera sorti.

Dar lui apporta une assiette en fer-blanc avec une montagne de bouchées de pain dessus. Elle s'en empara sans y penser et la déposa sur le sol feuillu à côté d'elle. Elle mit l'un des minces bâtonnets frits dans sa bouche.

— Miam, c'est bon, déclara-t-elle, mais ses yeux étaient toujours rivés sur l'œuf dans sa main en coupe.

— Des mullins frits, annonça Dar.

Kale acquiesça.

— Mamie Noon m'a offert la recette.

Kale fit oui de nouveau et prit une seconde bouchée. Dar haussa les épaules et retourna à sa cuisine improvisée. Elle remarqua qu'il semblait abattu quand il s'assit pour sortir son harmonica.

— Je suis désolée, Dar. Ils sont vraiment délicieux.

Il rit doucement.

— Ne t'inquiète pas, Kale. C'est tout à fait normal que ton attention soit sur l'œuf sur le point d'éclore. Voyons voir si je peux trouver une mélodie convenable pour la naissance d'un dragon nain.

Il positionna le large instrument sur ses lèvres et joua une gamme aiguë, puis il arrêta son choix sur une mélodie pleine de dignité appelée *La danse du dragon*.

Kale regarda un nouveau morceau de la coquille se détacher. Inquiète de ne pas laisser choir le bébé s'il devait dégringoler à l'extérieur, elle plaça son autre main à côté de celle tenant l'œuf. La tête du dragon se fraya un passage et glissa sur son poignet. Ses ailes émergèrent, puis ce fut le tour de ses minuscules pattes avant. Il se reposa. Kale l'observa prendre une profonde respiration et la relâcher. Une autre, et encore une autre. Puis, avec une secousse, il donna un coup avec ses pattes de derrière, et la coquille tomba.

— Il est sorti, murmura-t-elle. Il est sorti.

Ses yeux toujours fermés, le bébé dragon frotta son menton ridé sur la peau de Kale. Elle le prit délicatement d'une main et retira les fragments de coquille rejetés de l'autre. Sous peu, elle sentit le bourdonnement familier qu'elle reconnut comme celui qu'elle avait entendu pour la première fois quand l'œuf avait été stimulé. Il était allongé dans sa main, étirant doucement ses muscles, frottant sa peau écailleuse sur la paume rude de Kale. Il tourna sur le côté, puis sur le dos, selon toute apparence cherchant à faire entrer chaque partie du cuir de sa peau en contact avec la main de Kale.

Alors qu'elle l'observait, la couleur gris vert prit une teinte plus riche. Divers degrés de vert émeraude apparurent sur son dos. Des nuances plus pâles et vives lignaient ses flancs. Son ventre brillait du coloris vert tendre d'une nouvelle feuille. Elle s'émerveilla devant les griffes miniatures et les membranes délicates s'étirant sur ses ailes.

Le dragon entrouvrit de tout petits yeux noirs et brillants et la regarda droit en face. Ses yeux s'attachèrent aux siens, et elle aspira brusquement quand le lien entre leurs esprits s'établit d'un seul coup.

— C'est un garçon, annonça-t-elle à Dar d'une voix douce. Son nom est Gymn.

Dar cessa de jouer. Il glissa son harmonica dans la poche de sa veste et vint admirer le nouveau-né.

— Il est magnifique, Kale.

Le dragon se retourna sur le ventre et s'étira. Kale sentit ses pieds menus pousser dans sa paume. Il se leva sur ses pattes de derrière et avec précaution, il déplia ses ailes d'une envergure d'environ quinze centimètres. Les membranes tannées foncèrent pour devenir presque noires, mais la teinte de vert demeurait encore.

— Fais-lui entendre ta voix, Kale. Chante pour lui.

— Que devrais-je chanter ?

— N'importe quoi.

Kale chercha une chanson dont elle connaissait toutes les paroles. Habituellement, on n'encourageait pas une esclave à chanter, mais elle avait bercé plus que sa part de bébés difficiles pour les dames du village, et dans ces moments, on lui permettait de fredonner.

Elle commença à chantonner une chanson de récolte, à propos de semences et de soleil, de pluie et de céréales. Dar sortit son harmonica et se joignit à elle. Enhardie, elle chanta :

— Des graines sèches dans le sol sont plantées,

Elles attendent le soleil et les pluies de l'été,
Espoir en l'avenir, repos de la terre.
Tu fais partie du plan de Wulder.
Toummba la-la, trillo coum dé.
Toummba la-la, sen-sa-mé.
Toummba la-la, trillo coum dé.
Toummba la-la, sen-sa-mé.

Gymn, perché dans la paume de sa main, se balançait doucement au rythme de la musique. Puis, ses ailes ouvertes s'agitèrent de haut en bas avec un bruissement cadencé. Kale sentit ses pattes de derrière se tendre quand elle entama le deuxième couplet. Soudain, il bondit dans les airs, battit des ailes avec plus de vigueur et atterrit sur son épaule. Elle rit tout haut lorsque la minuscule créature verte se blottit contre son menton et se frotta sur sa joue avec amour.

Dar abaissa son harmonica et sourit.

— Quand aura-t-il faim ?

— Demain, répondit Kale, selon le livre.

Elle leva un doigt pour caresser le tendre ventre vert du bébé.

— Alors, mettons-nous en route.

— En route ?

— Je t'ai dit que j'avais la bougeotte, Kale. Nous allons explorer les Marais. Nous découvrirons peut-être une trace de Leetu Bends ou un indice indiquant où nous pourrions la trouver.

Le cœur de Kale chavira. Comment avait-elle pu oublier ? Leetu était en danger. Elle ferma les yeux et ouvrit son esprit en espérant ressentir la présence de l'émerlindian.

L'obscurité la frappa de plein fouet. Gymn poussa un cri aigu et tomba de son épaule sur ses genoux. Elle ouvrit les yeux et vit son corps inerte sur l'élégant tissu de l'une de ses jambes de pantalon.

— Dar, cria-t-elle d'un ton perçant.

— Ne panique pas, Kale.

Dar se pencha sur le bébé dragon.

— Il respire encore.

16

Trouver le sentier

— Qu'est-il arrivé?

Kale essaya de ne pas laisser la panique percer dans sa voix.

Dar fit courir un doigt le long de la colonne vertébrale de Gymn.

— Observe sa queue, dit-il en répétant le mouvement.

Quand il atteignit la vertèbre à sa base, l'extrémité de la queue de Gymn tressaillit.

— Voilà! Il est inconscient, mais il n'y a pas de dommages sérieux s'il n'a pas perdu ses réflexes. De plus, il respire sans grincements ni halètements. Je pense qu'il ira bien.

— Mais que s'est-il passé?

— Je l'ignore, et tenter de le deviner ne mènera à rien.

Dar et Kale continuèrent de surveiller le bébé dragon. Sous peu, ses yeux papillonnèrent, et il regarda Kale. Sans attendre, il bondit sur ses pieds et s'introduisit sous le bord de sa cape et grimpa jusque dans la poche du haut.

— Il a peur, dit Kale. Je le sens.

— De quoi?

Kale repensa à la séquence des événements.

— J'ai tendu l'esprit vers Leetu et j'ai rencontré la même affreuse obscurité, expliqua-t-elle. Voilà ce qui a dû se passer.

Elle marqua une pause, mit sa main en coupe par-dessus la cape à l'endroit où le bébé dragon frissonnait dans sa poche.

— Je crois qu'il s'est évanoui.

Dar laissa échapper un petit rire.

— Et bien, je n'ai jamais entendu parler auparavant d'un dragon qui perdait connaissance, mais il est vrai qu'il ne s'agit encore que d'un *bébé*.

Dar se leva et alla ranger le reste de son équipement.

— Veux-tu monter quelques étages dans les cynœuds ? L'air y sera probablement plus frais et plus sain.

— As-tu chaud ? lui demanda Kale.

— Je ne porte pas une cape en étoffe de rayons-de-lune, Kale. J'ai très chaud !

Elle le fixa sans comprendre.

Il lâcha un soupir exaspéré.

— Sors ta main. Tends-la loin de la cape. Sens le vent sur ta peau.

Kale s'exécuta. Elle toucha l'air du bout des doigts à environ trente centimètres du tissu de rayons-de-lune. L'atmosphère chaude et humide du marais enveloppa sa main. Elle la retira rapidement. À l'intérieur d'un certain périmètre autour de sa cape, la température se rafraîchissait pour atteindre un degré confortable.

Surprise, elle jeta un coup d'œil à Dar et vit une expression étrange sur son visage. Elle tendit son esprit vers lui et attrapa la fin de sa pensée.

— *... tant de choses à apprendre.*

Je sais. Le conseiller Meiger a dit que je ne savais rien du tout.

— *Tout d'abord, c'est impoli de t'infiltrer dans ma tête de cette façon. Tu es censée pratiquer les bonnes manières autant que le contrôle de ton talent.*

Je suis désolée. Je n'ai pas réfléchi avant d'agir.

— *Deuxièmement,* poursuivit Dar sans réagir à ses paroles d'excuse, *ce n'est pas un crime que d'ignorer quelque chose. Cependant, ça en est un de ne pas saisir une occasion d'apprentissage. Enfin, pas un crime, mais assurément un mauvais choix.*

« Ne te fais pas de soucis pour ce que tu ne connais pas. Pense seulement à tout ce que tu as appris au cours des derniers jours. Si tu

continues à ce rythme, dans une semaine, tu auras accumulé toutes
les connaissances du monde.

Kale regarda le large sourire taquin envahir le visage de son
ami. Même s'il la taquinait à la manière d'un grand frère, elle
l'aimait bien et elle appréciait ses propos. Il disait vrai. Elle
avait vraiment beaucoup appris depuis son départ de Rivière
au Loin. Et maintenant, elle était responsable d'un bébé
dragon.

Cette pensée la fit sourire. Et elle avait sept autres œufs
de dragon qui écloraient un jour. Elle ne put s'empêcher de
rayonner de fierté. Mais ses réflexions suivantes éteignirent sa
lumière intérieure. Elle devait aussi trouver un magicien qui ne
souhaitait pas être découvert, un œuf meech détenu par le
maléfique magicien Risto, et Leetu, peut-être morte à l'heure
actuelle.

Elle vit Dar attacher les lanières de son paquet et le jeter
par-dessus son épaule. Il ramassa aussi les ballots de Leetu. Il
en remit un à Kale. Il coinça le deuxième sous son bras.

— Dar ?

— Une chose à la fois, Kale. Nous nous occupons de la première tâche devant nous et nous nous en remettons à Wulder
pour qu'il nous mène aux autres.

— Es-tu certain de ne pas lire dans mes pensées ?

— Oui. Par contre, ton visage est assez facile à déchiffrer.
Tu avais l'air heureuse, puis inquiète et enfin, paniquée.

Kale acquiesça.

Même encombré par de nombreux paquets, Dar exécuta
une élégante révérence dans sa direction.

— Partons-nous, milady ?

Il agita un bras vers la cime des arbres.

— Notre destinée nous attend.

À tout le moins, il l'avait rendue plus joyeuse. Kale rit
doucement, tapota la poche abritant le dragon recroquevillé et
se mit debout.

— Comment allons-nous monter là-haut ?

— En grimpant, répondit Dar.

Il se dirigea vers l'arbre le plus près et regarda vers le ciel.

— Là.

Il plia les genoux une seconde, puis il bondit en ligne droite et attrapa une branche au-dessus dès le premier essai. Sans difficulté, il se hissa à bout de bras, puis il passa son bras à travers le feuillage. En un instant, il se tortilla jusqu'au niveau suivant.

Kale regarda disparaître ses pieds et fut presque prise de panique encore une fois.

Arrête cela! se dit-elle. Il est hors de vue, pas envolé. Tu seras là-haut avec lui dans une minute. Tu es plus grande que Dar et tu as grimpé à des tonnes d'arbres. Tu peux y arriver.

Le visage souriant de Dar réapparut, suspendu à l'envers dans l'ouverture qu'il venait tout juste de créer.

— Tu viens?

— Oui.

Elle se déplaça sous lui. Il étira un bras pour l'aider.

— Je peux y arriver, protesta-t-elle.

Le bras disparut et la branche trembla lorsqu'il s'éloigna. La tête de Kale frôlait les rameaux les plus bas. Elle poussa ses mains et ses bras dans le trou et compris que la brèche s'ouvrait seulement assez pour le plus petit doneel. Elle devrait l'élargir en forçant son corps à travers pour passer.

Des brindilles et des rameaux rudes l'égratignèrent et la piquèrent quand elle se hissa en utilisant ses bras.

Je ne peux pas rester coincée. Quelle gêne!

Elle tendit la main et attrapa une branche entrelacée dans le plancher de cynœuds et en tirant dessus, elle se rapprocha du bord centimètre par centimètre. Une autre branche solide la frappa dans l'estomac. En roulant sur le côté, elle réussit à se déprendre de cet obstacle, seulement pour découvrir que sa blouse était prise encore une fois.

Enfin quoi! J'ai dit que je pouvais y arriver seule; par contre, il n'est pas obligé de m'ignorer.

Elle s'étira le cou vers la gauche. Pas de Dar. Elle regarda à droite. Pas de Dar. Étonnée, elle grimpa hors du trou, sans se soucier des branches tentaculaires.

— Dar!

— En haut.

Kale leva les yeux et vit son visage à travers la couche de branches suivantes. Retenant des paroles de colère, Kale se tendit et sauta vers l'orifice. Cette fois, les branches s'élevaient à plus de trente centimètres au-dessus de sa tête, mais son irritation envers le doneel la stimula. Elle passa rapidement dans le trou en se contorsionnant.

— Bien, dit-elle. Tu n'as pas eu le temps de disparaître dans la nature.

Il sembla surpris.

— Disparaître?

— Laisse tomber.

Elle se leva et épousseta les morceaux de feuilles sur ses vêtements.

— Montes-tu encore?

— Non, je crois qu'ici ça ira. Allons-y.

— Je veux m'assurer en premier lieu que Gymn se porte bien.

Dar soupira, mais ne souleva pas d'objections.

Kale ouvrit sa cape et jeta un œil dans la poche du haut.

— Il dort.

— Prête maintenant?

Kale ne répondit pas. Elle scruta les alentours.

— Je peux marcher debout ici, et les branches supérieures ne s'accrocheront pas dans mes cheveux. C'est plus frais aussi. Le soleil passe plus facilement.

Elle leva son visage et ferma les paupières.

— Et il y a une brise.

Elle ouvrit les yeux pour fixer Dar.

— Pourquoi Leetu ne nous a-t-elle pas amenés ici plus tôt?

— Regarde en bas, dit Dar.

Kale vit immédiatement la différence.

— Oh.

Ces branches étaient plus minces et présentaient moins de feuillage. De gros trous béaient dans le sol, et certains endroits donnaient l'impression que les branches céderaient sous n'importe quel poids supplémentaire.

— Leetu voulait t'offrir la chance de t'exercer à marcher là où c'était plus facile, lui expliqua Dar. Le plancher de cynœuds s'appelle un bordage. Plus on monte les étages en s'approchant du soleil, plus le bordage est fragile. Les branches sont plus jeunes, plus souples. Elles plient et glissent vers le côté quand on s'appuie dessus. Tu t'es entraînée en bas. À présent, avec un peu plus de pratique, tu maîtriseras ce bordage aussi.

— Cela aurait été plus confortable pour Leetu et toi ici.

— Oui, mais pas si nous avions dû te traîner comme un boulet à travers plusieurs couches de plancher de la forêt de cynœuds chaque fois que tu serais tombée.

Kale acquiesça à l'explication de Dar, mais elle soupçonnait que Leetu avait surtout pensé à faciliter le trajet pour une pauvre petite o'rant.

— Bon, dit-elle, allons-y. Dans quelle direction?

Dar pointa.

— Par là. Plus profondément dans les Marais.

— Les mordakleeps peuvent-ils monter jusqu'ici?

— Mouais.

Dar prit la tête.

Kale le suivit, attentive à chacun de ses pas et grinçant un peu des dents quand le plancher entrelacé ployait sous ses pieds. Plusieurs fois, elle sauta sur une branche plus grosse à l'instant même où elle se sentait glisser à travers le bordage.

Kale s'arrêta à l'occasion au cours de la journée pour jeter un œil sur le dragon nouveau-né. La plupart du temps, Gymn dormait. Une fois de temps en temps, il s'étirait et changeait de position.

Il me semble bien installé. La cape régule probablement la température dans son antre de poche juste au degré parfait de confort. Elle donna une claque à un insecte qui atterrit sur son visage. *Au moins, il pourra attraper suffisamment de nourriture. J'espère qu'il possède un solide appétit.* Elle frappa un autre insecte et agita sa main près de son oreille, là où quelque chose bourdonnait. *Il faut que je demande à Dar ce bâtonnet qui éloigne les insectes lors de notre prochaine pause.*

— Kale.

La voix de Leetu, faible et lointaine, l'appelait.

Kale s'arrêta brusquement.

— Dar !

— Quoi ?

— J'ai entendu Leetu.

Dar revint sur ses pas en courant.

— Qu'a-t-elle dit ?

— Seulement mon nom, et puis plus rien.

— Concentre-toi.

— C'est ce que je fais. Enfin, je m'apprête à le faire.

Dar resta parfaitement immobile et la fixa. Kale ferma les yeux afin de ne voir ni lui ni son expression. Il semblait s'attendre à ce qu'elle sache où se trouvait Leetu, si elle allait bien et la façon de la rejoindre. Et, oh ! comme elle désirait elle aussi savoir tout cela.

Les yeux fermés, elle tendit l'esprit vers Leetu. Elle hésita. L'effroyable obscurité se tenait peut-être à l'affût pour l'avaler encore une fois.

Elle frappe si fort quand elle vient. Cela fait mal. C'est comme le néant, un vide, une… chose pour laquelle je n'ai pas de mot. Mais c'est douloureux jusqu'au plus profond de mon cœur.

Arrête cela ! Arrête cela ! Je dois cesser de réfléchir. Je dois essayer. Leetu m'a parlé. Elle l'a fait. Je ne l'ai pas imaginé. Et si elle s'est adressée à moi, c'est qu'elle a besoin de mon aide. Elle est dans un endroit où Dar et moi pouvons lui porter secours. Je dois cesser de penser à agir et passer à l'action.

Doucement, Kale ouvrit son esprit. Lentement. Avec précaution. Comme si elle avançait dans le noir, elle tâtonnait devant elle sans se presser. Elle ne rencontra pas l'affreuse et terrifiante noirceur. Elle stimula son esprit et le tendit, et il pénétra toutes les directions à la fois.

Puis, elle sut.

Ses yeux se rouvrirent brusquement, et elle regarda vers le soleil couchant. De petits bouts de ciel rosé perçaient à travers les branches supérieures.

— Par là, déclara-t-elle.

— Nous venons de là.

— Leetu est quelque part dans cette direction.

— En es-tu sûre ?

Kale s'apprêta à dire oui, puis s'arrêta.

Le suis-je ?

Elle tendit son esprit à nouveau, mais cette fois vers l'ouest.

Voilà. Elle la sentit. Leetu. Pas ses pensées, mais sa personne. Pas des mots, juste une envie d'être libre, de s'enfuir.

— J'en suis certaine, Dar, et nous devons nous hâter.

Ses yeux s'emplirent de larmes. Elle ne savait pas si c'était son propre désespoir ou celui que ressentait Leetu.

— Nous devons faire vite.

17

Chercher les ennuis

Dar ne perdit pas de temps. Avec un signe de tête à Kale, il lança ses sacs sur son dos et se dirigea dans la direction qu'elle venait d'indiquer. Elle lui emboîta le pas, contente d'avoir amélioré son habileté à marcher sur le bordage dangereux à cette altitude.

Leetu, nous arrivons.

Silence.

Je me demande si elle peut m'entendre.

Leetu ?

Silence. Au moins, elle n'avait pas reçu l'horrible obscurité en plein visage.

Elle se vida le cerveau de toutes pensées et tenta d'entendre Leetu par télépathie. Son esprit centré sur son amie, et non sur le bordage, le pied de Kale s'appuya sur une partie fragile. Elle plongea à travers les branches, mais elle se rattrapa avec ses mains. Dar revint vers elle en courant, la saisit par les épaules et l'aida à remonter tant bien que mal au niveau où ils voyageaient.

— Ça va ?

Il cueillit une chenille sur son bras et la déposa sur un rameau.

— Est-ce que tu *me* poses la question, ou demandes-tu ça à la chenille ?

Les sourcils de Dar s'arquèrent brusquement et ses oreilles s'aplatirent.

— Pas bien, se répondit-il lui-même en secouant la tête.

Il reprit aussitôt sa cadence rapide.

— Assurément grognonne.

— Je ne suis pas grognonne ! cria-t-elle derrière lui.

Elle le fixa avec colère un instant, puis comprit qu'elle perdait son temps. Son dos ne voyait pas sa mine renfrognée.

— Je ne suis pas grognonne, marmonna-t-elle, puis elle avança de trois pas avec précaution à la suite du doneel.

Les branches cédèrent sous elle, et elle sauta sur une branche plus solide.

Je ferais mieux de faire attention à mes pieds. Je me demande si nous ne devrions pas redescendre d'un étage. Le problème, c'est la vitesse. Par où pouvons-nous voyager bon train ?

En fait, le problème, c'est moi. Elle soupira. *Dar pourrait rejoindre Leetu plus vite sans moi. Je le ralentis en tombant à travers le bordage.*

Elle suivit Dar, en se demandant si elle devait lui suggérer de descendre. Elle pourrait avancer à plus vive allure à un niveau inférieur, si elle ne faisait pas de faux pas dans la lumière plus faible. Ici, elle voyait mieux, mais c'était fatigant de devoir se montrer aussi prudente.

C'est triste qu'il n'y ait ni rivière ni bateau. Quel dommage de ne pas disposer de dragons à monter comme la Merlander de Dar ! Même un cheval de ferme sur une route de terre nous y conduirait en moins de temps.

Elle parvint à une portion plus épaisse de la forêt de cynœuds et elle en profita pour rattraper Dar. Il se déplaçait toujours au même rythme, peu importe la qualité du bordage sous leurs pieds.

Ils s'arrêtèrent pour prendre un repas rapide tard dans la journée. Les sandwichs de Mamie Noon étaient encore frais dans le tissu vaporeux. Gymn sortit de son antre de poche et renifla son pain, son fromage et son jimmin tranchés, mais il ne mordit pas dedans. Il sauta par petits bonds sur son bras pour aller se percher sur son épaule jusqu'à ce qu'elle termine de manger. Quand elle se leva après son repas, Gymn retrouva à toute vitesse son antre de poche.

— Continuons à marcher aussi longtemps que nous le pouvons, dit Dar. Crois-tu encore que Leetu se trouve dans cette direction ?

Il pointa à travers les arbres.

Elle laissa son esprit essayer de détecter la présence de Leetu et elle sentit une légère secousse, beaucoup moins prononcée qu'avant.

Est-ce qu'elle s'affaiblit ? Est-elle plus loin ? Est-elle mourante ? Leetu ?

Pas de réponse. Au moins, elle savait par où aller.

Elle esquissa un signe dans la direction encore indiquée par Dar. Il chargea son équipement sur son épaule et partit.

Sous peu, la lumière du jour disparut. La douce lueur de la lune n'aidait en rien Kale à distinguer les groupes de feuilles denses des branches solides. Les insectes du marais gagnèrent en agressivité. Elle avait oublié de demander le bâtonnet pour les éloigner. La fourrure du corps de Dar ne semblait pas les attirer autant que sa peau nue.

De petits et gros insectes la martyrisaient, la distrayant de son important objectif de poser ses pieds sur les endroits les plus sûrs. Kale leur assénait des claques et elle se jura d'emprunter le bâtonnet à Dar dès qu'ils s'arrêteraient pour la nuit. Pas maintenant. Ils devaient d'abord rejoindre Leetu.

Après que Kale ait trébuché plusieurs fois, Dar trouva un coin pour camper. Il ne parla pas de sa gaucherie. Elle se sentait trop lasse pour éprouver de l'embarras pour le fait qu'ils devaient faire halte parce qu'elle tombait en plein visage à chaque deux pas. Elle étala sa cape près d'un tronc de cynœud, là où le bordage était épais et solide.

Dar lui tendit l'insecticide. Kale marmonna un merci. Elle frotta la barre odorante sur chaque parcelle de sa peau non protégée par ses vêtements, et même sur sa chevelure.

Elle voulait parler à Dar, le questionner. Jusqu'où ? Combien de temps ? Y aurait-il des mordakleeps ? Mais sa langue refusait de formuler les questions. Dès qu'elle se recroquevilla sur la cape en étoffe de rayons-de-lune et la rassembla autour d'elle comme un cocon gris, elle s'endormit.

⊷ ⊶

Kale ouvrit les yeux sur un matin brumeux. Des rayons de soleil voilés filtraient par les branches supérieures. Une petite créature passa à toute allure par-dessus son épaule et descendit le long de son dos. L'animal battait la semelle en parcourant sa jambe de haut en bas et de bas en haut. Quand il atteignit sa cuisse, Kale s'assit en sursaut. Elle se détendit lorsqu'elle constata qu'il s'agissait de Gymn. Il détala dans une autre direction, bondit et attrapa un insecte. Il mâcha seulement une seconde avant de l'avaler et de poursuivre sa quête de nourriture. Il ne s'aventurait jamais à plus de un mètre de Kale.

L'odeur du gruau sucré attira son attention. De la vapeur s'échappait du chaudron de cuisson de Dar et tournoyait autour de sa main alors qu'il mélangeait le contenu avec une cuillère en bois à long manche.

Kale frotta ses yeux pour faire disparaître les dernières traces de sommeil et se croisa les jambes.

Nous devrions nous lever et partir. Mais Dar prépare le petit déjeuner et il ne se laissera pas presser. Elle renifla l'air et sourit en le regardant. *Il dirait :* « *Les doneels prennent leur repas au sérieux.* » *Et :* « *On ne peut pas s'attendre à réfléchir et à agir au meilleur de sa forme sur un estomac vide.* » *J'en connais long sur lui et sur sa façon d'agir. Je pense que je sais davantage comment il réagira en temps de crise que ce que moi je ferais. Je suis prête à rester assise ici pendant qu'il cuisine un mets délicat. Je veux vraiment trouver Leetu, mais j'ai peur de ce que nous allons découvrir avec elle.*

Son estomac gronda. De l'avoine fortifiée de paspoires séchées excita son nez de son odeur savoureuse.

— J'ai rêvé la nuit dernière, dit-elle en essayant d'oublier la nourriture.

— Un rêve intéressant ?

Dar amena la cuillère de bois à ses lèvres et goûta.

— Je ne sais pas.

Il prit une pincée de poudre blanche d'un sachet ouvert à côté de la petite plaque de cuisson et laissa tomber les grains dans le chaudron. Il brassa lentement.

— De quoi s'agissait-il ?

— D'un dragon.

— Un meech ?

— Je l'ignore. Je n'en ai jamais vu. Ce dragon est plus grand que Merlander, par contre.

Dar branla du chef.

— Pas un meech.

Kale inclina la tête et pensa.

— C'est étrange, Dar. Je peux encore la voir. C'est comme si le rêve se poursuivait, même si je suis éveillée.

Les oreilles de Dar se redressèrent, et il cessa de mélanger.

— Que fait le dragon ?

— Pas grand-chose. Elle est triste et seule. Elle est blessée.

— Où est-elle ?

— Dans une grange.

— Qu'y a-t-il d'autre dans la grange ?

— Rien. Je veux dire, pas d'animaux, pas de foin. Elle est vide. Les planches grises des murs sont espacées, et je peux voir à l'extérieur. Le vent est frais, sombre et humide.

— Ce n'est pas un rêve, Kale, déclara Dar tout excité. Tu as établi un contact avec un dragon. Ne le perds pas.

— Le perdre ? Comment puis-je m'empêcher de le perdre ? Je ne sais pas comment je l'ai eu. Je ne sais pas non plus ce que tu veux dire par « établi un contact avec elle ».

Dar versa du gruau grumeleux dans un bol, coinça une cuillère dedans et se hâta de venir servir Kale.

— Mange ça. Nous devons partir.

Quelque chose dans son expression inquiéta Kale.

— Pour trouver Leetu, n'est-ce pas ?

— Non, le dragon.

— Leetu est plus importante.

Dar revint vite vers la plaque de cuisson. Il souffla la flamme pendant qu'il avalait à la course des bouchées de son petit déjeuner prises directement dans le chaudron.

— Plus grande que Merlander, tu as dit. Elle peut sûrement nous porter tous les deux. Kale, si nous localisons ce dragon, nous pourrons voler jusqu'à Leetu, et il est aussi capital de la rejoindre promptement que de pouvoir nous enfuir quand nous l'aurons secourue. Et nous devons quitter les lieux rapidement. Un dragon ne te semble-t-il pas vraiment utile pour ce genre de mission ?

— Mais elle est blessée.

— Tu as un dragon guérisseur.

Une douzaine d'objections supplémentaires surgirent dans la tête de Kale. Ils ne savaient avec exactitude où étaient situés Leetu et le dragon. Et si Leetu mourait pendant qu'ils faisaient un détour pour trouver un dragon qui ne désirerait peut-être pas les aider ?

Elle ouvrit la bouche pour parler, mais Dar l'interrompit avant qu'elle ne prononce un mot.

— Comment s'appelle-t-elle ?

Kale le regarda fixement, surprise de connaître la réponse. Elle avala péniblement. Que se passait-il ?

— Célisse.

Dar cria « hourra ! » et bondit dans les airs.

— Elle sait que tu t'en viens, Kale. Elle t'a dit son nom. Que fait-elle en ce moment ?

Gymn s'installa lentement sur le genou de Kale. Il étira son corps sur sa cuisse. Ses jambes et sa queue se détendirent, et il ferma les yeux. Kale caressa doucement son dos avec un doigt. Il soupira et se retourna. Son ventre rebondi ressemblait à une pomme grenade toute ronde. De toute évidence, il avait trouvé des insectes en quantité suffisante pour se rassasier. Kale observa Gymn, mais dans son esprit, l'image d'une grande ombre planait au-dessus du dragon nain. Une énorme femelle dragon placide se balançait d'avant en arrière dans sa tête.

— Elle fredonne, répondit Kale à la question de Dar.

⊷ ⊶

Peu après avoir entamé leur randonnée, ils durent descendre dans le marais. La forêt de cynœuds se raréfiait à l'orée des Marais. Kale suivit Dar, sautant d'une racine courbée hors de l'eau à l'autre jusqu'à ce qu'ils commencent à entrevoir des parcelles de terre détrempée, puis un sol sec. Les deux compagnons sortirent du marais Bedderman et se hissèrent avec difficulté sur la rive. Un lourd brouillard enveloppait les Entre-deux.

— Dans quelle direction ? demanda Dar.

Kale fit un signe de tête dans un sens.

— Leetu est là.

Elle pivota et indiqua du menton une direction, presque opposée à la première.

— Célisse est là.

— Qui est plus près ?

— Le dragon.

— Allons-y, alors.

Dar décolla, pataugeant dans les grandes herbes gorgées de rosée. Il disparut dans le nuage flottant au-dessus du terrain.

Kale planta ses pieds dans le sol et ne bougea pas d'un centimètre.

— On ne peut même pas voir où l'on va.

Elle l'entendit s'arrêter. Il marmonna quelque chose dans sa barbe et revint sur ses pas.

— Ça n'a pas d'importance de voir ou pas, dit-il. Ce n'est pas comme si nous savions où nous allons. Nous ne devons pas détecter les points de repère. Nous devons seulement suivre ton instinct. *Tu* nous mèneras au dragon et ensuite, *tu* nous mèneras à Leetu.

Kale s'apprêta à discuter, puis ravala les mots qui lui venaient aux lèvres. Dar avait raison. Pour cette unique fois, elle devait prendre la tête.

— C'est ma destinée, murmura-t-elle.

— Ce n'est que le commencement, et nous le manquerons si tu continues à flâner. Viens.

Ils marchèrent au pas à travers les champs jusqu'à ce qu'ils croisent une route.

— Par où ? demanda Dar.

Kale ressentit distinctement la misère du dragon blessé et hocha la tête en direction de Célisse.

Plusieurs kilomètres plus loin, la brume matinale ne s'était pas encore dissipée. Kale saisit la manche de Dar, ralentit et s'arrêta.

— Nous sommes proches, Dar, murmura-t-elle, mais il y a d'autres créatures ici.

— Des animaux ? Une grange signifie qu'il y a des animaux aux alentours.

— Il ne s'agit pas d'animaux de ferme.

— Alors, protège-toi avant de tendre ton esprit vers le leur.

— Quoi ?

Les doigts de Kale s'enfoncèrent dans le bras de Dar.

— Pénétrer leur esprit ? Non.

— Aimerais-tu mieux marcher droit dans un piège ?

Kale garda le silence.

Dar posa une main sur son bras.

— Te souviens-tu des mots que t'a appris Mamie Noon ?

Elle acquiesça.

— Prononce-les.

— Je suis sous l'autorité de Wulder.

— Vas-y, maintenant, la pressa Dar.

Kale tomba à genoux et se concentra. Elle sentit une force maléfique maltraiter son esprit, mais elle répéta *je suis sous l'autorité de Wulder.*

— Quatre, dit-elle à Dar. Des hommes bisonbecks. Ils doivent garder le dragon et l'empêcher de s'enfuir.

Kale haleta.

— Oh Dar, ils tirent sur elle. Deux fois par jour, ils lui décochent une flèche empoisonnée. Ils entrent avec une grosse arbalète hideuse et ils lui lancent une autre flèche alors qu'elle est encore sans défense sous l'effet de la précédente. Ainsi, elle reste docile. Le magicien Risto viendra l'asservir avec sa magie. Ce soir. Il sera ici ce soir.

Kale reporta son esprit vers Célisse, cherchant délibérément à ressentir les émotions du dragon. La rencontre lui causa un mouvement de recul.

— Oh, Dar. Elle souffre tellement qu'elle peut à peine bouger. Je suis contente que nous ayons accouru à son secours.

— Concentre-toi sur les bisonbecks, Kale, lui ordonna Dar. Sais-tu où ils montent la garde ?

Les yeux toujours fermés, Kale fit signe que oui.

— Un devant, un derrière. Les deux autres sont assis à côté d'un bâtiment brûlé, une maison.

Elle ouvrit les yeux pour voir Dar pendant qu'il réfléchissait. Son expression sérieuse lui disait qu'il planifiait leur action. Sa moustache remua. Ses oreilles reposaient à plat sur le dessus de son crâne, disparaissant presque dans sa crinière. Elle attendit patiemment.

Après un moment, il hocha la tête, frotta ses mains ensemble et se tourna pour la regarder en face.

— Tu te glisseras discrètement dans la grange.

Kale sentit ses sourcils s'arquer. Une boule se forma dans sa gorge.

Dar lui tapota l'épaule.

— Tu t'en sortiras bien. Chaque fois que tu as peur, arrête-toi et reste immobile. La cape te dissimulera.

Elle acquiesça docilement en remuant la tête de bas en haut lentement, mais elle était incapable de s'enthousiasmer pour son plan.

Dar poursuivit son explication.

— Une fois dans la grange, toi et Gymn la guérirez.

— Tu veux dire que Gymn la guérira.

— Non, je veux dire toi et Gym.

Il laissa échapper un soupir exaspéré.

— Gymn est petit et jeune. Célisse est grande et blessée… et empoisonnée. Grâce à ton talent, tu amplifieras le don de Gymn et tu compléteras le cercle de guérison.

— Oh.

Des douzaines de questions lui venaient, mais elle craignait de ne pas bien saisir les réponses. Peut-être comprendrait-elle mieux après s'être rendue dans la grange, avoir participé à la guérison et s'être enfuie avec Gymn et Célisse.

Au début de leur périple dans le marais Bedderman, pendant qu'elle écoutait Leetu lui expliquer des centaines de trucs en tout genre, elle avait été accablée par toutes ces informations. Toutefois, sa cervelle de simple o'rant était capable d'accepter les petites choses facilement si elle mettait de côté la majorité des concepts ahurissants. Alors, à mesure qu'elle comprenait les petites choses, les plus importantes prenaient lentement un sens. En tant qu'esclave o'rant dans un village marione, son cerveau ne lui avait jamais été très utile. À présent, elle commença à se demander si son intellect était simplement différent, sans être inférieur.

Dar continua d'expliquer sa stratégie.

— Après que tu auras informé Célisse de nos plans, adresse-toi à moi par télépathie pour me dire que vous êtes prêts. Je vais faire diversion ; tu ouvriras les portes de la grange, puis toi et les dragons vous envolerez. C'est tout simple.

— Simple, répéta Kale d'une voix aiguë qui coupa le mot en deux.

Dar lui assena une claque sur l'épaule comme un frère de combat.

— C'est facile.

— C'est facile, redit Kale ; et cette fois, les mots sortirent à peine plus bruyamment qu'un râle dans sa bouche.

— C'est bon, alors. Partons, dit Dar. Nous voulons procéder avant que le soleil ne réchauffe ce brouillard et le fasse disparaître.

Kale le regarda avec des yeux ronds. Quant à elle, elle ne *voulait* pas y aller, que ce soit avant ou après que le soleil réchauffe le brouillard.

18

L'antre du dragon

Ils ne me voient peut-être pas sous cette cape, mais ils entendent sûre-ment les battements de mon cœur.

Le brouillard obscurcissait tout à moins de un mètre du nez de Kale. Elle n'avait pas l'impression d'être invisible et, par conséquent, en sécurité. Elle sentait plutôt que quelqu'un pouvait s'approcher d'elle en douce et sortir brusquement de son entourage flou.

De longues tiges blanchies par le soleil se groupaient der-rière elle dans le champ où le maïs avait été récolté sur les plants et les quenouilles nues laissées sur place pour s'étioler et mourir. Elle redressait soudainement la tête chaque fois qu'elle entendait un faible bruissement dans les feuilles mortes. Dans la sinistre pénombre, Kale ne voyait pas jusqu'où s'étirait le vieux champ de maïs planté dans des acres et des acres de sol froid. Sur plusieurs kilomètres, elle le savait. Elle l'avait contourné, pétrifiée depuis le départ de Dar. Soit il n'y avait aucune créature vivante au milieu des tiges séchées, soit elles s'y cachaient par milliers. Kale frissonna.

Dar ne lui avait pas permis de passer à travers la plantation. Le bruit de ses pas dans le feuillage vieilli la trahirait, selon lui. Cela la fit s'interroger sur ce qui pouvait s'y tapir et l'entendre. Pendant qu'elle contournait la terre moissonnée du fermier, elle fit très attention à n'émettre aucun son en cours de route.

Elle écouta pour déceler la présence d'êtres diaboliques rôdant dans la campagne environnante, à l'affût d'une proie facile.

Cherchant quelqu'un comme moi. Une proie facile. Voilà ce que je suis. Crédule, aussi. Je n'aurais pas dû laisser cet insensé doneel m'embarquer dans cette aventure.

Étonnée de s'être rendue si loin, Kale ne comptait pas se faire prendre maintenant. La grange se trouvait tout près ; elle le savait, car là où elle se tenait, elle connaissait exactement la position du dragon de selle. Elle hésita à la lisière de la basse-cour, près de la bête blessée, mais également des quatre gardiens.

Kale inclina la tête et écouta en retenant son souffle. Les oreilles tendues à l'extrême pour capter un son ; avec un peu de chance, il s'agirait d'un bruit normal. Venait-elle d'entendre un murmure dans le champ ? Elle attendit. Rien. Sa respiration contenue se relâcha entre ses dents.

Dans son antre de poche, Gymn se tortillait.

Tu dois juste te montrer patient. Je ne suis pas prête à marcher à découvert.

La cape en rayons-de-lune la couvrait des pieds au cou. Elle tira sur le capuchon et laissa le tissu vaporeux tomber devant son visage. En clignant des yeux, elle s'aperçut qu'elle voyait plus clairement à travers l'étoffe légère.

J'aurais dû porter le capuchon depuis le début. Pourquoi personne ne m'a-t-il dit que le tissu de rayons-de-lune améliorerait ma vision ? Dar ou Leetu. Ou Mamie Noon. Ils oublient probablement à quel point j'en sais si peu.

Elle bougea la tête lentement, examinant chaque caractéristique du vaste espace ouvert. Les épis de maïs semblaient regarder par-dessus son épaule. Une route creusée d'ornières courait près d'elle jusque dans l'horizon voilé.

Avec des doigts tremblants, elle attacha tous les boutons de la cape en rayons-de-lune.

J'espère que je suis vraiment invisible.

Deux longues fentes lui permettaient de passer ses bras à l'extérieur, mais elle ne souhaitait pas les exposer à l'air libre.

Elle les ramena à l'intérieur et les enroula autour de sa taille en essayant de calmer les papillons dans son estomac.

Gymn se tortilla encore.

Je ne te demande pas ton avis, Gymn. Ta tâche consiste à rester tranquille et hors de mon chemin jusqu'au moment de guérir Célisse. Mon travail, c'est d'aider Célisse à s'enfuir.

Kale se frotta les mains ensemble. Le froid venait de l'intérieur, causé par la peur, et non par l'air moite. Elle devrait se montrer courageuse.

Ses pieds réagirent mollement à sa tentative d'avancer d'un pas. Elle était si près du but. La grange, dissimulée sous une enveloppe d'air humide, abritait Célisse. Kale sentit que le dragon l'attendait. Deux bisonbecks somnolaient près d'un feu de braises. Elle détecta une odeur récente de fumée ainsi qu'un arôme âcre s'échappant des madriers brûlés de la maison et du bois carbonisé des meubles.

Un homme faisait les cent pas derrière le bâtiment de ferme, pivotant avec une précision militaire quand il atteignait la porcherie inoccupée, puis revenant à grandes enjambées vers le séchoir à maïs vide où il tournait de nouveau. Kale savait que ses pensées faisaient rage en lui. Il éprouvait du ressentiment à garder une grange. L'autre garde restait complètement immobile et pensait à la nourriture — en grande quantité… à du vin capiteux et au doux hydromel… et à une certaine serveuse de bar.

Kale espéra qu'il se concentrerait sur les yeux verts et le sourire de cette serveuse et ne remarquerait pas une o'rant s'approchant en douce.

En avançant à pas de loup dans la cour de la ferme, Kale scrutait le sol voilé et elle aperçut enfin un bâtiment sombre se dessiner dans la brume. Elle marchait silencieusement en suivant une clôture. La grange se tenait là, grise et délabrée, ses larges portes avant fermées. Deux ouvertures dans le grenier à foin béaient comme deux trous carrés obscurs. Pour Kale, ils ressemblaient à des yeux sinistres observant ses mouvements.

Le sommet avant du toit affichait une girouette inclinée à un drôle d'angle, comme si elle avait reçu un coup. La toiture pentue descendait jusqu'à environ deux mètres du sol, puis s'étirait en ligne droite et s'arrêtait brusquement au-dessus des murs branlants. Là, une porte de grandeur normale offrait à Kale une voie d'entrée dans la prison du dragon.

Avec gratitude, elle constata que les lourdes portes de bois permettant aux chariots et aux animaux d'entrer dans la grange s'ouvraient vers l'extérieur. Les supports de métal sur lesquels devait reposer la barre servant à verrouiller l'endroit étaient vides.

Ces bisonbecks doivent être drôlement sûrs que leur prisonnière est trop malade pour tenter de s'échapper.

Kale voyait l'homme montant la garde devant. Sa sombre silhouette massive s'appuyait contre un chariot à quelque distance de l'autre côté de la basse-cour. Il changea de position. Elle entendit le grincement d'une armure et des bottes battre la poussière. Sa tête demeurait immobile, ses yeux fixés devant lui. Kale progressa centimètre par centimètre jusqu'au bord de la grange. Un mètre de plus, et elle serait devant la plus petite porte.

J'espère qu'elle n'est pas verrouillée.

J'espère que les gonds sont graissés.

J'espère que le garde ne me verra pas.

Elle soupira.

J'espère ne pas mourir de peur.

Elle avança d'un pas. Le garde s'alerta. Kale s'immobilisa. Elle sentit Gymn se raidir dans sa poche.

Le guerrier fit jouer les muscles de ses épaules, pencha la tête d'un côté jusqu'à ce qu'elle touche presque son armure de métal. Il redressa le cou et inclina la tête dans l'autre direction. Puis, il marcha sur place pendant une minute en levant haut les genoux. À aucun moment son attention ne se détourna de la grange.

Cela ne fonctionnera pas. Il ne me voit pas en ce moment, mais quand je me dirigerai vers la porte, il m'apercevra. Dar doit créer une diversion. Mais s'il fait du bruit maintenant, il devra recommencer plus tard. Et cela ne réussira probablement pas deux fois, et c'est à ce moment-là que Célisse et moi serons prêtes à quitter le bâtiment.

Kale observa le gardien reprendre sa position nonchalante, tout en maintenant son regard consciencieusement sur la vieille structure de bois.

Et si je disais au garde par la pensée d'aller quelque part. Non. Pourquoi suivrait-il mes ordres ? Peut-être puis-je lui faire croire qu'il s'agit de son idée. Oh, je ne sais pas quoi faire.

Elle repassa les exercices de télépathie que Leetu lui avait enfoncés dans le crâne avec méthode.

Une image ! Je vais créer une image de quelque chose rampant de l'autre côté du charriot. Et un son ! Il ira voir.

Kale visualisa un homme, un marione jeune et fort. Alors qu'elle peaufinait les détails, elle réalisa qu'elle pensait à Bolley, l'un des meilleurs guerriers de Rivière au Loin. Lorsqu'elle fut satisfaite du caractère très vivant de son image, elle la projeta dans l'esprit du garde et imagina au même moment le son d'une pierre raclant contre le métal. Seul le soldat entendrait ce bruit créé de toutes pièces.

Kale sauta presque de joie quand elle vit le garde s'accroupir. Il leva sa hache de guerre en position de combat et avança à pas furtifs jusqu'au bout du charriot, regarda, puis tourna le coin au-delà de la vision de la jeune o'rant. Elle fila vers la porte et la poussa avec l'épaule. Elle s'ouvrit en protestant d'un très léger grincement de ses gonds rouillés. Kale entra à toute vitesse et ferma doucement la porte.

Le dragon à l'intérieur emplissait tout l'espace vide entre les murs tapissés de stalles. Sa masse énorme bloquait tout accès à l'autre côté de la grange. Autant que Kale pût en juger dans la lumière lugubre, la bête était noir et gris sans aucune bande de couleur vibrante comme Merlander.

Célisse accueillit Kale avec un appel doux comme le roucoulement d'une colombe en deuil. Les souvenirs du dragon inondèrent Kale. Elle tenta de comprendre le flot rapide d'information. Le chagrin et la rage vibraient dans le récit abrégé du dragon.

Les habitants de la ferme étaient tous décédés. Célisse pleurait la perte de sa «famille», et le cœur tendre de Kale souffrait avec elle.

Un détachement de soldats avait brûlé la maison. De violents bisonbecks avaient emporté toutes les récoltes du fermier. Des ropmas, une autre des races inférieures créées par Pretender, s'étaient saisis du bétail pour nourrir le peuple du magicien Risto.

Dans son tourment, Célisse racontait l'histoire de sa défaite n'importe comment. À présent, Kale voyait les images d'une bataille dans la cour de ferme. Célisse rentrait d'un voyage en ville avec le fermier et son aîné sur son dos. Ils avaient fondu dans la cour et avaient combattu l'escouade de soldats laissés derrière pour achever le pillage et mettre le feu à la maison. Le fermier et son fils n'étaient pas de taille avec les guerriers sans pitié. Bientôt, seule Célisse se déchaînait contre eux. Elle avait par la suite cherché refuge dans la grange et attaquait ceux qui tentaient d'entrer.

Bien sûr, des messages furent envoyés au corps principal de l'armée. Les hommes de Risto n'avaient rien fait pour cacher leurs intentions, et l'ouïe fine de Célisse lui avait permis de capter plus d'une conversation. Un tireur d'élite d'arbalète était débarqué avec des flèches spéciales. L'homme n'eut aucun mal à tirer sur le dragon piégé pour lui injecter un poison qui lui embrouillait l'esprit, faisait atrocement souffrir son corps et minait son désir de vivre.

Célisse savait que Risto en personne allait venir pour l'incorporer dans sa propre flotte de dragons. Sa résistance diminuait avec chaque flèche empoisonnée. Chaque fois qu'elle sentait ses forces revenir, les soldats rouvraient les portes de la grange, et le tireur d'élite s'avançait sous ses yeux pour décocher une autre flèche dans sa chair.

Cela avait commencé plusieurs jours auparavant. Blessée et affamée, Célisse ne croyait pas survivre encore longtemps. Mais avec l'arrivée de Kale, sa volonté se raviva. Si elle vivait, Célisse voulait faire alliance avec la prodigieuse Gardienne des dragons.

À présent, les espoirs du dragon grandirent démesurément et envahirent Kale quand la jeune o'rant accéda aux pensées de Célisse. Kale trembla en tentant de s'expliquer la tourmente du dragon.

Le cœur de Kale, en plus de réagir au transfert des émotions du dragon, s'indignait du récit de la froide destruction de l'honnête fermier et de sa famille, ordonnée par Risto. Elle devait composer avec ses sentiments de dégoût et de colère. Elle comprenait le désir de Célisse de joindre ses forces à ceux qui s'opposaient à la méchanceté de Risto. Elle aussi était outragée par ses crimes.

Cependant, une partie de la détermination de Célisse à se faire vengeance intriguait Kale. La jeune o'rant n'avait jamais entendu parler de la « prodigieuse Gardienne des dragons » et ne pouvait que tenter de deviner son identité.

Paladin ? demanda-t-elle au dragon.

Le flot de pensées du dragon fut soulevé par une vague de rire.

— *Tu es la prodigieuse Gardienne des dragons.*

La bouche de Kale s'ouvrit brusquement, et elle la referma d'un coup.

— C'est ridicule. Je ne suis même pas allée au Manoir encore.

Elle parla avec sévérité à Célisse et s'approcha d'elle. Dans la terne lueur grise, elle distingua une étrange excroissance épineuse sur le dos de Célisse, au-dessus de son aile gauche et derrière une omoplate. Elle l'étudia un instant, puis elle haleta d'horreur.

Les flèches empoisonnées ! De longues barbelures sortaient de sa peau enflée comme des épingles sur une pelote. L'estomac de Kale se rebella, comme il l'avait fait quand elle avait dû retirer un hameçon du pouce du petit Dubby Brummer.

Ceci serait pire, bien pire.

19

La guérison

Les instructions de Leetu surgirent dans la mémoire de Kale.

La racine violette nettoie une plaie et soulage la douleur.

Kale arracha les boutons de sa cape à leur trou et retira à toute vitesse le vêtement spécial de ses épaules. Elle le retourna et le déposa à l'envers sur le plancher de la grange, de façon à voir l'intérieur. À genoux, elle commença à vider le contenu des deux cavités. Gymn sortit la tête de son antre de poche et observa attentivement Kale pendant qu'elle triait les nombreux objets différents.

— Où est-elle ? Où est-elle ?

Enfin, elle tira une racine tubéreuse violette de la poche.

— Un couteau. J'ai besoin d'un couteau.

Gymn se précipita hors de son trou, plongea dans une des cavités et en ressortit en quelques secondes avec un couteau de poche dans sa bouche. Il le laissa tomber devant Kale et replongea dans sa propre cachette.

Kale murmura un merci et ramassa l'outil. En grattant la racine avec le bord de sa lame, elle forma un tas de poudre violette crémeuse. Quand elle disposa d'une poignée du précieux médicament, elle le porta à Célisse.

— Je crois que tu devras t'allonger sur le côté afin que je puisse atteindre la blessure, dit-elle à l'énorme bête.

Le dragon, déjà couché sur le ventre, changea de position, et son torse volumineux bascula sur son flanc. Épuisée, elle étira son cou et ferma les yeux. Sa respiration superficielle soulevait à peine les brins de foin sur le sol poussiéreux. Parfois, un gémissement s'échappait de ses lèvres.

Kale se mit tout de suite à l'ouvrage. Elle étendit la poudre sur la chair enflée autour des hampes de flèches protubérantes et en déposa un peu plus là où une chaleur irradiait de la plaie remplie de pus.

— J'imagine qu'il aurait mieux valu fabriquer un cataplasme, mais nous ne disposons pas du nécessaire.

Elle parlait à voix haute, mais lorsqu'elle regarda le visage de l'énorme bête, elle lui sembla inconsciente.

— Je fais de mon mieux, Célisse.

J'espère vraiment que ce sera suffisant. Mamie Noon, tu devrais être ici.

Kale se souvint de certaines paroles prononcées par la vieille émerlindian quand elles s'étaient quittées au portail. « Mon espoir vous accompagne. »

Kale se pencha sur le flanc souffrant du dragon.

— Est-ce que cela nous favorisera ? L'espoir de Mamie Noon nous aidera-t-il ? se questionna-t-elle dans la grange fraîche et sombre.

Kale attendit. Il fallait un peu de temps au médicament pour produire son effet, mais pas beaucoup. Leetu avait dit que la poudre de la racine violette agissait rapidement. Pendant que les minutes s'égrenaient, Kale repensa aux autres articles médicinaux déposés dans les poches cavités par Mamie Noon. Elle se souvenait d'une fiole brune avec un bouchon de liège. Elle retourna à la cape et fourragea dans la collection d'objets.

— Là voici.

Elle revint vers sa patiente en retirant en chemin le bouchon du goulot de la fiole. Elle la tint sous ses narines et renifla. Elle releva brusquement la tête et son nez se plissa sous l'odeur forte du débalafreur.

Kale examina la plaie béante à l'endroit où elle avait appliqué la poudre de la racine violette. Elle avait déjà l'air mieux.

Elle commença à verser l'huile, puis marqua une pause pour parler au dragon.

— Ce ne sera pas douloureux.

Célisse ne semblait pas l'entendre.

Kale laissa le liquide couler goutte à goutte de la petite bouteille brune sur les hampes en bois des flèches, là où elles pénétraient dans le corps de la malade. Puis, elle chanta dix couplets de *La femme du mendiant* dans sa tête, utilisant la chanson pour compter les vingt minutes requises.

La chair blessée semblait plus fraîche sous les doigts de Kale. Elle tira avec précaution sur la première flèche et remercia mentalement Mamie Noon pour l'huile quand la tige glissa hors de la peau sans difficulté. En quelques minutes, elle avait extrait tous les gros dards de poison.

— À présent, pour la guérison.

Kale retourna vers sa cape et sortit tendrement Gymn de son antre de poche.

— Je ne sais pas vraiment ce que je fais. J'imagine qu'il en va de même pour toi. Nous la toucherons tous les deux et nous nous toucherons mutuellement, car Dar a dit quelque chose à propos d'un cercle. Ensuite, nous remettrons le tout entre les mains de Wulder.

Kale s'appuya contre le flanc de Célisse, près de la blessure. Elle déposa Gymn sur la peau sombre et écailleuse de la bête, mais garda ses mains en coupe sur le minuscule dragon. Puis, Kale se détendit. Son corps se moula aux muscles durs de Célisse, et son esprit vagabonda comme quand elle était blottie dans ses couvertures, prête à s'endormir.

Dans cet état de demi-sommeil, elle commença à ressentir la même poussée d'adrénaline que lorsque Dar avait joué des mélodies louangeuses sur sa flûte et que des kimens étaient sortis de la forêt pour danser dans la charmille de cynœuds. L'émotion était tour à tour intense et modérée, libre et contenue, comme la musique du doneel. Kale aimait autant les parties calmes que déchaînées, ainsi que les bouffées d'énergie. Avec joie, Kale comprit que Wulder participait au cercle de guérison. Célisse, Gymn, Kale et Wulder. La vérité lui coupa presque le souffle ; c'était tellement merveilleux.

Puis, l'émotion la quitta, drainée de sa vitalité, et il resta uniquement un bourdonnement de bonheur dans son âme.

Célisse remua, leva la tête et bâilla. Kale vit une peau neuve là où il y avait eu une terrible blessure infectée. La guérison avait réussi.

Kale retourna à sa cape et tria les différents objets qu'elle avait laissés en vrac. Gymn se glissa dans sa poche pendant qu'elle rangeait les articles dans les cavités.

Elle poussa un gros soupir. Elle avait accompli une partie de sa mission. Il était temps d'informer son ami doneel du déroulement des événements.

Elle est guérie, Dar.

— Bien. Mais cela a été plus long que tu ne t'imagines. Il est passé midi. Le brouillard tient toujours. Par chance, nous avons bénéficié d'un nuage très épais aujourd'hui. Malgré tout, nous devons partir.

Je comprends.

— Vérifie si Célisse peut voler.

Avant même qu'elle n'ait pu poser la question, le dragon de selle fit part de sa réponse enthousiaste par télépathie.

Kale sourit largement.

Dar, elle peut !

— Alors, grouille !

— Nous n'avons pas une minute à perdre, dit la jeune fille en parlant au dragon. Où se trouve ta selle ?

Le dragon pensa à sa selle, et Kale sut où elle était rangée. Elle se dirigea vers la stalle, traîna le lourd truc de cuir et le tira vers Célisse.

Gymn sortit de son antre de poche et grimpa pour aller se percher sur l'épaule de Kale. Ses yeux s'arrondirent en voyant la malade complètement réveillée et sur ses pieds.

Célisse étira le cou jusqu'à ce que sa tête plane au-dessus du dragon nain. Elle renifla la minuscule créature. L'air autour de l'épaule de Kale s'engouffra dans les grandes narines du dragon avec un bruit d'aspiration. Gymn poussa un petit cri aigu et s'effondra en tas. Kale le rattrapa comme son corps glissait sur sa poitrine. Étonnée, Célisse recula.

Dans la lumière tamisée, elle examina le bébé.

— Il s'est encore évanoui.

Elle se dirigea vers sa cape et déposa Gymn avec précaution dans la poche intérieure qu'il avait choisie comme demeure personnelle. Puis, elle retourna à son problème plus pressant.

— C'est ici que le beau plan de Dar s'effondre, grommela-t-elle en regardant l'étrange truc sur le sol.

La selle pouvait accueillir deux personnes assises l'une derrière l'autre. Chaque large rabat de cuir était muni de longues sangles.

— Je lui ai dit que je ne me suis jamais approchée d'un dragon de selle et que j'avais encore moins pu en seller un ou le monter. Je n'ai même jamais sellé un cheval.

Elle retourna l'objet et examina son dessous.

— « Tu peux y arriver, tu peux y arriver », m'a-t-il affirmé. Et j'ai répondu : « Et si nous nous élevons dans les airs et que cette chose se défait ? Que se passera-t-il alors, maître Dar ? »

Kale retourna de nouveau la selle.

— Je crois que le dessus est ici et le devant est là.

Elle regarda le grand dragon.

— Comment suis-je censée l'installer sur ton dos ? Tu es aussi grosse qu'une grange.

Elle jeta un œil sur les stalles vacantes et le grenier à foin vide.

— Enfin, presque aussi énorme.

Dar ?

— *Quoi ?*

Dis-moi comment passer la selle à Célisse.

Le dragon se coucha sur le sol poussiéreux. En suivant les instructions de Dar, Kale se tint debout sur la jambe de Célisse. La petite o'rant hissa l'encombrante selle à deux places sur le dos du dragon, entre ses ailes. Le dragon se leva pour lui permettre d'attacher solidement les boucles sous elles. Après plusieurs essais, Kale réussit enfin à installer toutes les sangles dans la bonne direction et à les boucler aux endroits appropriés sur le corps de la patiente Célissse.

Je suis prête, annonça la jeune fille à Dar.

— *As-tu soulevé le loquet des portes de la grange et es-tu en selle ?*

Non, une minute.

Kale courut sur le sol de terre battue. Elle posa un œil sur la fente, essayant de se souvenir s'il y avait quelque chose d'appuyé sur l'extérieur des portes pour les empêcher de s'ouvrir. *Non, je me rappelle qu'elle était dégagée et que les supports étaient vides.*

Un regard rapide lui apprit que personne ne l'avait verrouillé depuis. La légère brume tourbillonnait entre elle et les ruines carbonisées de la maison de ferme.

Une brise !

Un coin de soleil apparut à travers le brouillard qui se dissipait. Elle pouvait voir nettement le bisonbeck de garde.

Le temps commençait à leur manquer.

20

LE PREMIER VOL

Dar ?

— *Je suis là.*

Nous sommes prêts.

— *Bien. Ce brouillard se lèvera d'ici quelques minutes. J'entre dans la cour de ferme. Ne sors pas de la grange avant d'entendre un long coup de ma trompette. En sortant, envolez-vous très haut et ne regardez pas en arrière. Compris ?*

Compris.

Kale se vêtit de sa cape et s'approcha de Célisse.

— Bon, je n'ai jamais monté sur quoi que ce soit, à moins que l'on prenne en considération un chariot ; je n'en tiendrais pas compte à ta place. Donc, je ne serai pas douée. Enfin, ce que je veux dire, c'est que je me sens un peu nerveuse.

Célisse transmit une image à Kale. L'immense dragon à l'air maternel se détendait au soleil pendant que de nombreux enfants grimpaient sur elle. Puis, Kale vit le dragon en vol avec un garçonnet agrippé à sa selle. La jeune o'rant lâcha un soupir de soulagement et se hissa sur le dos de l'animal.

Elle engagea ses genoux dans les étriers de cuir solide de chaque côté du pommeau. Ces étriers formaient un anneau fermé aux trois quarts, fournissant un ancrage robuste à serrer avec les jambes au cours du vol. Kale présuma qu'elle s'accrocherait à ce dispositif de sécurité et à tout autre à sa portée dès qu'ils décolleraient. Le pommeau de la selle était muni de deux poignées rembourrées. Un deuxième siège, attaché au premier, s'étendait derrière elle. Aucune enjolivure n'agrémentait le cuir de la selle du fermier — pas une seule décoration —, mais l'objet était solide, fabriqué avec art, et en bon état. Kale pensa qu'il s'agissait d'une selle splendide.

Aucune rêne n'allait de la tête de Célisse aux mains de Kale. L'idée d'utiliser des rênes pour diriger un dragon frôlait le ridicule. Le cavalier d'un dragon communiquait avec lui par télépathie. Le dragon suivait les suggestions s'il le désirait. Dar avait donné à Kale quelques instructions concernant le vol à dos de dragon. Personne ne percevait le cavalier comme maître ou le dragon comme bête de somme. Ils formaient une équipe, et cela seulement si le dragon le souhaitait.

Kale entendit les éclats rapides de la trompette. Elle reconnut la chanson dès les premières notes distinctives. *La marche du roi de Lightyme* figurait parmi les airs préférés dans les auberges.

— Qu'est-ce que c'est? bleugla une voix rude de soldat.

— De la musique, répondit un autre bisonbeck d'une voix traînarde, comme s'il se réveillait à l'instant.

— Je sais, grosse cloche. D'où vient-elle?

— Et bien, regardez-moi cela! s'exclama une troisième personne.

Kale avait très envie de voir ce qui se passait. Pour ce faire, elle visualisa le soldat montant la garde près du chariot. Elle répéta les mots que Mamie lui avait appris pour se protéger d'un esprit maléfique et entra dans les pensées de l'homme exactement au moment où il annonçait l'arrivée de Dar.

— C'est un doneel en costume d'apparat!

À travers le regard du soldat, Kale vit Dar vêtu d'un habit de cour jaune vif et bleu, une trompette pressée contre ses lèvres. Le petit doneel sortit de la brume en levant les genoux très hauts, jouant de son menu instrument argenté comme s'il dirigeait une fanfare. Il avança en se pavanant directement dans le grand espace dégagé devant la grange.

Kale retint son souffle, essayant d'anticiper la prochaine action de son ami. Il n'avait pas révélé les détails de la diversion qu'il se faisait fort de créer.

— Oh, sois prudent ! murmura-t-elle.

Elle regarda avec la vision interne du soldat deux bisonbecks tourner autour de Dar et se positionner sur ses flancs. Elle poussa un cri aigu quand ils l'attaquèrent. Célisse bougea nerveusement sous elle. Gymn se recroquevilla en petite boule dans son antre de poche. Elle le sentit trembler. Mais Dar bondit dans les airs comme elle l'avait déjà vu faire, et les deux soldats entrèrent en collision au lieu de s'emparer du doneel.

Dar ne manqua pas une note de sa mélodie ; il atterrit et continua sa marche impudente autour de la cour de ferme.

— Ça alors, petit…

Le soldat de garde près du chariot chargea brusquement Dar. Kale lança à l'ennemi bisonbeck une image de lumière éblouissante juste avant qu'il ne plaque le doneel. Malheureusement, elle s'aveugla en même temps et ne vit plus l'action se déroulant devant les portes de la grange.

Un long coup de trompette interrompit l'agréable mélodie de Dar.

— Oh ! dit Kale, surprise. Allons-y !

Célisse n'eut pas besoin d'autres formes d'encouragement. Elle courut à plein régime en ligne droite, démolissant les portes en bois de la grange en mille morceaux. Elle fit deux pas à l'air libre, puis elle étendit ses formidables ailes. Avec un petit bond en avant, elle décolla. Kale s'agrippa fortement aux poignées du pommeau. Elle tenta d'entrouvrir les yeux, mais ils restèrent obstinément fermés. Du vent frais et humide s'écrasa sur son visage, l'empêchant de forcer ses paupières à ouvrir. Elle se baissa vivement, se tapissant contre la selle, pressant son front sur les écailles dures du cou de Célisse.

Elle demeura ainsi tant que la position du corps du dragon indiqua qu'ils s'élevaient dans le ciel à un angle aigu. Enfin, ils se remirent à niveau. Kale força ses paupières à s'ouvrir.

Sous eux, la brume tourbillonnait, se raréfiait et se déchirait. Des traces de blanc brumeux s'accrochaient au pâturage, dans les bois et à des sillons de terre. Elle vit des parcelles de vert, une rivière, une route et quelques bâtiments.

Célisse vira sur l'aile, son corps s'inclinant d'un côté pendant qu'elle décrivait un cercle en planant et retournait vers leur destination de départ.

— Non, Célisse! s'écria Kale. Dar a ordonné de nous envoler vers un endroit sécuritaire et de revenir le prendre plus tard.

À travers l'esprit du dragon, elle vit de petits enfants, une femme grassouillette au doux visage, une vieille femme assise dans une berceuse sur la véranda de la maison de ferme, et deux hommes — un jeune et son aîné — affichant une telle ressemblance qu'il devait s'agir d'un père et de son fils. Ces gens composaient la famille de Célisse, et Kale sentit son cœur se serrer de chagrin en réponse à la douleur de la créature. Cependant, une autre émotion gagnait la bête. La colère. Une colère intense et sauvage.

Elle devint si vive qu'elle brûla dans l'esprit de Kale. Elle grandit, échappa au contrôle du dragon et quitta le cœur de la bête pour se changer en rage. Célisse voulait revenir à la ferme et venger la mort de son monde.

Non, non, la supplia Kale à mesure que la vitesse du dragon augmentait.

Ils survolaient la ferme à présent, et Kale vit les minuscules silhouettes sous eux. Dar, vêtu de couleurs brillantes : une petite tache bondissant hors de portée des plus grands et sombres bisonbecks alors qu'ils essayaient de le capturer. Du haut des cieux, cela ressemblait à un jeu.

Célisse replia ses ailes et entama sa descente vertigineuse.

NON! Tu ne peux pas. Dar est là, en plein milieu. Tu le blesseras sans le vouloir. C'est mal, Célisse. Mal! Tu ne peux pas les tuer. Tu deviendras toi aussi une meurtrière.

Célisse ne répondit pas aux supplications de Kale. Aucune pensée cohérente n'occupait l'esprit du dragon, il n'y avait que la haine tenace. Kale observa le sol s'approcher d'eux et ferma les yeux devant la vue terrifiante.

Un bisonbeck hurla juste avant que Kale n'entendît un sinistre bruit mat. Elle sentit Célisse se redresser brusquement et sut par le mouvement de l'énorme corps sous elle qu'ils s'élevaient à nouveau.

Elle ouvrit les paupières et aperçut des éclaboussures de sang rouge tachant lourdement le cou foncé du dragon.

Non, Célisse, dit Kale en sanglotant. Le dragon vola très haut dans le ciel, changea de direction et plongea pour une seconde attaque. Cette fois, elle tua les trois derniers soldats bisonbecks, un avec ses dents et les deux autres d'un coup de queue.

Kale s'accrochait au pommeau de la selle, pleurant à chaudes larmes alors que le dragon faisait rapidement demi-tour pour remonter. Le vent devint froid, et les ailes du dragon battirent à un rythme moins frénétique. Juste comme Kale commençait à chercher son souffle, la bête cessa de monter et se mit à planer vers la terre en décrivant sans précipitation de grandes boucles. Le corps de Kale était endolori en raison des sanglots qui l'avaient déchirée pendant qu'elle suppliait Célisse d'arrêter. Un gémissement perçant parvint aux oreilles de Kale. Elle sentit des spasmes secouer l'immense dragon. À ce moment-là, Kale comprit que Célisse pleurait en volant encore une fois en direction de la ferme.

Kale écarta chaque pensée accusatrice à mesure qu'elle traversait son esprit. Elle ne jugerait pas le dragon. Kale parcourait le monde à l'extérieur de Rivière au Loin depuis maintenant assez longtemps pour réaliser qu'il y avait des choses qu'elle ignorait. Elle établissait de nouveaux critères de jugement basés sur des vérités dont elle ne soupçonnait pas l'existence auparavant. Paladin l'avait envoyé en quête d'un œuf meech. Toutefois, elle découvrirait peut-être, au cours de ce périple, des choses importantes ayant une valeur pour elle seulement.

Elle se demanda ce qu'éprouverait Paladin par rapport à l'attaque du dragon. Lorsque Kale avait demandé à Leetu si Paladin approuvait le meurtre, elle avait répondu : « Paladin croit à l'obligation de protéger son peuple. » Paladin approuvait-il aussi que l'on venge son peuple ? Et n'était-ce pas le rôle de Paladin et de Wulder de juger quand eux seuls pouvaient connaître tous les faits ?

Elle posa une main sur les écailles noires et épaisses en face du pommeau de la selle. Célisse avait combattu les monstres responsables de la mort de sa famille. Elle avait gagné, mais une amie s'avérerait utile pour l'aider à combattre la solitude qui l'attendait.

C'est mon rôle d'être ton amie, Célissse.

Kale secoua la tête en réalisant autre chose. Avant, son « rôle » était d'être une esclave de village. Elle devait s'y limiter et s'acquitter des tâches qu'on lui assignait. Puis, on lui avait donné une place dans un groupe partant en quête. Dans ce cas comme dans l'autre, une force extérieure à elle avait déterminé son « rôle ». Elle venait tout juste d'offrir son aide à un être dans le besoin. Et c'était réellement son « rôle » de le faire.

Voilà ce que signifie la liberté. Je peux choisir d'agir pour le bien. Je choisis de suivre Paladin. Je choisis de chercher l'œuf meech. Moi, Kale Allerion, je choisis de retrouver Leetu Bends et de l'aider à s'enfuir si je le peux.

Les mots « si je le peux » résonnèrent dans sa tête.

Mamie Noon a dit que si un esprit était fermé, je pouvais le péné-trer en déclarant : « Au service de Wulder, je cherche la vérité. » Et si la voie pour secourir Leetu est bloquée, Wulder m'aidera-t-il à surmonter cette difficulté ? Je pourrais dire : « Au service de Wulder, je cherche Leetu ». Cela fonctionnerait-il ?

Une puissante vision interrompit les réflexions de Kale. Un kaléidoscope de livres et de visages avec des bouches bougeant à toute allure en parlant surgit dans son esprit. Un vent de tor-nade balaya ces images. Les photos d'une multitude de mots furent remplacées par un cœur.

— *Pas les bons mots, mais le cœur à la bonne place.*

Les yeux de Kale s'agrandirent quand elle reconnut la voix porteuse du message. Mamie Noon !

Une décision difficile

Kale s'accrocha à la selle, épuisée. Le vent froid sur son visage la gardait éveillée. La chaleur du soleil dans son dos l'empêchait de geler. Ensemble, le vent et le soleil dissipèrent le reste de brouillard au sol. Malgré cela, quand Célisse décrivit des cercles de plus en plus bas dans le ciel, Kale ne vit pas Dar dans la cour de ferme. Une nouvelle vague de panique la saisit à la gorge. Avait-il été tué avec les bisonbecks lorsque Célisse avait lancé son attaque sauvage?

Dar?

— Quoi?

Le ton grognon avertit Kale que quelque chose clochait.

Est-ce que tu vas bien?

— Mon veston de cour en soie dorée a une déchirure.

Peux-tu la réparer?

— Oui.

La réponse sèche de Dar surprit Kale. Était-il fâché contre elle ou Célisse, ou contre les deux? Elle se demanda si son irritation était due à son veston déchiré ou au fait que l'on n'avait pas tenu compte de ses ordres. Elle tenta de détecter les sentiments de Dar et de lire dans ses pensées, mais sans succès; son esprit à elle ne coopérait pas. Son corps la faisait souffrir comme si elle avait passé une semaine à récolter des navets. Son cerveau devait être aussi épuisé que ses muscles.

Elle devait rejoindre Dar rapidement. Elle désirait voir son visage et peut-être alors réussirait-elle à déchiffrer son expression. Surtout, après cette chevauchée extrêmement pénible sur le dos du dragon, elle voulait se retrouver en sécurité sur le sol en compagnie d'une personne en qui elle pouvait avoir confiance, même si en ce moment, cette personne était grincheuse.

Où es-tu ?

— Avec mes bagages. Je ne peux tout de même pas porter des vêtements déchirés, non ? J'ai certains scrupules à propos de mon apparence. Notre affaire est importante ; l'as-tu oublié ? Nous ne sommes pas une troupe de galopins colporteurs. Nous menons une quête. Nous devons poursuivre notre route. Trop de temps a été gaspillé à combattre des bisonbecks. Le prochain point à notre programme consiste à délivrer une guerrière émerlindian.

Sa tirade prit fin abruptement. Après une courte pause, Kale entendit ses pensées.

— Centre ton attention sur moi afin que Célisse puisse se rendre jusqu'à moi. Elle devrait atterrir ici et éviter la ferme. Il est mauvais pour elle de s'attarder sur le passé.

Kale accepta en silence et suivit les instructions de Dar. Sous peu, les pattes du dragon touchèrent le sol dans une clairière entourée de grands trang-a-nogs. Les rayons du soleil se reflétaient sur l'écorce lisse et brillante des arbres, et les immenses feuilles vertes flottèrent dans l'air sous l'impulsion de la brise créée par les volumineuses ailes de Célisse au-dessus de la forêt.

Le doneel avait déjà revêtu une tunique de chasse d'un vert frais par-dessus une chemise blanche en lin. Il avait rentré les jambes de son pantalon violet rayé de vert assorti à sa tunique dans des bottes hautes noires cirées.

En imitant le geste de Leetu lorsqu'elle était descendue de Merlander, Kale retira son pied droit de l'étrier et le balança au-dessus du dos de Célisse, puis elle dégagea son pied gauche et se laissa glisser sur le flanc du dragon. Toutefois, la jeune o'rant ne possédait pas la grâce de l'émerlindian. De plus, ses jambes étaient raidies à force de s'agripper à la selle pendant le vol. Elle atterrit carrément sur ses pieds et s'écrasa en tas désordonné quand ses jambes se dérobèrent sous elle.

Dar ne lui offrit aucune aide, alors elle se tortilla jusqu'à ce qu'elle réussisse à s'asseoir les jambes croisées. Le grand dragon s'écroula et se coucha sur le ventre en s'étirant derrière Kale. Gymn rampa hors de son antre de poche et regarda avec précaution par l'ouverture de la cape. Kale ressentit son malaise. Son estomac le tiraillait, et elle ne savait pas si c'était dû à la faim ou à la peur. Il s'élança sur elle, sauta depuis ses genoux et partit à la poursuite d'une sauterelle.

Dar plia ses vêtements déchirés et les rangea dans son sac. Il parla par-dessus son épaule :

— Demande à Célisse si elle est complètement guérie.

Kale, encore une fois, n'eut pas à poser la question. Le dragon semblait saisir les paroles de Dar dès qu'il les prononçait.

— Elle dit oui, Dar, mais je crois que tu peux t'adresser à elle directement. Elle répond toujours avant que je ne la questionne. Donc, elle doit te comprendre.

Dar interrompit son activité et regarda Célisse. Il inclina la tête en réfléchissant.

— Oui, c'est *possible*. Elle a vraisemblablement vécu parmi les gens, loin de ses semblables, depuis des années. La plupart des dragons ne peuvent communiquer facilement qu'avec une seule personne. Merlander et moi discutons aisément. Mais Merlander fuit les liens avec toute autre bête à deux pattes, comme elle nous appelle. Bien sûr, elle bavarde comme une pie avec ses amis dragons.

Dar marcha vers Célisse et posa une main sur sa joue écailleuse.

— Tu en as bavé, ma vieille. Et tu es un dragon très spécial. J'aurais été honoré de me compter parmi tes camarades.

Kale ressentit le bourdonnement de bonheur émanant des profondeurs du dragon de selle.

Dar soupira, comme s'il portait un lourd chagrin.

— Je suis désolé que tu ne puisses pas servir Paladin avec nous.

Le bourdonnement stoppa. Dar avança vers ses affaires en se traînant les pieds, les épaules affaissées et la tête baissée.

— Kale, tes choses se trouvent ici aussi, dit-il. Là, sous le fortaline. Nous devons partir. C'est un long trajet à pied.

Kale ne comprenait rien à l'attitude de Dar, mais pour l'instant, elle se sentait trop lasse pour discuter. Perplexe, elle secoua la tête en se dirigeant vers l'arbuste, et elle regarda sous les rameaux bas et épineux. Un des paquets de Leetu y était aussi dissimulé. Kale n'avait pas l'intention de glisser sa main dans ces ronces épineuses. Elle fouilla le sol à la recherche d'un long bâton. Elle trouva une branche morte et l'utilisa pour accrocher les sacs et les tirer hors de là.

Une fois qu'elle les eut tous les deux en face d'elle sur l'herbe, elle chercha Gymn du regard. Le petit dragon courait dans la clairière à l'opposé de Célisse. Il ne semblait pas du tout touché par les émotions de ses compagnons. Il attrapait des insectes dans les airs et fouillait le feuillage pour en dénicher d'autres.

Kale aurait aimé éprouver cette indifférence. Elle n'avait pas envie d'essayer de comprendre pourquoi Dar s'était retourné contre Célisse. Elle ne voulait pas songer aux choses terribles subies par le dragon et sa famille. Elle ne désirait surtout pas repenser à la façon horrible dont Célisse avait réduit les gardiens en lambeaux. Elle retira sa cape, la roula en maintenant l'antre de poche de Gymn du côté visible, et elle l'attacha au paquet de Leetu.

Dar se tenait prêt à partir ; il ne regardait personne, mais fixait la forêt de trang-a-nogs. Célisse était étendue, le cou étiré, le menton dans la poussière et les yeux fermés.

Kale s'approcha de Dar. Son estomac se noua. Sa mâchoire était douloureuse à force de serrer les dents.

— Je ne comprends pas.

Elle raviva ses pensées confuses et se força à les exprimer.

— Je pensais que nous avions besoin de Célisse. Allons-nous simplement la laisser ici ? Elle n'a personne, Dar. Elle est seule.

— Nous ne pouvons pas lui faire confiance.

Kale jeta un coup d'œil au dragon rejeté.

— Elle a le cœur brisé.

— Nous ne pouvons pas lui faire confiance.

— Que veux-tu dire ? Elle n'est pas un mauvais dragon. Elle aimait sa famille humaine. Elle prenait soin d'eux et les aidait.

— Et parce que ces gens ont été assassinés, elle a abandonné toute prudence et elle est revenue avec la vengeance dans le cœur. Tu te trouvais sur son dos.

Ses mots résonnaient comme des coups de marteau.

— Tu n'avais jamais monté un dragon ; tu n'as aucune expérience. Tu es une novice. Elle en avait conscience. Elle était au courant de ma présence au sol, au milieu des gardes bisonbecks. Et, la haine dans le cœur, elle a plongé du ciel pour donner la mort. À ce moment-là, il lui importait peu de savoir qui elle pourrait abattre, tant qu'elle atteignait ces quatre bisonbecks.

Kale parla doucement.

— Je peux comprendre sa rage, Dar. Elle tuait des meurtriers. Plus jamais ces quatre bisonbecks ne tortureront, ne blesseront ou ne tueront des innocents.

Dar regarda tour à tour Kale et Célisse. Le dragon se tenait toujours immobile à côté des grands trang-a-nogs. Les larges et épaisses feuilles d'un vert riche contrastaient fortement avec les écailles ternes grises et noires de la bête. La férocité de l'expression de Dar s'atténua un peu quand il contempla la créature déprimée.

— Il s'agit de ton raisonnement, Kale ; il n'a absolument rien à voir avec le sien.

Il soupira profondément.

— La vérité, c'est qu'elle ne raisonnait plus. Elle n'a pas tué pour protéger d'éventuels innocents. Non, ce n'est pas pour cette raison qu'elle a plongé dans cette cour et qu'elle a massacré ces soldats.

— Pourquoi, alors?

Dar serra la mâchoire, et son front se creusa d'une ride plus profonde.

— Elle s'est laissé dominer par la colère. Ce n'est jamais le cas pour Wulder ou Paladin. La justice, oui. Mais pas un bain de sang pour marquer sa rage.

Dar pointa Gymn. Le petit dragon avait mangé tout son saoul et il s'était allongé sur un rocher pour se dorer au soleil.

— Va chercher ton ami. Nous devons partir.

Kale cueillit le bébé somnolent dans sa main et le déposa avec précaution dans son antre de poche. Elle ne put s'empêcher de regarder Célisse avec tristesse. Les yeux du dragon de selle étaient fermés avec force, et elle avait légèrement détourné son visage des gens dans la clairière.

— Comprend-elle ce que nous disons, Dar?

— Oh oui. Et même dans le cas contraire, elle connaîtrait la vérité dans son cœur. Un disciple de Paladin ne montre pas l'ampleur de sa colère par le biais d'un carnage incontrôlé. Un disciple de Paladin réfléchit. Il songe aux conséquences de ses actes. Les gens de cette région enseignent ces faits à leurs enfants dès qu'ils sont en âge d'écouter les histoires d'autrefois. Célisse a vécu parmi les races supérieures. Elle a embrassé la voie de Wulder.

— Que lui arrivera-t-il?

— Je ne sais pas.

Dar haussa les épaules et pivota brusquement vers le chemin qui menait dans la forêt.

— Célisse nous a mis en danger, toi et moi, pour satisfaire son désir de vengeance; nous ne pouvons donc pas lui accorder notre confiance.

Sans un autre regard pour le dragon de selle, il s'engagea dans le sentier ombragé. Mais il continua à faire la leçon à Kale.

— Nous affronterons peut-être une nouvelle situation périlleuse, et nous devons être certains que nos compagnons respecteront les ordres, marcheront dans la voie de Wulder, suivront les enseignements de Paladin, même sous la pression. Elle s'est envolée de son propre chef et elle a cédé à son envie. Nous ne pouvons pas lui faire confiance.

Kale bougea les épaules, essayant de positionner ses paquets de façon plus confortable. Elle emboîta le pas à Dar avec réticence. Elle ne voyait pas ce voyage d'un bon œil. La route serait difficile. Il n'y avait aucune certitude qu'ils réussiraient à secourir Leetu. Aucune assurance non plus que Leetu, Kale et Dar vivraient pour trouver le magicien Fenworth et l'œuf meech. Son cœur se serra comme un poing dans sa poitrine. Se sentirait-elle mieux s'ils pouvaient s'arrêter pour se reposer un peu ?

Non, je n'ai pas mal uniquement à cause de la fatigue. C'est parce que je dois accepter une chose que je n'aime pas. Je n'abandonnerais pas Célisse. Je lui donnerais une autre chance.

— Dar, je lui ai offert mon amitié.

Kale tenta un dernier plaidoyer.

— Tu n'es pas son amie si tu permets un comportement inacceptable. Laisse-la entre les mains compétentes de Wulder, Kale. Il est plus aimant que toi.

Le large sentier à travers les bois bifurquait ici et là, contournant les plus gros arbres et parfois une saillie de rochers. Deux profondes ornières montraient que des chariots empruntaient souvent cette voie, mais Kale et Dar ne dépassèrent personne et ne détectèrent aucun signe de vie, mis à part les occupants habituels de la forêt. Des animaux forestiers détalaient devant eux. Des oiseaux sifflaient des mises en garde depuis les hautes branches, annonçant l'avancée de Dar et de Kale. À l'occasion, un oiseau demi-portion vivement coloré rasait le sentier, comme s'il souhaitait voir les voyageurs de plus près. Kale regarda par-dessus son épaule. À quelque distance derrière elle, une énorme bête se déplaçait comme une ombre grise. Tête baissée, queue à la traîne, Célisse les suivait.

22

Traverser la vallée

Dar se hâta le long du sentier. Kale avançait d'un pas lourd, en regardant fréquemment derrière elle pour voir si Célisse suivait toujours. Voyager à travers la forêt s'avéra plus facile que Kale ne l'avait supposé. Les énormes troncs étaient très éloignés les uns des autres, et seules quelques plantes s'éparpillaient dans le sous-bois. De très hauts arbres leur procuraient de l'ombre. De brusques bouffées d'air soufflaient sur le chemin, secouant les feuilles, soulevant la poussière à leurs pieds et rafraîchissant les voyageurs. Ils marchèrent pendant plus de une heure sur le sentier des chariots à travers les bois de trang-a-nogs.

Devant eux, Kale vit la fin abrupte de la forêt. Dar stoppa à côté du dernier arbre et appuya une épaule sur le tronc lisse et vert olive en attendant d'être rejoint par Kale. Intriguée, elle accéléra le pas. De sa position, le chemin semblait s'arrêter brusquement pour ne faire place qu'au ciel bleu. Elle s'immobilisa à deux pas de Dar et regarda avec émerveillement.

La forêt de trang-a-nogs poussait jusqu'à l'extrémité d'une grande vallée. La terre descendait en pente abrupte à quelques mètres seulement du dernier arbre. Le sentier du chariot tournait à droite et suivait le bord de la vallée en dessinant une longue route tortueuse jusqu'au bas de l'escarpement.

Une rivière courait à travers le bassin vert. Des saillies de grosses roches orange et rouge parsemaient les collines vallonnées. On voyait au loin des troupeaux de moutons, telles de minuscules grappes grises. Des murs de pierre formaient des lignes à flanc de coteau. De petits bâtiments ressemblaient à des jouets installés dans le paysage. Ici et là, un carré de terre cultivée affichait le vert plus foncé des cultures pas encore moissonnées ou la teinte jaunâtre d'une récolte hâtive.

De l'autre côté de la vallée, un escarpement s'élevait à pic. En haut, une forteresse sombre montait la garde. Sous les murs du château, une chute d'eau émergeait à mi-chemin de la surface verticale de pierre et se précipitait en bas. Une brume se levait à cet endroit et cachait le fond de la cascade. Un large ruisseau s'échappait de la pierre grise et rejoignait la rivière à plusieurs kilomètres de distance.

Dar fit un signe de tête en direction du fort.

— Leetu est-elle retenue captive ici ?

Kale se concentra, mais rien ne lui vint à l'esprit.

— Je ne sais pas.

Le doneel se retourna et lui lança un regard scrutateur.

— Tu es fatiguée.

Elle acquiesça. Elle laissa les lanières des paquets glisser sur ses épaules et les abaissa avec beaucoup de précautions sur le sol.

— Kale, j'ai l'impression de répéter une chose que je t'ai dite hier.

Un sourire moqueur s'élargit sur le visage de Dar.

— Tu as un dragon guérisseur dans ta poche.

Elle le fixa d'un regard vide pendant un instant. Puis, elle comprit son allusion et se sentit idiote de ne pas y avoir pensé elle-même.

Il posa une main sur son bras.

— Ne sois pas dure envers toi-même. Tu n'as pas l'habitude d'avoir à ta disposition des trucs comme un dragon guérisseur.

Dar la saisit par le coude et la guida vers une touffe mœlleuse d'herbes dos-d'âne à l'ombre d'un arbre.

— Allez, assieds-toi ici, lui dit-il. Je vais sortir Gymn. Nous allons étendre la cape, et vous pourrez piquer une sieste ensemble. J'ai envie de jouer un peu de ma flûte. Quand tu te réveilleras, tu seras reposée et prête à entreprendre la prochaine étape de notre périple. Et mon âme, qui, je dois l'admettre, est un peu affligée, aura retrouvé un semblant de paix.

Dar s'affaira à installer Kale confortablement, lui offrant une tasse d'eau de leur réserve embouteillée et un biscuit généreusement tartiné avec la confiture de parmes de Mamie Noon.

Kale avala sa collation, se recroquevilla sur la cape avec Gymn niché contre sa joue et écouta la douce mélodie jouée par Dar sur sa flûte argentée. Le sommeil l'avait presque gagnée quand elle se souvint d'une question qu'elle voulait poser au doneel.

— Dar, j'ai entendu la voix de Mamie Noon.

La musique s'arrêta.

— À l'instant ?

— Non. Lorsque je me trouvais sur le dos de Célisse. Après l'attaque.

— Qu'a-t-elle dit ?

— J'essayais de me rappeler exactement ce que je devais déclarer pour obtenir ce que je veux. Tu sais, pour bloquer les esprits et ne pas être blessée par les pensées mauvaises quand je cherche à découvrir quelque chose. J'ai entendu la voix de Mamie Noon me dire : « Pas les bons mots, mais le cœur à la bonne place. » J'ai compris qu'elle voulait dire que, tant que mon intention était de suivre Paladin et la voie de Wulder, je pouvais emmêler un peu mes mots, ça n'aurait pas d'importance.

— Ça me semble correct.

Dar replaça ses lèvres sur la flûte.

— Mais je voulais savoir…

Elle le regarda pendant qu'il baissait de nouveau son instrument.

— Comment ai-je pu l'entendre de si loin ? Leetu m'a appris qu'on ne peut pas s'éloigner plus qu'à une certaine distance d'une personne pour continuer à échanger avec elle par télépathie.

— Mamie Noon est une émerlindian puissante. Il se pourrait qu'elle t'ait parlé. Ou bien ces paroles ressemblaient à des propos qu'elle a tenus, et tu t'en es souvenu quand tu en avais besoin. Ou…

— Ou?

— Ou il se peut que Wulder ait répondu à ta question et que tu L'aies entendu à travers la voix d'une personne en qui tu as confiance.

Kale s'assit.

— Wulder est télépathe!

Dar rit.

— Qu'y a-t-il de si étonnant au fait que Wulder s'adresse à l'une de ses créations?

Kale se recoucha, pas du tout contente d'avoir montré encore une fois combien elle était ignorante.

— C'est simplement que je ne pensais pas qu'il était présent de cette façon. Je veux dire, pour lui parler, l'écouter ou… autre chose.

— Tu veux dire que tu croyais qu'il serait occupé, trop occupé pour te remarquer.

— Eh bien, oui.

Dar joua le refrain de la mélodie apaisante qu'il avait entamée peu avant. Quand les notes s'éteignirent, elle retint son souffle, se demandant ce qu'il allait dire.

— J'imagine que tu dois t'habituer à ne plus être une esclave. En tant qu'esclave, ceux qui avaient de l'autorité sur toi t'ordonnaient de faire des choses sans trop se soucier de tes sentiments ni de tes désirs. Maintenant que tu as choisi de servir Paladin, il y aura beaucoup de gens qui veilleront à ton meilleur intérêt.

Il reprit sa mélodie. Kale relâcha sa respiration, mais elle ne put se détendre. Gymn se blottit contre sa joue, et elle lui caressa le dos.

Voici le problème avec ce que dit Dar : je n'ai pas choisi de devenir servante. Quand j'étais une esclave, on m'a ordonné de devenir servante. Les propos de Dar s'appliquent-ils à moi dans ce cas-là ? Je sers Paladin parce que le conseil du village m'a dit que je devais le faire.

La musique sereine de Dar et le toucher guérisseur de Gymn la plongèrent dans un état de tranquillité. Malgré cela, le doute qui la taraudait à propos d'être la servante de Paladin bourdonna dans sa tête comme une abeille inquiète jusqu'à ce que le son berce son sommeil.

＋━ ━＋

Quand elle ouvrit les yeux, le soleil se couchait à l'ouest de l'horizon. De l'autre côté de la vallée, le disque rouge flamboyait derrière la forteresse sombre. Dar était assis avec le dos appuyé contre un tronc d'arbre, les paupières closes, un léger ronflement accentuant sa respiration.

Vite !

Le mot surgit dans l'esprit de Kale, et elle s'assit.

— Dar !

Le doneel se réveilla en sursaut.

Kale se leva. Elle contempla la structure menaçante du côté de l'escarpement à l'autre bout de la vallée. Le soleil brillait autour, formant une silhouette avec les grands murs droits. Elle plissa les yeux, incapable de détourner son attention de la source de l'appel urgent.

— C'est Leetu. Elle *est* dans la forteresse. C'est le château fort du magicien Risto. Nous devons la sortir de là.

— Nous mettrons trois jours à traverser la vallée et deux jours supplémentaires à grimper jusqu'au fort.

— Nous ne disposons pas d'autant de temps.

Kale se retourna vers les bois. *Célisse, viens nous aider.*

Le dragon de selle marcha pesamment hors de la forêt ; elle s'engagea sur le sentier et trotta les quelques mètres restants.

Kale porta son regard sur Dar. Ses lèvres formaient une ligne intransigeante. Son froncement de sourcils la mit en colère. Gymn tremblait sur son épaule, et elle leva le bras pour poser une main protectrice sur le petit dragon.

— Célisse veut nous aider. Je sais que tu ne lui fais pas confiance, mais si nous ne lui permettons pas de nous amener, Leetu mourra.

Dar ne dit rien.

— Parfait! cria Kale.

Elle cueillit Gymn sur son épaule et se pencha pour le déposer dans son antre de poche. Elle ramassa sa cape et la lança autour de ses épaules.

— Marche, toi!

Elle lui jeta ces mots avec violence.

— Je monte.

Elle saisit les deux paquets de Leetu et avança au pas vers la bête.

— Arrête.

Kale ignora l'ordre de Dar. Elle se dirigea d'un pas décidé vers le dragon et lui demanda de se coucher, une procédure standard quand on veut chevaucher un animal de cette envergure. Célisse obéit promptement, et Kale attacha les sacs de Leetu avec les lanières appropriées à l'arrière de la selle.

Dar rejoignit Kale avant qu'elle n'ait pu placer son pied sur la cuisse de Célisse afin de se donner un point d'appui pour sauter.

— Arrête, Kale.

Dar posa une main ferme sur son bras.

— Je suis d'accord avec toi, mais prends le temps de réfléchir. Calme-toi. Tu ne dois pas agir uniquement selon tes émotions. Tu dois planifier.

Kale se tourna vers le doneel, mit ses poings fermés sur ses hanches et se tint les deux pieds écartés.

Dar arqua un sourcil et la gratifia de son plus charmant sourire.

— Tu as l'air sur le point de me défier dans un match de boxe. Nous sommes du même côté, tu te souviens ?

L'étincelle dans ses yeux et le clin d'œil engageant qu'il lui adressa minèrent sa détermination à se hâter à la rescousse de Leetu. Elle fronça les sourcils.

— Et avec quoi es-tu d'accord, au juste ?

Elle grogna la question, tentant de ne pas paraître touchée par ses manières avenantes.

— Nous devons rejoindre Leetu rapidement, et la seule façon d'y parvenir est sur le dos de Célisse.

— Nous devons lui faire confiance, insista Kale.

Dar acquiesça. Il se dirigea vers la tête du dragon et posa une main sur sa joue. À côté d'elle, il avait vraiment l'air très petit. Mais l'énorme animal hocha gentiment la tête, en réponse à sa caresse. Le doneel regarda profondément dans les yeux en amandes de la bête.

— Tu sais que je n'aime pas cela, Célisse. Et tu comprends pourquoi.

Il la tapota et caressa les écailles grises de son visage.

— J'espère que tu feras tout ce qui est en ton pouvoir pour contrôler ta rage si nous nous engageons dans une escarmouche avec l'ennemi. Non seulement je remets ma vie entre tes mains, mais également celles de cette jeune o'rant et d'une excellente guerrière émerlindian.

À l'écoute des sentiments de Célisse, le cœur de Kale se gonfla avec celui du dragon qui avait désespérément besoin qu'on lui accorde une seconde chance. Si Célisse pouvait réussir uniquement grâce à son désir, elle s'en sortirait bien. Elle souhaitait réellement servir Paladin et racheter son comportement irréfléchi à la ferme.

Kale pressa ses lèvres ensemble, attendant la décision de Dar. Elle craignait que tout effort de sa part pour faire plier le doneel en faveur du dragon soit voué à l'échec et ne cause plus de mal que de bien.

Il recula d'un pas et regarda de nouveau Kale.

— Si Célisse nous transporte dans les airs jusqu'à l'autre côté de la vallée et atterrit près de la forteresse de Risto, nous planifierons là notre façon d'entrer. Tu as dit que l'on attendait Risto à la ferme ce soir. S'il se trouve là-bas, alors il n'est *pas* dans le château. Nous avons de meilleures chances de sauver Leetu ce soir qu'à n'importe quel moment dans un avenir prévisible.

Il porta son regard à l'ouest. Le soleil avait glissé à l'horizon. Seule la douce lueur orangée bordait le haut de l'escarpement.

— Nous allons attendre dix minutes de plus pour tirer avantage de l'obscurité. Nous voulons nous approcher aussi près que possible.

Les quelques minutes s'égrenèrent et les mirent à la torture, mais Dar donna enfin le signal. Il surprit Kale en lui permettant de s'asseoir à l'avant. Il installa son petit corps derrière elle.

Une fois dans les airs, la frustration de l'attente les quitta. Par contre, la terreur se glissa dans le cœur de Kale. Ils n'auraient probablement qu'une seule chance de libérer Leetu. Elle ne craignait pas que le dragon désordonne leur plan. Toutefois, elle s'inquiétait de commettre un geste maladroit qui les démasquerait. Ou encore, elle pourrait se figer de peur quand Dar aurait besoin qu'elle agisse avec calme et rapidité.

Elle tenta de penser aux paroles que lui avait enseignées Mamie Noon.

Mes pensées sont ma propriété et celle de Wulder.

Et Dar affirme que Tu m'écoutes et que Tu me parles aussi.

Et bien, Wulder, je Te remercie de T'intéresser à mes activités. Kale prit une profonde respiration. *Je T'en prie ; dis-moi quoi faire et quand afin que je ne fasse pas de mauvais pas.*

Au service de Wulder, je cherche la vérité. Je cherche Leetu, Wulder. Et une façon d'entrer dans le château. Et une manière d'en sortir. N'oublie pas la façon d'en sortir.

Je suis sous l'autorité de Wulder. J'entre dans le domaine d'un magicien maléfique. S'il Te plaît, garde-nous, moi, Dar, Célisse et Gymn à l'abri du danger. Et Leetu aussi.

Célisse s'envola haut vers les cieux. Une grande lune jaune était suspendue bas dans le ciel, nimbée d'un halo brillant. À l'est, les étoiles scintillaient et brillaient, formant un assortiment étonnant. La beauté de son environnement effaça presque le frisson de peur dans son cœur.

— Un peu de peur est une bonne chose, dit Dar. Elle te garde en alerte et elle t'aide à réagir rapidement.

Kale ne répondit pas. *Lit-il dans mes pensées ? Il dit que non, mais il devine toujours mes sentiments.* Elle patienta, s'attendant à ce que le doneel émette un commentaire. *S'il nie pouvoir lire dans mon esprit, je saurais qu'il lit dans mon esprit.* Dar ne dit rien.

Ils descendirent en piqué en décrivant un grand cercle et vinrent se poser sur un champ derrière un bois à l'ouest du château de Risto.

— Célisse, dit Dar dès que lui et Kale descendirent au sol, tu dois te cacher dans la forêt. Tu ne peux pas nous accompagner dans la forteresse, mais tu dois te trouver là où nous pouvons te joindre dans les minutes après notre sortie.

Kale sentit l'acquiescement du dragon de selle. Les sauveteurs avancèrent à pas furtifs sous le couvert des arbres.

Dar s'arrêta.

— Kale, je veux que tu utilises ton talent pour explorer l'endroit autour de nous. Y a-t-il des soldats ou des gardes de n'importe quel type tout près ?

Kale se détendit, ferma les paupières et laissa son esprit fouiller les alentours.

— Des kimens, il y a des douzaines de kimens tout autour de nous.

Un pli se forma sur le front de Kale tandis qu'elle triait les impressions qui lui venaient en tête.

— Dar, je sais exactement où se trouve Leetu ; une pièce sombre et froide avec des murs de pierre. Si nous entrons dans cette forteresse, je peux nous guider directement à elle. Tout est tellement limpide. Plus tôt aujourd'hui, j'étais incapable d'utiliser mon talent. À présent, c'est comme si le brouillard s'était levé. Je vois Leetu aussi nettement que je vois la Lune.

— Tes yeux sont fermés et la Lune est embrumée.

Kale sourit largement et ouvrit les paupières. Elle regarda Dar, s'attendant à une explication de son sage compagnon, malgré son commentaire caustique.

Dar frotta son menton duveteux avec une main.

— Plus tu développes ton talent, plus il s'affermit. Ce matin, tu l'as utilisé au-delà de ses capacités quand tu as guéri Célisse avec Gymn. En plus de la télépathie, tu as lancé des images dans l'esprit des gardiens. Ajoute à cela la tension émotionnelle causée par les circonstances, et tu as vidé ton don de sa force.

« Tu devras apprendre à tenir le rythme. Je ne peux rien imaginer de plus désastreux que ton talent qui s'épuise brusquement alors que nous sommes engagés dans une action comme escorter Leetu hors du château fort de Risto.

— Les kimens arrivent, annonça Kale.

— Je ne suis pas étonné. Depuis la bataille d'Ordray, ils gardent un œil sur les forces du mal.

— Est-ce que de si petites personnes peuvent nous aider ?

Les kimens semblaient trop fragiles pour n'importe quel genre de combat.

Dar rit.

— Oh oui. Tout d'abord, les kimens peuvent éclairer la voie à travers tous les couloirs obscurs que nous devrons traverser.

Kale inclina la tête, intriguée.

— Kale, les kimens sont vêtus de lumière. Ils ne portent aucun vêtement, sauf les rayons de lumières qu'ils attirent sur eux. Ils contrôlent la couleur du rayonnement et ils peuvent le réduire à volonté.

— J'ai vu des kimens, Dar. Ils portent de doux habits flottants qui virevoltent autour d'eux et bougent dans le vent. Ils ressemblent au tissu vaporeux que Mamie Noon a utilisé pour emballer notre nourriture.

— En as-tu déjà touché un ? lui demanda Dar. As-tu déjà frôlé un kimen et touché la texture de son vêtement ?

— Non.

— Il n'est ni froid ni chaud. Il n'est pas rude, ni lisse, ni épais, ni mince. C'est de la lumière, et tu ne peux pas la sentir avec tes doigts.

Kale baissa les yeux sur sa cape en tissu de rayons-de-lune et se souvint que Dar l'avait piégé en lui faisant croire qu'elle était fabriquée avec les rayons de la lune.

— Non, Kale.

Sa voix mit fin à ses doutes.

— Je ne plaisante pas. Les kimens sont vêtus de la lumière. Un kimen est exactement ce qu'il nous faut pour nous guider dans le château de Risto.

23

Dans l'obscurité

Les voyageurs n'eurent pas à trouver les kimens ; les kimens les trouvèrent.

Kale était assise sur un rondin à observer Gymn attraper des insectes ; elle remarqua donc les kimens en premier. Les petites personnes apparurent telles de minuscules lucioles se déplaçant silencieusement à travers les bois en affleurant le sol. À mesure qu'ils s'approchaient, Kale réalisait qu'ils étaient trop gros pour être des insectes, puis elle distingua les silhouettes familières qu'elle avait vues dans son propre village.

Dans l'obscurité de la forêt, les kimens portaient des vêtements dans des teintes de bleu, de mauve et de vert profond. Kale examina attentivement le tissu, essayant de détecter les fils tissés. Elle n'en vit pas, mais elle ne croyait pas encore que l'étoffe légère soit de la lumière et non du tissu.

Un kimen émergea du rassemblement silencieux de ses minuscules compatriotes. Ses yeux verts étincelaient dans son visage sérieux. Ses cheveux bruns rebelles sortaient de son crâne à la manière désordonnée des kimens. Kale regarda de près ses habits bleus. L'étoffe flottante semblait aérienne et fragile, mais ne ressemblait en rien à la lumière qu'elle avait déjà vue dans sa vie. Il donnait l'impression d'un guerrier, fort et décidé, mais il ne portait pas d'armes.

Une arme ne serait pas une mauvaise idée, compte tenu de l'endroit où nous allons. Il pourrait transporter une épée ou un arc.

Mais… en y pensant bien, je n'ai jamais vu un kimen porter quoi que ce soit. Ni un sac, ni un panier, ni une arme. Oh, oui ; je les ai vus porter leurs petits.

Le kimen contempla Célisse, Kale et Dar à tour de rôle. Mais quand il parla, il s'adressa uniquement à Dar et à Kale.

— Je m'appelle Shimeran. J'ai été choisi pour vous guider.

— Vous savez où nous allons ? demanda Kale.

Un sourire s'alluma dans les yeux de Shimeran, mais ne fit qu'effleurer ses lèvres.

— Bien sûr.

Dar effectua une révérence aussi respectueuse que celle qu'il avait esquissée pour Mamie Noon.

— Nous serions honorés de recevoir ton aide, Shimeran. Je suis Dar.

Il désigna le dragon de selle.

— Notre amie, Célisse.

Il remua sa main pour indiquer Kale, mais elle parla avant qu'il n'en ait l'occasion.

— Je suis Kale Allerion.

Les yeux de Shimeran s'arrondirent pendant une petite seconde, et la foule de kimens autour d'eux grouilla. Le murmure dans le groupe s'apaisa rapidement, comme leur malaise.

Kale posa son regard sur chaque visage, cherchant la raison de cette réaction.

Ai-je dit quelque chose que je n'aurais pas dû ? Me suis-je montrée impolie en me présentant moi-même ?

Elle examina les visages des kimens plus attentivement. Ils arboraient une expression calme et amicale, pareille à celle de leurs concitoyens visitant habituellement Rivière au Loin. Elle regarda directement Shimeran et fut sur le point de demander si quelque chose clochait, mais Dar la devança en parlant.

— Nous avons pensé que ce soir serait un bon moment pour délivrer notre camarade émerlindian.

Shimeran acquiesça.

— Risto est absent. Les gardes ont bu du brillum toute la journée. Mes parents créeront une diversion, et nous pourrons nous glisser furtivement par l'entrée principale sans être vus.

Kale plissa le nez à la mention du brillum. La bière sentait l'eau de moufette et tachait comme le jus noir des noix de borling. Les mariones l'utilisaient pour arroser leurs champs afin d'empêcher les insectes d'infester leurs cultures. Les grawligs en buvaient. De toute évidence, les bisonbecks aussi.

— Tout est prêt.

La voix de Shimeran pénétra les pensées de Kale.

— Nous devrions partir maintenant.

Dar se tourna vers Célisse.

— Attendras-tu ici?

Kale sentit le soupir du dragon de selle et son accord réticent. Kale hocha la tête en direction de Dar. Elle savait que Célisse le comprenait, mais elle n'était pas certaine que Dar entendait le dragon lui parler en esprit.

Ils avancèrent rapidement dans la forêt sombre en suivant les kimens. Trois se déplaçaient à grandes enjambées à plusieurs mètres en amont du groupe. Ils semblaient foncés en comparaison de leurs compagnons plus près.

Dar toucha le bras de Kale et fit un signe de tête en direction de ceux qui les devançaient.

— Des éclaireurs, dit-il doucement. Il y en a probablement trois de plus devant eux, là où nous ne pouvons pas les voir, et encore trois autres plus loin. Tu remarques qu'ils ont réduit leur rayonnement. Ceux qui nous entourent éclairent la voie. Ceux à l'avant surveillent l'ennemi, afin que nous ne courions pas droit sur une bande de bisonbecks patrouillant sur leurs frontières.

Un des kimens près d'eux se tourna vers Dar en fronçant les sourcils et mit un doigt sur ses lèvres.

Kale ne souhaitait pas mettre fin à la conversation. Elle voulait en savoir plus. Elle tendit son esprit vers Dar. *Comment les kimens savaient-ils que nous étions venus pour Leetu ?*

— La logique. Ils savaient qu'une émerlindian au service de Paladin avait été capturée. C'était à prévoir qu'une personne accourrait pour la libérer. Nous sommes arrivés, nous devions donc être les sauveteurs.

Pourquoi ne l'ont-ils pas secouru eux-mêmes ?

— Les kimens ont adopté le rôle d'observateur. Ils aideront au besoin, mais ils ne prendront jamais l'initiative d'une action.

Je ne comprends pas pourquoi.

— Ils croient que Wulder leur a donné leurs talents et leur taille minuscule pour cette raison. Ils n'outrepasseront pas la limite de ce qu'ils considèrent comme leur devoir à moins de recevoir un appel précis en ce sens.

Je ne comprends toujours pas.

Dar soupira tout haut, et le même kimen le fit taire avec un « Chut ! » bien senti.

— Kale, si tu ne peux pas comprendre grâce à mon explication, tu devras alors utiliser ton propre regard et en venir à tes conclusions personnelles. Parfois, une chose prend tout son sens quand on en est témoin. Dans certains cas, les mots ne suffisent pas.

Kale voulait répondre par un bruyant « hein ? », mais elle se dit que Dar continuerait seulement à lui expliquer pourquoi il ne pouvait pas lui expliquer. Elle décida plutôt d'observer les kimens. Peut-être pourrait-elle découvrir de quelle étoffe étaient fabriqués leurs vêtements.

Elle regarda la petite personne droit devant elle. Il s'agissait d'une femme avec les habituels cheveux en bataille des kimens, poussant sans but, mais lui descendant jusqu'à la taille. Des bouts de rubans et d'étranges tresses minces sans forme particulière ornaient ses boucles brunes autrement désordonnées. De courts morceaux de tissu bleus et violets pendaient sur son corps, presque comme les grandes nageoires en éventail d'un poisson à plumes. Bien sûr, le poisson n'avait pas réellement de plumes, pas plus que cette kimen ne portait de la lumière en lieu et place d'étoffe.

Kale essaya de détecter des coutures dans son habit, en vain. L'étoffe rappelait aussi à Kale les ailes d'un papillon, car les couleurs sombres étaient cernées de noir, comme les motifs sur plusieurs des insectes volants aux ailes colorées comme des joyaux.

La rumeur courait aussi que les kimens pouvaient voler.

Kale observa la petite silhouette agile qui flottait presque au-dessus des racines et des gravats sur le sentier forestier. Elle étudia les pieds minuscules de la kimen, et elle ne put vraiment pas dire si les talons de ses délicats souliers touchaient réellement le sol ou s'ils passaient juste au-dessus avant de poursuivre leur route.

Une halte soudaine dans leur trajet mit fin aux réflexions de Kale. Ils avaient atteint l'orée de la forêt et pouvaient voir le portail d'entrée de l'imposant château. Dar et Kale s'accroupirent derrière des buissons à une douzaine de mètres des énormes portes ouvertes pendant que les kimens se dispersaient pour exécuter les tâches planifiées.

La terre ceignant directement les murs avait été dégagée de toute végétation, à l'exception d'une pelouse tondue rase.

Dar murmura une explication.

— Les forteresses, les châteaux et les cités fortifiées ont tous des clairières qui les entourent. Les sentinelles doivent jouir d'une vue sans obstacle de tous ceux qui approchent.

Kale hocha la tête. Les muscles de son estomac se contractèrent, et elle dut avaler péniblement pour ravaler la peur qui la prenait à la gorge. Elle ne s'imaginait pas comment elle, Dar et Shimeran pourraient atteindre la grille et la passer sans être vus.

Un rond de lumière jaune provenant d'une lanterne éclairait deux hommes solidement armés montant la garde à l'entrée. Ils se tenaient mollement et conversaient de manière décontractée, mais ni l'un ni l'autre n'était ivre ou somnolent. Une voix masculine résonna depuis la forêt, là où la route émergeait sur les terres du château.

— Yo, le château ; j'apporte de nouvelles marchandises pour regarnir vos réserves. De la bière, du fromage, des friandises et du vin rouge. Comme le vent souffle sur la mer, j'ai eu une dure journée. Venez m'aider. Mon âne boite. Je ne suis pas certain de pouvoir parcourir les derniers quatre cents mètres jusqu'à vous.

Les gardes se regardèrent avec lassitude. Kale entrevit l'ombre d'un kimen à leurs pieds, mais elle ne voyait pas où le kimen lui-même se tenait exactement.

— J'y vais, Bleak, dit le plus grand. Surveille la porte.

Il s'engagea sur la route avec sa lance en main. En constatant sa démarche nonchalante, Kale décida que l'homme ne se doutait pas qu'il s'agissait d'un piège.

La silhouette sombre du kimen que Kale avait aperçue à leurs pieds se hâta devant lui. La tache noire se déplaça avec légèreté sur le sol comme l'ombre projetée par la lune sur le dos d'un hibou en vol.

Le garde pénétra dans les bois, et un instant plus tard il appela :

— Bleak, viens donner un coup de main. Il y a tout ce qu'il faut pour festoyer, et notre quart de veille est presque terminé.

Il rit, et une autre voix offrit une réponse que Kale ne capta pas.

— Viens, Bleak, le marchand va nous faire cadeau d'une bouteille de son vin généreux avant d'amener sa charrette à la cuisine.

Bleak ne tergiversa qu'une minute avant d'abandonner son poste et de s'engager sur la route.

— Il n'y a personne là-bas, expliqua Shimeran dans un murmure. Un kimen a imité la voix du marchand. Nos gens ont assommé le premier garde. Puis, sa voix a été reproduite pour attirer le second. Soyez prêts. Dès que Bleak pénètre dans la forêt, nous y allons.

En un instant, la grosse silhouette du garde bisonbeck se glissa entre les formes sombres des arbres. Shimeran, Dar et

Kale quittèrent leur cachette à toute vitesse pour franchir la grille d'entrée grande ouverte. Une fois passée l'arche de pierre massive, Shimeran s'élança sur le côté pour se dissimuler dans l'ombre. Une passerelle piétonnière suspendue courait sur toute la circonférence de la cour. Sur cette structure de bois, des soldats se tenaient prêts à tirer des flèches sur des envahisseurs par des embrasures percées dans la forteresse afin de la défendre contre les ennemis ayant forcé l'entrée et pénétré dans le château.

Des pas claquaient sur les planches au-dessus de la tête des sauveteurs. Quelqu'un était de veille. Kale espéra qu'il était aussi négligent que les deux hommes de garde à l'extérieur.

Même à cette heure indue, le château bourdonnait d'activités. En écoutant, Kale réalisa que le chahut provenait surtout de bisonbecks en pleine beuverie. Le bruit de la boisson coulant à flot, des chants grossiers et des rires gras émanait d'une pièce près des écuries.

Shimeran parla dans l'obscurité.

— Ils ont souvent changé votre camarade d'endroit. Il y a une prison dans chacune des trois tours. Il y a le donjon et, sous celui-ci, des grottes et des tunnels naturels. Nous pourrions trouver le kimen qui surveille cette émerlindian, mais si votre télépathe pouvait nous guider, nous sauverions du temps.

— Kale ?

Kale entendit le murmure de la voix de Dar même si elle ne voyait pas où il se tenait.

— En haut ou en bas ?

— En bas, répondit-elle sans hésitation.

Alors que son esprit se concentrait sur Leetu, elle ressentit la douleur et le désespoir de son amie. Elle pouvait sentir la pièce, l'odeur de moisissure, entendre le trottinement de petits animaux invisibles et, pendant un instant, Kale éprouva une sensation de douleur dans ses os comme si elle était allongée sur le sol de pierres rudes. Elle serra les dents pour empêcher la peur de faire trembler sa mâchoire.

— En bas, répéta-t-elle.

Elle hocha la tête avec brusquerie sous la détermination.

— En bas, là où il fait froid, sombre, et où règne un silence de mort.

24

Silence?

— Peux-tu t'adresser à moi par télépathie? s'enquit Shimeran auprès de Kale.

Oui.

— *Bien. Je te demande ceci. Je nous guiderai jusqu'aux donjons. Puis, j'aurai besoin de ton assistance. Quand nous arriverons à des fourches dans le couloir, tu devras me dire « à droite » ou « à gauche ». Ou bien « en haut » ou « en bas » quand nous rencontrerons des escaliers. Pendant que nous parcourrons les quadrants extérieurs de la forteresse, je vais me servir de tous mes sens pour nous garder du danger. Je te prie donc de ne pas me distraire. Adresse-toi à moi par télépathie uniquement en cas de nécessité.*

Kale acquiesça.

L'intensité des habits de Shimeran faiblit jusqu'à ce que la substance prenne une teinte noire au lieu de bleu marin. Seule une faible lueur planait à ses pieds, révélant le sol de pierre où ils devaient passer sans trébucher. Il avançait rapidement, et Kale le suivit avec Dar fermant la marche. Son angoisse s'accrut alors qu'elle hâtait le pas pour garder le rythme du kimen. Il tournait les coins à toute vitesse, et elle craignait de le perdre. Il s'arrêta abruptement pour jouir d'une vue d'ensemble de la portion suivante de leur trajet, et elle tomba presque sur lui.

De temps en temps, Shimeran les poussait dans l'ombre, et ses vêtements n'émettaient pas un rayon de lumière. Dans ces moments, Kale tentait de contrôler sa respiration pour ne pas être entendue. Sa main recouvrait Gymn, recroquevillé en petite boule dans son antre de poche. Elle espérait que la cape la dissimulait réellement. Une fois, elle songea comme ce serait bon de pelleter le crottin dans les écuries de l'auberge au lieu de se retrouver accroupie derrière des barils pendant que des bisonbecks se disputaient bruyamment en passant à quelques mètres de la cachette des sauveteurs.

Shimeran les mena plus profondément dans la forteresse. Alors qu'ils traversaient les diverses cours, Kale commença à comprendre la disposition des lieux. Que ce soit parce qu'elle recueillait de l'information dans les pensées du kimen ou qu'elle vienne d'une forme d'intuition personnelle, elle ne savait pas. Mais elle connaissait à présent la configuration générale des différentes sections du fort.

Un haut mur de pierres destiné à la défense encerclait entièrement le domaine. Un deuxième mur de pierre plus fine formait en fait un cercle de pièces. Des stalles pour chevaux occupaient la majeure partie de cette section, mais il y avait également des quartiers pour les gardes, une cuisine, une auberge et des entrepôts. Les sauveteurs marchèrent à travers une salle pour nourrir les animaux, se déplaçant parmi des sacs d'avoine et des balles de foin pour passer du pourtour extérieur au pourtour intérieur.

Entre le deuxième mur et le troisième se trouvait une étendue de pelouse entretenue. Spongieuse sous leurs pieds, elle n'offrait aucun endroit où se cacher si quelqu'un venait. Shimeran traversa immédiatement dans le quadrant intérieur. Le mur suivant était moins élevé, et était érigé avec art de briques et de pierres noires sculptées. Ils se glissèrent dessus et tombèrent dans un jardin.

Là, des torches illuminaient les sentiers. Kale aperçut des plantes presque aussi grosses que des arbres et des bancs regroupés comme pour rendre visite ou se reposer. À l'occasion, alors qu'ils marchaient autour du centre de l'édifice, ils virent des porches avec des statues de marbre, des balcons avec des balustrades travaillées et des portes d'arche donnant accès au château en tant que tel.

Kale, bouche bée, regardait le château. Elle avait visité des huttes et des masures, de belles chaumières et des cabanes rustiques, des granges et des remises et des poulaillers. La plus haute maison à Rivière au Loin était l'auberge à trois étages. Elle avait contemplé la cité de Vendela, et elle savait cette capitale bien plus splendide que ce sombre et sinistre château fort. Mais, elle avait aperçu Vendela seulement de loin et cette forteresse, où ils seraient peut-être découverts et tués à tout moment, était impressionnante. Sans la peur qui étreignait son cœur, Kale aurait pris plaisir à admirer les merveilles autour d'elle.

Une fois qu'ils eurent quitté le domaine des soldats dans le cercle extérieur de la forteresse, ils ne rencontrèrent que quelques serviteurs. Ils durent se cacher pendant que deux femmes de chambre se plaignaient, assises auprès d'une fontaine. En une minute, Kale réalisa qu'il s'agissait de mariones. Sa bouche s'ouvrit en grand, et elle se tourna vers Dar pour obtenir une explication.

Regarde ! Vois-tu ? Elles sont mariones. Comment quiconque appartenant aux races supérieures peut-il servir Risto ?

Il plissa fortement le front et haussa les épaules.

— Parfois, ils servent ici parce que la vie y est plus facile ; enfin, c'est ce qu'ils croient avant de venir la première fois. Peut-être sont-ils attirés par les gages élevés ou les beaux vêtements. Ils s'illusionnent en pensant que travailler dans ces lieux équivaut à bosser dans une des grandes maisons dans l'une de nos villes. D'autres sont affaiblis par l'amertume et la colère. Ils servent ici, car ils se sentent plus à l'aise avec ceux qui, comme eux, nourrissent de vilains sentiments dans leur cœur.

Les sauveteurs contournèrent deux hommes, un tumanhofer et un doneel jouant aux cartes sur un banc de pierre sous une torche. En suivant les autres en silence autour du bord d'une terrasse, Kale fixa les serviteurs. Elle tenta de détecter un indice dans leur aspect qui lui indiquerait pourquoi ils avaient choisi de vivre à l'intérieur de ces murs sombres. Il n'y avait rien, sauf une certaine apparence de dureté dans leur expression. Elle se demanda si la froideur dans leur visage était apparue avant ou après avoir effectué leur choix.

En général, Dar, Kale et Shimeran évitaient facilement les travailleurs de la maison. Les sauveteurs se dissimulaient dans l'ombre et se glissaient d'un endroit sécuritaire à un autre. Fréquemment, Kale touchait le léger renflement causé par le dragon guérisseur dans sa cape. Le petit Gymn l'aidait à se détendre, chassant la tension et la peur.

Shimeran connaissait le chemin vers les donjons. Il les mena à l'arrière de la forteresse, la section la plus près de l'escarpement. Contrastant vivement avec les jardins et les terrasses du château, une enceinte sinistre entourait un grand trou béant servant d'entrée au soubassement. La cour désolée offrait seulement quelques bancs de bois. La pleine lune brillait dans le ciel nocturne et, ici, où il n'y avait pas de murs hauts, d'arbres ou de structures suspendues, elle jetait une demi-lumière lugubre. Kale se sentait plus vulnérable que dans toutes les autres parties du château.

Une échelle rudimentaire fabriquée avec des branches coupées attachées avec de la corde grossière était déposée sur un mur à proximité. Shimeran fit un geste dans sa direction, et Dar partit la ramasser. Kale vit le doneel ployer sous son poids et elle alla lui filer un coup de main. Ensemble, ils manœuvrèrent pour amener une extrémité de l'échelle au bord du trou et la soulevèrent. En s'aidant des deux mains, ils l'abaissèrent dans la fosse obscure.

Kale voulait protester. Descendre le long de l'échelle lui donnait la sensation de s'enfoncer dans un piège, mais ses impressions sur Leetu Bends lui disaient que le kimen les guidait dans la bonne direction.

Shimeran sauta sur les barreaux les plus élevés de l'échelle et disparut rapidement sans un bruit. Dar fit signe à Kale d'y aller en deuxième, mais elle secoua la tête. Il s'arrêta devant elle, lui tapota le bras et posa le pied sur la deuxième branche attachée sur les deux longues perches. Dans la lumière lugubre, Kale observa les oreilles dressées de Dar qui s'agitaient pendant qu'il descendait sous le bord du trou.

Elle jeta un coup d'œil sur l'enceinte funeste. Les murs nus de pierre grossièrement taillée ressemblaient aux parois typiques d'une grange d'un fermier pauvre, et non à celles d'un château de magicien. Aucune forme de beauté ne résidait ici. Les teintes de gris et les ombres noires obscurciraient tout attrait. Même le silence des lieux n'offrait pas de paix.

Elle scruta le trou. En bas, l'agitation, le mal et le danger dansaient entre les murs grossièrement équarris des couloirs de pierre. Elle entendit retentir des cris d'horreur et elle ne pouvait chasser le sentiment qu'il s'agissait de détresse actuelle et non pas des échos du passé. Shimeran était descendu le long de l'échelle. Dar l'avait suivi. Kale ouvrit son esprit pour atteindre celui de Leetu.

Nous arrivons! lança-t-elle, puis elle balança son pied sur le premier barreau de l'échelle avant de pouvoir réfléchir davantage à la terreur en bas.

Le bois craqua sous son poids. Les barreaux n'avaient nullement protesté quand Dar et Shimeran étaient grimpés dessus. Mais le doneel faisait la moitié de sa grandeur, et le kimen était si minuscule qu'il s'envolerait probablement sous l'impulsion d'une forte brise. Une lumière jaillit sous elle, et elle glissa en perdant presque pied. Elle haleta, s'accrocha au barreau fragile et chercha ses compagnons dans la clarté soudaine.

Dar se tenait à côté de Shimeran dont les vêtements dégageaient à présent une lueur dorée.

— L'espoir, lui dit-il en souriant.

— L'espoir? répéta-t-elle.

— La lumière dorée représente un symbole d'espoir. La partie la plus dangereuse de notre périple à travers la forteresse du magicien se trouve déjà derrière nous. Il n'y aura aucun garde ici pour nous déranger. Rien d'autre que des rats, des chats et des druddums.

Kale frissonna et descendit rapidement les derniers barreaux. Les pieds sur le sol de terre battue, elle mit les poings sur ses hanches et observa le kimen.

— Et qu'en est-il de notre voyage hors de la forteresse du magicien ?

— Il nécessitera une couleur différente.

Il frappa dans ses mains et scruta les diverses avenues s'ouvrant sur l'entrée.

— Dans quelle direction, Kale ?

Elle caressa Gymn à travers l'étoffe de sa cape. Le geste calma ses nerfs fragiles. Elle hocha la tête dans la direction d'un tunnel sombre tournant à droite. Shimeran partit sans commentaire. Sa lumière vive bondissait sur les murs de pierre. Des marques de burin indiquaient les endroits où des mains munies d'outils de métal avaient agrandi le tunnel naturel. L'humidité s'accrochait à la pierre grise et en certains points, elle s'écoulait en filet jusqu'au sol en y laissant des flaques saumâtres.

Les tunnels souterrains formaient des serpentins en suivant leur course naturelle. Ici et là, des outils d'homme avaient élargi des passages étroits et haussé leur plafond. Certains tunnels s'ouvraient sur des grottes. Des cages vides formées de lourdes barres occupaient ces grands espaces sous terre.

Kale fixa un couloir après l'autre de ces prisons inoccupées. Elles se ressemblaient toutes. Aucune des grottes n'était habitée, mais toutes jetaient le trouble en elle. Quelque chose dans leur odeur repoussante la mettait aussi à cran. Les grottes dégageaient l'odeur d'une grange encrassée. Pourtant, après des années d'inutilisation, les pièces de granite auraient dû sentir davantage comme une remise vide. Elle s'était attendue à voir de la souffrance et s'était armée contre l'horreur de cette prison maléfique. Où se trouvaient les victimes de la main cruelle de Risto ?

Ils pénétrèrent encore dans une autre de ces grottes sinistrement silencieuses. La lumière de Shimeran augmenta et éclaira les murs. Des chaines pendaient de chevilles de métal enfoncées dans la pierre. Des portes béaient dans un angle étrange ; aucune ne fermait une cage. Kale frissonna en apercevant un tas de chiffons dans un coin. Au début, elle avait cru qu'il s'agissait d'une personne.

Kale n'arrivait pas à dissiper son impression de détresse intense. Elle s'efforça de voir dans les ombres, s'attendant à y trouver des visages ou un signe de vie.

— Est-ce un donjon sans prisonniers ?

Le rayonnement de Shimeran s'atténua et devint bleu sombre.

— Risto ne se donne plus la peine de garder ses prisonniers en vie depuis longtemps.

Kale suivit en silence après cette réponse. Souvent, une caverne affichait deux sorties. Elle pointait chaque fois que Shimeran lui jetait un regard interrogateur, mais il prenait toujours la tête. Dar avançait sans bruit, parfois devant Kale et parfois derrière.

Kale se concentrait pour trouver Leetu. Les pensées évoquées par le sinistre spectacle autour d'eux entravaient son aptitude. Elle entendait presque des murmures, des faibles cris de désespoir et un bruissement comme celui des feuilles mortes. Toutefois, il n'y avait ni vent ni feuilles. Malgré cela, l'étrange atmosphère la bouleversait.

— Il y a quelque chose qui cloche, déclara-t-elle alors qu'ils pénétraient dans une nouvelle grotte inoccupée. Est-ce que nous tournons en rond ?

— C'est toi qui nous guides, lui rappela Shimeran en se dirigeant au centre de la pièce.

— Je sais.

Kale soupira. L'explication s'avérerait ardue.

— Il me semble que Leetu se trouve toujours devant nous. Mais parfois, on dirait qu'elle se trouve seulement à un mètre ou deux de nous. Puis, c'est comme si nous l'avions dépassé et que nous devions encore parcourir une longue route.

Shimeran s'arrêta, mais ne dit mot. Les oreilles de Dar remuèrent, montrant qu'il avait aussi les nerfs en boule.

Kale poursuivit :

— Au début, je croyais qu'ils la déplaçaient peut-être, et que, parfois, nous étions tout juste sur leurs talons, sur le point de les rattraper, et parfois ils bondissaient beaucoup plus loin qu'il aurait été possible s'ils tournaient vraiment en rond dans les mêmes tunnels. Il y a quelque chose qui ne va pas du tout.

— Je le ressens aussi, déclara Dar. Mais mon inquiétude est issue du manque de vie. Il n'y a pas eu de prisonniers, de gardes, et nous n'avons pas vu la présence des rats, des chats et des druddums dont tu nous avais parlé Shimeran.

La lumière du kimen faiblit, laissant les murs dans l'ombre.

— Gardons le silence.

Kale voulait discuter. Elle voulait supplier le kimen d'éclairer la pièce, mais elle ne dit rien. Elle détestait l'obscurité, le silence. Elle s'imagina Dar sortant un de ses instruments et dispersant la morosité avec une chanson gaie. Ce serait agréable d'adoucir ce sombre endroit avec une mélodie.

Pendant que la quiétude les enveloppait, Kale dressa attentivement l'oreille pour entendre par-dessus sa respiration. Encore une fois, elle pensa presque avoir capté des sons de douleur, un reniflement, un sanglot, une voix suppliante.

Des larmes emplirent ses yeux.

— Dar, murmura-t-elle.

— Quoi ?

— La pièce n'est pas vide. Les cages ne sont pas inoccupées.

Les yeux de Dar s'arrondirent quand il regarda autour de lui.

— Plus de lumière, Shimeran, cria-t-il. Autant que tu peux en créer.

Une fois de plus, l'image de Dar jouant de la musique surgit dans l'esprit de Kale.

— De la musique, Dar, dit-elle. De la musique. Joue quelque chose. Il s'agit d'un enchantement.

Dar tendit la main dans la poche de son veston et en sortit un harmonica.

— Nous avons été aveuglés par la magie.

Kale entendit l'urgence dans sa voix et ne pouvait pas se l'expliquer, même à elle-même.

— Nous sommes passés devant la souffrance sans la voir. Joue, Dar.

Le doneel leva son harmonica pour le poser sur ses lèvres et souffla. Une mélodie s'en échappa, excitante et rythmée. L'air environnant frémit, et l'image de la grotte vide sembla fondre et s'écouler sur le sol. Dans la pièce autour d'eux, neuf cages retenaient des prisonniers maigres et épuisés.

— Ils nous voient, annonça une voix faible.

Les sanglots entendus par Kale passèrent de chagrinés à joyeux.

— Ils nous voient.

25

Fuyons !

Plusieurs membres de races différentes vivaient dans des conditions sordides ou étaient suspendues aux murs avec des chaines autour de leurs poignets et de leurs chevilles. Certains observaient les sauveteurs de Leetu avec des yeux ternes. D'autres leur adressaient d'une voix rauque des suppliques mélancoliques, appelant la libération, demandant de l'eau ou un quignon de pain. Quelques-uns bredouillaient des mots incompréhensibles.

— Nous devons les libérer, déclara Kale.

Shimeran et Dar acquiescèrent tous les deux. Dar se dirigea vers une cage, puis marqua une pause. Il se tourna vers Shimeran.

— Nous ne pouvons pas y arriver seuls. Ton peuple nous aidera-t-il ?

— Peu sont déjà entrés dans la forteresse.

Il regarda autour de lui.

— Il y a presque trente prisonniers ici. Un très petit nombre est en état de marcher, et encore moins sont en état de se battre si nécessaire. Si toutes les pièces du donjon en contiennent autant, nous en aurons des centaines à guider en sécurité hors de ce trou.

— Nous devons retrouver Leetu, dit Kale.

— Oui, acquiesça Dar. Nous localiserons Leetu, et, pendant que toi et Gymn la soignerez, Shimeran et moi établirons une stratégie.

Kale ferma les yeux pour ne plus voir les nombreuses âmes souffrantes, mais ses oreilles entendaient toujours leurs murmures, leurs implorations à la clémence.

Leetu ; je dois trouver Leetu Bends.

Elle ouvrit les paupières et revint lentement sur ses pas en dépassant ceux qu'elle ne pouvait pas secourir. En suivant la force invisible qui lui disait où elle pouvait trouver sa camarade, Kale essaya d'ignorer la vue de la souffrance et ses sons. Elle offrit des paroles d'encouragement aux captifs, leur annonçant leur libération imminente. Pour l'instant, Kale n'avait que de l'espoir à leur donner.

Elle passa à travers plusieurs tunnels et grottes. Aucun n'était vide, comme ils l'avaient cru plus tôt. Des chats, des rats et des druddums allaient et venaient furtivement dans les passages. Chaque pièce contenait un groupe de prisonniers désespérés. Kale vit des mariones, des doneels, des kimens, des urohms, des émerlindians et des tumanhofers. Elle sursauta en réalisant que certains des captifs étaient des o'rants. Elle n'avait jamais rencontré une autre personne de sa race.

Dar la pressa de poursuivre sa route quand elle s'arrêta à côté d'un vieil o'rant.

— Je sais, Kale. Mais ce n'est pas le moment. Vois à Leetu d'abord.

Dans un coin du donjon suivant, ils découvrirent la forme de Leetu roulée en boule contre un mur de pierre froid. De l'humidité suintait des pierres et dégouttait sur l'émerlindian. Leetu dormait dans des vêtements humides et sur une flaque peu profonde dégageant une forte odeur de fer rouillé.

Shimeran posa ses poings sur ses hanches et lança un regard noir sur les occupants du donjon.

— Où se trouve le kimen qui devrait se tenir auprès de son amie en ce moment ?

Les misérables prisonniers secouèrent la tête, tremblant devant la colère de ce kimen de soixante centimètres.

Dar se plaça à côté de Shimeran et lui parla tout doucement.

— Crois-tu seulement qu'ils ont vu le compagnon kimen de Leetu ?

Shimeran ignora la question.

— Je saurai pourquoi l'émerlindian a été laissée seule.

Il s'agenouilla auprès de Leetu. Il lui toucha le front et secoua la tête.

— Sa peau est chaude, pourtant elle frissonne. Voyons voir ce que nous pouvons faire pour elle.

Dar, Kale et Shimeran déplacèrent le corps mou et fiévreux de Leetu dans un endroit plus sec.

— Elle est au seuil de la mort, annonça Shimeran d'une voix solennelle.

Une dénégation violente monta aux lèvres de Kale, mais elle la ravala. Il leur avait fallu beaucoup de temps pour rejoindre leur camarade.

Je ne sais pas vraiment si Gymn peut guérir une personne si faible.

Avec l'assistance de Dar et de Shimeran, Kale étala sa cape sur le sol crasseux et installa Leetu sur l'étoffe tissée avec la fibre des rayons-de-lune. Kale s'assied auprès d'elle et sortit tendrement Gymn de son antre de poche au bord de la cape. Elle le tint près de sa poitrine, niché au creux de ses bras.

— Réveille-toi, mon tout petit, dit-elle en roucoulant à l'intention du dragon. Nous avons du travail.

Gymn plissa le nez devant les odeurs putrides du donjon et posa sa tête sur la manche de Kale. Avec l'index, elle leva son menton écailleux. La jeune bête cligna des yeux dans la lumière émise par le kimen. Elle se souvint que Shimeran avait qualifié la lueur dorée « d'espoir ».

— Nous devons essayer, dit-elle à Gymn.

Elle le décolla de son bras et l'étendit sur la joue blafarde de Leetu.

Une voix argentine les interpella.

— Vous êtes venus à la rescousse de l'émerlindian. Que s'est-il passé ici ? Il y a à peine une heure, cet endroit ressemblait à un tombeau. Rien de vivant sauf moi et la guerrière de Paladin.

— Seezle !

La voix de Shimeran résonna de mécontentement.

— J'aurais dû m'en douter. Où étais-tu ?

— Du calme, le grand frère. Je suis allé chercher de l'eau fraîche, une couverture et un peu de nourriture.

Kale regarda rapidement la petite femme kimen. De sous les plis de son habit, Seezle fit apparaître une miche de pain, une bouteille, et une étoffe épaisse et pliée.

Shimeran grogna.

— L'émerlindian ne peut pas manger. Nous ferons couler un peu d'eau dans sa bouche. Ses camarades prendront la nourriture. J'ignore quand ils ont mangé pour la dernière fois, mais leur périple a été long et n'est pas terminé.

Kale accepta avec plaisir la boisson et le pain. Bien qu'ils transportaient encore des provisions de Mamie Noon dans leur réserve, ils ne s'étaient pas restaurés depuis un moment. Alors que la cape de Kale avec ses cavités pleines était à portée de main, les affaires de Dar étaient restées dans la forêt avec Célisse. En vérité, elle n'avait pas songé à la nourriture ni à sa faim grandissante jusqu'à ce qu'elle aperçoive l'offrande de Seezle. Kale partagea avec Gymn. Dar remercia la kimen avec éloquence et s'attaqua immédiatement au repas frugal.

Son appétit calmé, Kale reprit son rôle auprès de l'émerlindian souffrante avec Gymn. Elle se demanda si le processus de guérison s'avérerait aussi grisant que lorsqu'elle avait travaillé sur les plaies de Célisse. Les blessures de Leetu étaient enfouies profondément dans son être — elles étaient vieilles et non fraîches — et avaient été infligées par une main maléfique. Les plaies de Célisse se trouvaient sur la surface de sa peau, elles étaient relativement récentes et causées par une flèche plutôt que par un toucher physique cruel. Ce ne serait pas une cure facile.

Ne se sentant pas à la hauteur de la tâche, Kale se positionna à côté de Leetu et installa Gymn contre la joue de l'émerlindian. Espérant que Wulder renforcerait ses pauvres efforts, la jeune o'rant plaça ses mains dans la bonne position pour fermer le cercle.

Kale sentit Dar et Shimeran s'éloigner. Ils allaient comploter la libération des autres prisonniers. Kale se concentrerait sur Leetu.

⊢━ ━⊣

Quand Dar donna un petit coup sur l'épaule de Kale, elle comprit qu'elle avait dû s'endormir. Elle était allongée à côté de Leetu, ses mains touchant encore l'émerlindian et Gymn pour former le cercle de guérison.

— Kale.

La voix de Dar pénétra son esprit embrumé. Elle leva la tête sans briser le cercle. Elle tenta de fixer son attention sur le visage de Dar, mais elle découvrit que ses longs favoris et ses joues duveteuses s'embrouillaient avec le mur derrière lui.

Il parla doucement.

— Shimeran a regroupé tous les kimens logeant dans la forteresse.

— Ils vivent à l'intérieur ?

Sa voix lui semblait râpeuse.

— Oui, en tant que locataires non invités. En fait, Risto ignore leur présence ici.

Le regard de Dar parcourut la cellule miteuse. Il paraissait mal à l'aise. Elle remarqua que la lumière de Shimeran avait été remplacée par une torche sur le mur.

Dar tripota une petite tige de métal et la leva afin qu'elle la voie.

— Je vais crocheter les serrures pendant que les kimens sont partis.

— Nous sommes seuls ?

— Nous ne sommes jamais seuls.

La voix de Dar résonna fortement sur les murs épais. Il redressa les épaules.

Elle s'efforça de comprendre les paroles du doneel. L'intense processus de guérison de Leetu protégeait ses pensées de ce qui se passait autour d'elle. Il avait dit que quelqu'un était parti et qu'ils n'étaient pas seuls. Ça ne faisait aucun sens.

— Parti ? Qui est parti ?

— Les kimens. Ils sont sortis pour rassembler davantage de leur gens. Les kimens habitués à se déplacer entre ces murs guideront dans la forteresse les kimens venant de l'extérieur. Nous espérons qu'il y aura un kimen pour chaque prisonnier à libérer.

Kale hocha la tête, qui retomba ensuite sur le sol.

Quelque temps après, elle sentit une caresse sur son poignet. Elle ouvrit les yeux. Dar était penché sur elle et il attachait une mince corde verte à son bras.

— Qu'est-ce que c'est ? murmura-t-elle.

— Une bande herbacée. Elle te protégera des attaques des hornets.

Kale s'assit en lâchant Leetu et Gymn.

— Des hornets ?

Étourdie par le sommeil et le processus de guérison, elle scruta la pièce à la recherche d'un bataillon d'insectes piqueurs. Au lieu de cela, elle vit un donjon vidé de ses prisonniers.

— Pas encore ici, déclara Dar alors qu'il enroulait le même genre de bracelet sur le bras mou de Leetu. J'apprends les choses les plus étonnantes, Kale. Les kimens ont des guerriers et ils s'équipent avec des armes naturelles. Ils planifient bombarder les soldats bisonbecks avec des nids de hornets. Astucieux, non ?

Kale secoua la confusion dans son esprit.

— Dar, que se passe-t-il ? La magie est-elle revenue pour dissimuler les gens ou sommes-nous réellement seuls ? Depuis combien de temps est-ce que je dors ?

— Holà !

Dar s'assit sur ses talons et esquissa un grand sourire. Ses oreilles se dressèrent sur sa tête et s'agitèrent d'excitation.

— C'est presque l'aube. Il y a un moment, les captifs ont été amenés à l'intérieur du château, nourris et abreuvés, et ils ont pris des habits dans les quartiers des serviteurs. Mais à présent, ils sont cachés dans le troisième quadrant en attendant une diversion des kimens. Lorsque les quadrants extérieurs seront plongés dans le chaos, ils s'échapperont. Dans la forêt, des villageois convoqués par les kimens les dirigeront vers des cachettes dans la vallée. Après que les prisonniers auront recouvré leurs forces, un plan sera élaboré pour les faire rentrer à la maison.

Le flot de paroles de Dar avait finalement réveillé Kale de son état confus.

— Quoi ?

Elle se redressa davantage.

— Les kimens sont arrivés il y a environ une heure. Ils se sont glissés furtivement à l'intérieur à l'insu des gardes bison-becks ; une tactique risquée, mais plus facile qu'une invasion normale.

— Une invasion ?

— Sois attentive, Kale.

Dar se positionna en tailleur et se pencha en avant.

— Les kimens ont pénétré dans le cercle intérieur sans éveiller l'attention des gardes de l'extérieur. Ils ont traversé le château et estourbi les serviteurs.

— Estourbi ?

— Ils les ont assommés.

— Comment de minuscules kimens peuvent-ils terrasser des serviteurs ?

— Ils les assomment, répéta Dar. C'est absolument fasci-
nant. J'imagine que la race des kimens n'aimait pas être sans
défense. Ils ont parcouru un long chemin depuis l'époque où
Pretender a essayé de les assujettir et que les urohms sont
venus à leur rescousse.

— Dar !

Kale se mit debout et jeta un regard furieux au doneel.

— Explique ce qui se passe sans tout ce charabia.

Dar fronça les sourcils en levant les yeux vers elle, mais son
enthousiasme effaça rapidement son courroux.

— Un kimen surgit soudainement en bondissant devant le
visage d'un serviteur. Puis, il produit une explosion de lumière
directement dans les yeux de la personne. Je les ai vus à l'œuvre
des douzaines de fois. Le serviteur tombe au sol comme s'il
avait été frappé de plein fouet sur la caboche.

— Donc, tous les serviteurs ont été capturés pendant que je
dormais ?

— Oui, puis grâce à moi, ils sont maintenant pieds et
poings liés. Ils ne contrecarreront pas notre fuite.

Dar regarda la silhouette immobile de Leetu. Gymn était
toujours étendu de tout son long sur sa joue.

— Ce n'est pas comme si tu dormais réellement, Kale. Tu
travaillais aussi.

Kale contempla l'émerlindian. Leetu affichait encore un
teint cireux. Le rythme de sa respiration était lent et superficiel.
Elle ne faisait aucun mouvement, sauf celui de sa poitrine se
soulevant à chaque inspiration, indiquant ainsi qu'elle était en
vie.

Kale repoussa son désespoir.

— Je ne vois pas le bien que j'ai pu faire.

— Nous l'amènerons au magicien Fenworth, dit Dar en se
levant. Elle a besoin du pouvoir guérisseur d'une personne
avec l'expérience pour combattre la méchanceté de Risto. Leetu
ne mourra pas maintenant, Kale. Toi et Gymn lui avez insufflé

assez de force et, par conséquent, vous nous avez donné suffisamment de temps pour la conduire jusqu'à Fenworth.

Kale ne prit pas la peine de rappeler qu'ils avaient déjà échoué à retrouver le magicien des marais. Elle ramassa la couverture pour la plier en observant la forme immobile de son amie.

Comment allons-nous te porter ? Le voyage empirera-t-il ton état ? Dar dit que tu ne mourras pas, mais j'ai peur.

Une boule de lumière clignotante descendit rapidement le tunnel et éclata dans la pièce.

— Dar, Kale, nous devons fuir.

Seezle s'arrêta. Ses orteils touchaient à peine le sol de pierre. Elle semblait prête à courir. En regardant par-dessus son épaule, elle bondit à travers la pièce et atterrit auprès d'eux.

— Risto est revenu. Il est apparu à l'entrée de la forteresse, maudissant ses gardes, crachant avec rage des mots de destruction. Shimeran est parti chercher Célisse et il nous rencontrera à la chute d'eau.

Kale laissa tomber la couverture et se dirigea rapidement vers Leetu.

— Enroule la cape autour d'elle, ordonna Dar.

Il saisit les jambes de l'émerlindian. Seezle se positionna pour supporter le poids du milieu du corps de Leetu. Kale hésita.

— Qu'y a-t-il ? s'enquit Dar.

— Où est Gymn ?

Ils regardèrent tous autour.

— Là !

Dar désigna d'un signe de tête un tas vert pâle sur le sol.

Kale s'arrêta pour ramasser le dragon.

— Que s'est-il passé ? demanda Seezle à la jeune o'rant alors qu'elle glissait Gymn dans une poche de la cape et repliait l'étoffe sur la poitrine de Leetu.

— Rien, répondit Dar. Dépêche-toi, Kale.

— Rien ? questionna Seezle.

— Le dragon s'évanouit, expliqua Dar, quand quelque chose l'effraie.

Kale souleva Leetu par les épaules. Seezle se coula sous le bas de son dos et la soutint à cet endroit.

— Où allons-nous ? s'enquit Kale.

Les mains minuscules de Seezle apparurent sur la taille de Leetu.

— Sous les donjons, à la rivière souterraine, puis à la chute.

Un souvenir surgit dans l'esprit de Kale — son premier aperçu de la forteresse depuis l'extrémité de la vallée. À mi-chemin de l'escarpement raide sous les murs noirs et gris du château, de l'eau jaillissait des rochers et plongeait des centaines de mètres avant d'être cachée par la brume à sa base.

— Ne pouvons-nous pas sortir par le même chemin que nous avons suivi pour entrer ? demanda-t-elle avec espoir.

— Et affronter Risto ?

Seezle rit sans trace d'humour.

— Ce serait une mort déplaisante.

Kale ne croyait pas que l'évasion choisie offrait quoi que ce soit de plaisant.

26

DES OBSTACLES

— Nous n'allons pas vers l'entrée du donjon ? demanda Kale.

Elle s'efforçait de tenir les épaules de Leetu sans laisser sa tête ballotter de gauche à droite.

Dar menait la marche, les pieds de l'émerlindian sur les épaules. Kale le vit faire un signe de la tête.

— Nous devons monter, sortir du donjon, traverser de toute part la cour est, puis descendre dans un puits.

Kale songea que le doneel paraissait très confiant.

— Tu es déjà passé par là ?

— Non.

Seezle rigola depuis sa position sous Leetu. Ses petites mains agrippaient le tissu de chaque côté de la taille de l'émerlindian et sa tête ébouriffée soulevait le creux des reins de Leetu.

— Moi oui, Kale. Je connais le chemin.

Sa voix chantait presque en la rassurant.

— Au fond du puits, il y a une rivière avec de larges bords de pierre. C'est facile de se rendre aux chutes à partir de là.

Il semblait à Kale que ce plan les mènerait à un cul-de-sac.

— Et une fois que nous atteindrons les chutes ?

Seezle resta joyeuse.

— Shimeran et Célisse nous y rencontreront.

— Je n'ai pas remarqué d'endroit où un dragon peut atterrir.

— Il n'y en a pas. Nous sauterons.

Dar stoppa net, et comme ni Seezle ni Kale ne purent arrêter immédiatement, le corps de la pauvre Leetu se replia sur lui-même, plié aux genoux et à la taille comme une poupée de chiffon. Inconsciente, Leetu n'émit aucune plainte pendant que les trois la remettaient à l'horizontale. Kale recula et Seezle, qui avait été poussée au sol, se mit debout.

Dar se contorsionna pour regarder sous son bras la kimen derrière lui.

— Nous sauterons ? demanda-t-il.

— Il y aura un filet.

Les sourcils broussailleux de Dar se froncèrent avec férocité. Ses oreilles étaient aplaties sur son crâne, disparaissant presque sous ses cheveux hirsutes.

— Comment peut-il y avoir un filet ?

Il jeta un regard mauvais à Seezle.

— Tu vas suspendre un filet dans une chute d'eau ?

— Non, le filet sera enroulé autour de Célisse. Nous n'aurons qu'à franchir la falaise quand elle volera tout près, à sauter sur elle et à saisir le filet.

Dar pivota vers l'avant et commença à marcher sans avertir ceux à sa suite. Leetu reçut une secousse qui lui étira le corps. Kale était heureuse que l'émerlindian fût comateuse.

— Laisse-moi t'apprendre une chose sur les doneels, dit Dar en avançant au pas, son visage fermement tourné vers le sentier devant lui. Les doneels forment une race très sociable. Ils excellent dans les domaines de la culture. Les doneels se sentent à l'aise dans les palais de l'aristocratie et avec les paysans lors des fêtes villageoises. Ils sont habituellement doués de talents musicaux, artistiques et littéraires. On sait que des doneels ont vécu avec des tumanhofers dans leurs cités souterraines. Des doneels ont vogué sur la mer. La plupart des doneels s'adaptent aisément aux rigueurs d'un vol de dragon. Cependant...

Une certaine intransigeance se glissa dans le ton de sa voix. Il livra ses mots suivants avec une froide précision.

— Nous ne sommes pas reconnus pour des exploits insouciants d'acrobatie stupide.

— Tout ira bien, insista Seezle.

Kale ne voyait que les mains de la kimen sur la taille de Leetu, quelques mèches de cheveux follets et la lueur de ses vêtements.

— Shimeran est responsable des détails. Paladin dirige le sauvetage.

— Paladin?

L'attention de Kale se fixa sur la voix étouffée de la kimen au milieu du corps de leur fardeau.

— Oui. Il se trouve dans la forêt à encourager les villageois. Je t'assure que cela a été difficile de revenir dans la forteresse. J'aurais préféré le suivre et écouter tout ce qu'il avait à dire.

— Combien de temps restera-t-il là-bas? Penses-tu que nous le croiserons?

— C'est une possibilité, répondit Seezle. Mais il reste rarement longtemps à un même endroit.

Kale voulait presser ses compagnons. L'occasion de rencontrer Paladin l'emplissait d'excitation, mais la réalité de leur situation écrasa ses espoirs.

Tout d'abord, nous devons sortir d'ici. Puis, de la forteresse. Ensuite, nous devons traverser le tunnel de la rivière souterraine. Il faudra alors sauter sur le dos de Célisse et atterrir sans encombre. Puis, voler jusqu'à la forêt qui est probablement envahie par les hommes de main de Risto. À moins que Paladin vienne nous aider, je ne crois pas que nous arriverons à lui à temps.

Alors qu'ils passaient dans les couloirs de pierre, Kale fouillait les ombres du regard. Tous les pauvres détenus avaient été libérés. Le trouble qui au début l'avait alerté de la présence cachée des prisonniers avait disparu. Pourtant, un silence sinistre enveloppait chaque coin de son mystère. Elle et ses camarades étaient les seules créatures vivantes qui restaient, à l'exception des rats, des chats et des druddums.

Les matous étaient assis et les observaient en prenant différentes poses marquant leur désintérêt. Kale frissonna sous leur regard froid. Les chats domestiques à Rivière au Loin étaient amicaux. Ces félins semblaient méchants et maussades, comme s'ils examinaient les intrus pour faire rapport à leur maître. Des doigts terribles enserraient son cœur. Elle s'éclaircit la gorge pour demander à Dar si c'était possible que des chats espionnent pour Risto.

Un druddum déboula d'un coin et s'écrasa sur un chat. Un cri strident déchira l'air, et fut immédiatement suivi d'un combat. Des sifflements et des miaulements ricochèrent sur les murs de pierre et le long des couloirs, résonnant dans les oreilles de Kale. Elle accéléra le pas avec plaisir quand Dar augmenta la cadence.

Ils atteignirent l'échelle grossière en bois à l'entrée du donjon. Les bras de Kale étaient endoloris à force de porter le corps de Leetu. Bien que la forme menue de l'émerlindian n'eût pas dû être lourde, son poids mort pesait sur les épaules de la jeune o'rant. Kale se demanda si la kimen et le doneel subissaient les mêmes conséquences.

Dar leur indiqua d'un signe de déposer leur fardeau. Une fois qu'ils eurent posé Leetu sur le sol, il arqua le dos et fit rouler ses épaules. Kale l'observa avec un sourire suffisant. Il était ankylosé lui aussi. La kimen dansa vers l'échelle et, sans effort apparent, elle gravit rapidement les échelons. Ses vêtements cachaient ses jambes.

Elle semble plus flotter sur ses barreaux que les grimper.

— La voie est libre, annonça Seezle du haut de son perchoir. Montez votre amie.

Kale et Dar se regardèrent, puis baissèrent les yeux sur le corps immobile de Leetu. La force de Dar surpassait celle de Kale, mais il n'était pas constitué pour transporter la longue et fragile émerlindian. Kale était plus grande que tous ses compagnons.

— Je vais la porter, déclara-t-elle. Aide-moi à la placer sur mon dos avec la tête et les jambes pendues par-dessus mon épaule.

Dar plissa le front et inclina la tête en regardant Kale avec un œil inquisiteur.

— En es-tu certaine?

Kale fit signe que oui.

— Je ferai semblant qu'il s'agit d'un sac de pommes de terre que j'apporte de la réserve de l'auberge.

Il rigola.

— Elle est beaucoup plus légère que ces gros sacs de pommes de terre.

Il attrapa les bras de Leetu et la souleva avec efficacité en position assise. Kale se plia en deux, et entre ses efforts pour la tirer et ceux de Dar pour la pousser, ils réussirent à draper le corps mou de Leetu sur l'épaule de Kale.

Kale était incapable de se relever. Dar la guida vers l'échelle branlante.

— Veux-tu que je pousse par-derrière?

Kale entendit un pétillement suspect dans ses mots.

— Est-ce que tu ris?

Elle souffla et déplaça un peu son fardeau pour le centrer sur son dos.

— Non, bien sûr que non.

Dar ajusta la cape en rayons-de-lune couvrant Leetu.

— Mon assistance t'est-elle nécessaire?

— Non!

Je peux y arriver, et rapidement. Je veux sortir de cette forteresse. J'ai eu ma dose de trous obscurs et nauséabonds. J'ai vécu suffisamment d'aventures. Oh, comme j'aimerais qu'il s'agisse vraiment d'une poche de pommes de terre! Et j'aimerais que ceci soit le sous-sol de l'auberge.

Elle posa un pied sur le plus bas échelon et hissa son poids vers le haut. La branche formant la barre transversale craqua sous son pied. Elle monta rapidement sur le barreau suivant. La pensée que des grawligs, des bisonbecks, des mordakleeps et le magicien Risto se tapissaient à l'extérieur de l'entrée du donjon en attendant leur arrivée lui traversa l'esprit. Elle ferma les paupières et s'agrippa à l'échelle de bois rustique pendant que son esprit se tendait vers l'endroit au-dessus d'elle. Personne d'autre que Seezle ne se tenait à proximité.

Kale se força à mettre un pied sur l'échelon suivant.

Des aventures comme celle-ci devraient être entreprises par des gens qui les apprécient. Je ne les aime pas du tout.

Et une fois sortie d'ici, j'irai voir Paladin. Et je vais lui parler et lui dire ce que je ressens. Je ne suis pas douée pour ces histoires de quête. Je laisserai Leetu et Dar avec Paladin, et j'irai au Manoir.

Peut-être qu'une fois que j'en aurai appris plus sur les o'rants dans une partie paisible du pays remplie d'o'rants et où personne ne mène jamais, jamais de quête, et après que l'on m'ait enseigné de manière appropriée, dans une école faite pour préparer des gens pour des quêtes et des aventures, il se peut qu'à ce moment-là, je me mette à la recherche d'œufs meech, je trouve des magiciens de marais et que je combatte les grawligs.

Elle atteignit l'ouverture et sortit la tête. Le doux rayonnement de Seezle illuminait la petite cour. Rien n'avait changé depuis que Kale l'avait vue. Elle soupira de soulagement et passa rapidement par-dessus le bord du trou. Dar apparut presque immédiatement.

— Je vais partir en éclaireur, déclara Seezle.

Sa lumière s'éteignit, et seul un murmure comme celui d'une brise indiqua qu'elle les avait quittés.

— Repose-toi un instant, dit Dar.

Kale avait à peine déposé Leetu à terre avec précaution pour ensuite s'écrouler au sol que Seezle revint. Elle passa comme un coup de vent par la porte d'arche et s'arrêta entre

Dar et Kale. Ses vêtements commencèrent à luire d'un doux éclat améthyste lorsqu'elle parla.

— Il y a une bataille féroce à l'entrée principale. Le château lui-même est désert. Nous pouvons gagner du temps en nous rendant à la terrasse et en traversant la salle des banquets, puis la cuisine. Le puits est situé juste à l'extérieur.

— Comment as-tu découvert cela si rapidement ? s'enquit Kale. Tu ne t'es pas absentée plus d'une minute.

Les yeux de Seezle s'arrondirent.

— Les kimens sont les créatures les plus rapides à travers le monde.

Kale fronça les sourcils. Encore une fois, elle se demanda si la rumeur voulant que les kimens pussent voler était fondée. Mais elle était trop fatiguée et effrayée pour réfléchir à la question.

— Allons-y.

Dar se déplaça pour s'emparer des pieds de Leetu.

Kale se hâta de prendre position en prenant les épaules de Leetu et regarda Seezle se glisser sous l'émerlindian. Pendant que la kimen se positionnait au creux des reins, Kale remarqua ses mouvements fluides et gracieux, presque comme la lumière qui inonde la prairie quand le soleil se lève. Si elle avait eu les mains libres, elle les aurait tendues pour toucher les habits de Seezle. Peut-être ces créatures portaient-elles de la lumière comme l'affirmait Dar.

Au loin, les épées qui s'entrechoquaient, les beuglements des bisonbecks et les cris des hommes et des animaux témoignaient de la bataille. Kale ravala la peur qui lui montait à la gorge et pressa Dar.

— Tu ne veux pas que je tourne un coin à toute vitesse comme un druddum et que je m'écrase en plein sur un garde, n'est-ce pas ?

— Seezle a dit que le château était déserté.

— C'était il y a une minute. Les choses changent rapidement au milieu d'un combat.

Son murmure portait un avertissement ferme.

— Garde les oreilles en alerte et utilise ton talent.

Ils passèrent sous une arche de pierre et entrèrent dans une cour. Avec précaution, Kale tendit son esprit. Les rencontres avec l'obscurité l'intimidaient. S'ouvrir l'esprit l'amusait avant que les mordakleeps ne kidnappent Leetu et que Kale touche cet horrible néant pour la première fois. Se concentrant à fouiller avec son esprit tout en évitant de se cogner mentalement à cette noirceur, elle trébucha sur la berge de pierres inégales.

— Regarde où tu vas, siffla Dar.

Kale retint une réplique. Quelque chose se déplaça devant eux, pas dans leur champ de vision, mais juste au-delà. Son esprit détecta deux êtres.

— Arrête! glapit-elle.

— Je suis désolé Kale. Tu as raison. Je ne devrais pas aboyer après toi.

Dar continua d'avancer.

— Nous nous en sortirons. Ne t'inquiète pas.

— Dar, cesse de bouger! Il y a quelqu'un devant. Derrière ce mur.

Ils stoppèrent brusquement et écoutèrent. Kale fixa toute son attention sur l'identification de l'ennemi.

— Deux bisonbecks, dit-elle aussitôt qu'elle eut clairement capté leur image.

— En plein sur notre chemin! fulmina Seezle. Nous voulons traverser cette terrasse et entrer dans la salle des banquets.

— Allez, dit Dar, déposez Leetu sous les buissons.

Il se dirigea vers un côté de la terrasse en brique où un groupe de bancs ouvragés se nichaient dans une alcôve d'arbustes verts luxuriants. Ils installèrent Leetu entre un siège en marbre et la statue de deux vierges exécutant une danse.

Une fois l'émerlindian sur le sol, Seezle obscurcit ses vêtements.

— Je vais voir s'il s'agit de personnes égarées ou si toute la force des gardes recule plus loin dans les terres du château.

Elle partit à toute allure avant que Dar ne puisse répondre. Il avait l'air ennuyé.

— On m'a déjà dit, déclara-t-il, que travailler avec les kimens constituait une épreuve.

Il se leva et marcha vers le sentier pavé à une courte distance. Kale le suivit. À présent, ils entendaient les bisonbecks s'adresser l'un à l'autre en grommelant de l'autre côté du mur. Dar toucha le bras de Kale. Elle se pencha pour écouter le murmure de sa voix.

— Kale, lis dans les pensées de ces bisonbecks. Découvre la raison de leur présence ici et combien de temps ils planifient rester.

Cela ne lui prit qu'une minute.

— Ils cherchent un endroit pour installer un hôpital pour leurs blessés.

— Dis-leur que ce n'est pas le bon endroit. Suggère-leur de trouver un lieu à proximité des écuries.

— Pourquoi ?

— Parce que nous souhaitons les voir partir.

— Non, pourquoi voudraient-ils un endroit plus près des écuries ? J'ai besoin d'une raison logique.

Dar frotta son menton avec une main et ferma les yeux. En un instant, ils s'ouvrirent d'un coup, tout pétillants.

— Parce que Risto leur coupera la tête s'ils installent des soldats puants et ensanglantés à un jet de pierre de ses appartements.

Elle ferma les paupières et se concentra. Rouvrant ses yeux, elle sourit à Dar.

— C'est un succès.

Son plaisir s'évapora.

— Oh !

— Qu'est-ce qui ne va pas ?

— Ils viennent par ici.

Dar plaça ses mains puissantes sur la taille de Kale et la poussa. Ils plongèrent derrière une fontaine entourée de buissons exactement au moment où les deux imposants bisonbecks passaient la grille.

L'un d'eux s'arrêta dans l'entrée, grogna et examina les alentours avec suspicion.

— As-tu entendu quelque chose?

27

Serrures verrouillées

Les deux soldats bisonbecks s'entretinrent en ronchonnant et en maugréant. Kale ne saisissait pas leurs propos. Elle les regarda avec soulagement marcher d'un pas tranquille dans l'autre direction, jetant un œil nonchalant sous et autour des buissons.

De peur d'attirer leur attention, elle s'adressa à Dar par télépathie. *Qu'allons-nous faire ?*

— *Rester caché.*

Ça va pour nous, mais nous n'avons pas exactement dissimulé Leetu. Kale tourna son regard vers l'alcôve et le souffle lui manqua. *Dar, elle a disparu.*

La tête de Dar effectua un demi-tour brusque, puis revint vers Kale.

— *Elle n'a pas disparu. Elle est enveloppée dans la cape en rayons-de-lune. Kale, essaie de rester calme.*

Kale se mordit la lèvre et pivota pour examiner la parcelle de terrain à un pas du banc sculpté et des vierges en pierre. Un instant plus tard, elle décela le bout de la botte de Leetu à côté du pied de la danseuse de marbre et une mèche de cheveux blonds près du siège ouvragé.

Les soldats se frayèrent un passage jusqu'à l'extrémité de la cour et rebroussèrent chemin. Elle retint son souffle. Tant que Leetu restait immobile, elle serait presque invisible. *C'était* possible. Après tout, l'émerlindian n'avait pas bougé d'elle-même depuis qu'ils l'avaient découverte. La tête de Kale pivota alors qu'elle regardait d'abord les bisonbecks et ensuite le corps dissimulé de Leetu.

Les soldats secouaient les buissons situés directement à l'opposé de leur cachette. Dar lui toucha le bras et, d'un signe, lui indiqua de le suivre. S'élançant en coup de vent d'une touffe de grandes fleurs à une fontaine, de buissons en statues, d'une cachette à l'autre, il les guida vers un endroit déjà fouillé par l'ennemi. Ils dépassèrent la grille qu'ils espéraient utiliser pour leur fuite. Depuis sa nouvelle localisation, Kale observa la position de Leetu et ensuite les guerriers. Les bisonbecks, grognant et plongeant leurs épées dans les massifs d'arbustes, se rapprochaient de la statue.

— Dis-lui de rester tranquille, siffla Dar.

— Qui ?

— Gymn.

Kale suivit le regard de Dar. Il fixait un endroit entre le bout de la botte de Leetu et la mèche de cheveux. La cape en rayons-de-lune affichait une bosse en plein ciel qui tournoyait, nettement visible.

Gymn, oh Gymn, ne bouge pas. L'ennemi est proche. Reste immobile. Je t'en prie, reste immobile. Ne gigote pas. Ne bouge pas. Stop !

Gymn répondit à son appel. De nouveau, la cape en rayons-de-lune servit de camouflage.

L'une des grosses brutes enfonça son épée dans l'arbuste derrière la statue. L'autre bondit sur un banc et scruta l'alcôve et ses alentours.

Kale crut que son cœur finirait par lui sortir de la poitrine tant il battait fort.

Reste immobile. Reste immobile. Reste immobile, chantonna-t-elle en son for intérieur. Les mots s'adressaient autant à elle qu'au bébé dragon. Kale aurait voulu foncer vers la grille.

Le soldat sur le banc sauta par terre derrière la statue et commença à la contourner. Il trébucha sur Leetu et s'effondra en plein visage.

— Argh !

Le cri de guerre ne vint pas du combattant tombé, mais de Dar. Il se leva à côté de Kale avec sa petite épée sortie et chargea l'homme au sol. Les yeux de Kale s'arrondirent en observant la lame de Dar glisser le long de l'arrière du cou du bisonbeck. Le soldat hurla et roula sur lui-même. Dar tenait maintenant son épée à deux mains, pointée vers le bas. Le bras du bisonbeck s'étira pour saisir la jambe du doneel avec sa grande main épaisse. Dar plongea son arme vers le sol. La lame argentée frappa l'ennemi en pleine poitrine.

Kale était debout, courant l'aider. Le deuxième soldat bondit vers Dar.

— Attention ! cria-t-elle.

Dar se recroquevilla en boule. Instantanément, sa bulle miroitante le couvrit comme la carapace d'une tortue. Le coup de lame du bisonbeck résonna sur le bouclier magique.

En hurlant sa frustration, le guerrier sauta sur Dar les pieds joints. Il atterrit sur le dessus de la coquille ; elle frappa avec force sur le sol de brique avec un bruit de porcelaine brisée.

Kale stoppa sa course en avant et plongea dans les buissons, courant derrière eux jusqu'à une meilleure position. Soit le soldat la vit, soit il l'entendit. Il quitta Dar et beugla en s'approchant du fourré bien entretenu. Elle tomba à genoux et rampa jusque dans les broussailles.

Que puis-je faire ? Que puis-je faire ?

Le faire trébucher ?

L'aveugler avec un éclair de lumière ?

Les énormes bottes du soldat martelaient le sol à quelques centimètres de ses mains. Les branches au-dessus d'elle s'entre-choquaient bruyamment.

L'aveugler !

Elle serra fortement les paupières et pensa avec toute la force de sa volonté.

Cela fonctionna. Même sous la protection des arbustes, ses paupières rougeoyèrent quand la lumière éclata de toute son intensité autour d'elle.

Le bisonbeck gémit. Son corps chuta lourdement sur le sentier briquelé. Kale resta où elle était, blottie dans l'obscurité, haletante et tremblante.

Elle écouta. La clameur à l'entrée du fort s'élevait, mais les nombreux murs et édifices étouffaient le fracas métallique des armes. La cour vibrait des suites du conflit. L'atmosphère était tendue. Le silence résonnait dans la soudaine tranquillité.

— Kale, sors, cria Dar. Où es-tu ?

Elle tenta de parler.

— Ici.

Sa voix n'était qu'un murmure rauque.

— Ici, répéta-t-elle un peu plus fort.

Elle s'extirpa lentement de sa cachette.

Dar était assis là où elle l'avait vu la dernière fois, sa coquille disparue. Il frotta ses yeux.

— Dis-le-moi la prochaine fois, d'accord ? Avertis-moi.

Il secoua la tête comme pour en chasser la brume.

— Par toutes les lumières de la mer de cristal, c'était brillant.

Kale tenta de sourire en réponse à son compliment, mais ses lèvres tremblèrent. Un sanglot lui monta à la gorge. Elle l'étouffa et acheva de sortir doucement de sous les branches raides et piquantes. Dar se frottait encore le visage, particulièrement les yeux.

— Est-ce que tu vas bien ? lui demanda-t-elle.

— J'espère, répondit-il. Jette un œil sur Leetu et Gymn pendant que j'essaie de fixer mon regard.

Elle ne prit pas la peine de se mettre debout ; elle rampa sur les quelques mètres jusqu'à la base de la statue. La cape était tombée, et une partie des vêtements de l'émerlindian étaient exposés. Kale vit la poitrine de Leetu se soulever et retomber au rythme doux et superficiel de sa respiration. Gymn gisait dans son antre de poche en petite boule tremblotante. Kale le sortit et le tint en sécurité contre sa joue en frottant un doigt sur les crêtes entre ses oreilles.

— Tu es aussi pleutre que moi, murmura-t-elle. Parce que tu ressens ce que je ressens, et moi de même, cela signifie-t-il que nous augmentons mutuellement notre peur ? Nous devrons tous les deux nous montrer plus braves.

Elle soupira et tourna son regard vers Dar qui examinait les corps des bisonbecks.

— Comme Dar. Il est déjà debout pour voir à notre sécurité.

Dar se pencha tout près du soldat mis K.O. par l'éclair de lumière de Kale. Il donna de petits coups à l'homme avec son épée. Elle l'observa tapoter le côté de l'uniforme du bisonbeck, localiser un autre couteau et confisquer l'arme.

— Ces soldats ne se battront plus, dit-il.

Il frotta son visage en se redressant.

Ai-je endommagé les yeux de Dar ? J'ai envoyé une vision de lumière éblouissante dans l'esprit du soldat. Comment Dar… ?

— Dar ?

— Hum ?

— Je ne comprends pas.

— Hum ?

— Si j'ai suggéré le rayonnement directement dans l'esprit du bisonbeck, pourquoi la lumière était-elle réelle ? J'ai vu l'éclair, même les yeux fermés. Il t'a presque rendu aveugle. *Personne* n'aurait dû le voir à part lui.

Elle hocha la tête en direction de l'homme aux pieds de Dar.

Un froncement de sourcils intrigué contracta les traits duveteux de Dar. Il baissa les yeux sur le soldat, puis les dirigea vers Kale. Il frotta encore une fois ses paupières avec le dos de la main et plissa les yeux de nouveau vers elle. Il ouvrit la bouche et la referma sans parler.

— Dépêchez-vous !

L'ordre strident leur parvint sans avertissement. Dar et Kale sursautèrent. L'approche floue de Seezle créa un sifflement alors qu'elle vrombit à travers la porte d'arche et s'arrêta brusquement.

— Cette lumière a trop attiré l'attention. Dépêchons-nous. Nous devons partir d'ici.

Ils coururent pour ramasser Leetu.

— Où étais-tu ? demanda Dar en hissant les pieds de l'émerlindian sur ses épaules.

Kale lâcha Gymn pour saisir son bout de Leetu. Elle ne voulait pas que son amie blessée reste suspendue à l'envers dans le dos du doneel agité. Les petites griffes de Gymn passaient à travers l'étoffe de la blouse de Kale alors qu'il s'accrochait à son épaule.

Seezle se glissa à sa place sous Leetu. La procession marcha sur le sentier pavé, franchit la grille et se retrouva sur la terrasse.

— À la forêt.

La voix de Seezle avait repris son rythme naturel léger.

— Pour voir Paladin. Je lui ai demandé si nous pouvions rejoindre les forces à l'entrée de la forteresse et aider à assurer la liberté des prisonniers.

Les oreilles de Dar se redressèrent.

— Et ?

— Il a répondu non. Notre priorité consiste à mettre Leetu en sécurité. Nous passerons par la rivière de la grotte.

Les épaules du doneel s'affaissèrent. Il avança en se traînant les pieds sur la surface de pierre polie de l'élégante terrasse vers le mur de baies vitrées donnant accès au château.

Les cris résonnaient plus près à présent. Le grondement des troupes déterminées s'amplifia alors que des bottes martelaient les couloirs entre les édifices.

Dar atteignit la première porte.

— Elle est verrouillée, dit-il par-dessus son épaule. Reculez un peu.

Une fois en position, Dar étira une jambe, son talon dirigé vers le panneau de verre à côté de la poignée. Son pied frappa le verre et rebondit en envoyant une onde de choc parcourir les quatre compagnons attendant de se mettre hors de danger.

Dar grogna.

— Un enchantement, dit Seezle. Elle est renforcée par la magie.

— Comment allons-nous entrer ?

Kale regarda avec appréhension le mur du jardin qui leur bloquait la vue de l'action en cours dans les passages étroits du château. Ils pouvaient apercevoir des torches vacillantes quand elles passaient de l'autre côté. Les citoyens du complexe de Risto se hâtaient dans la nuit. Combien parmi eux étaient soldats ?

Dar déséquilibra Kale quand il fit un rapide pas de côté vers la porte adjacente. Elle se précipita à sa suite, s'efforçant d'empêcher Leetu de glisser hors de son emprise. Dar testa la poignée et passa rapidement à la suivante.

— Regardez, s'écria Seezle. Au bout. Des fenêtres ouvertes. Vous voyez ?

Kale vit ce qu'elle voulait dire juste au moment où Dar décolla au trot le long de l'édifice en dépassant toutes les portes. À un mètre du sol, une rangée de fenêtres ouvertes. Les panneaux de verre dans leur cadre de bois s'inclinaient vers l'extérieur sur des ferrures attachées dans le haut. Dar déposa les pieds de Leetu. Les autres l'abaissèrent doucement à terre.

— Seezle, dit Dar, tu pars en premier. Kale ira après toi, et ensuite, nous traverserons Leetu.

Seezle s'esquiva sous le panneau de verre et disparut à l'intérieur. Kale s'accroupit pour se mettre en position.

Dar s'exclama dans sa barbe :

— Merveilleux !

Son ton n'exprimait *pas* la joie.

Kale leva les yeux pour voir son visage. Elle suivit son regard en même temps qu'elle entendit le tapage. Une demi-douzaine de soldats bisonbecks montaient au pas les marches à l'autre extrémité de la terrasse. Les guerriers remarquèrent

Dar et Kale. Deux poussèrent un cri de triomphe. Des sourires tordus apparurent sur leur hideux visage. Kale inspira alors vivement.

— Allez va, ordonna Dar à Kale en tirant son épée de son fourreau.

Kale se détourna de la fenêtre et resta sur place. Elle aussi tira une petite lame de sa gaine. Elle alla se placer à côté de Dar devant le tas chiffonné qu'était Leetu.

Les bisonbecks avançaient en prenant leur temps. De toute évidence, ils pensaient que leurs proies étaient piégées. Kale sentit un battement à sa jambe et elle sut que Seezle les avait rejoints.

Un bruyant vrombissement venant de derrière le mur se fit entendre de plus en plus fort. Seezle eut un petit rire. Les bison-becks regardèrent nerveusement vers l'extérieur des jardins du château. Ils avancèrent encore de quelques pas incertains vers Kale et ses amis. Le vrombissement changea de ton ; il devint plus fort et perçant. Des cris de gens furent ponctués par le bourdonnement inhumain. Les soldats s'arrêtèrent et fixèrent leur regard en direction du tumulte.

Un brouillard noir apparut sur le dessus du mur, un petit filet suivi d'une masse compacte. Au début, Kale crut qu'il s'agissait de mordakleeps, mais l'obscurité n'était pas suffisamment dense pour que ce soit l'un de ces monstres des marais. De plus, les mordakleeps se déplaçaient dans un silence total. L'écho du bourdonnement provenait du nuage.

Avec un hurlement de terreur, les guerriers firent demi-tour et prirent la fuite.

Seezle rigola encore.

— Des hornets, dit Dar.

La nuée vira fermement et fila à la poursuite des soldats en retraite.

— Ils ne nous feront pas de mal ? demanda Kale.

— Ils dépassent ceux qui portent la protection de Paladin.

Kale, totalement embrouillée, fronça les sourcils en direction du doneel.

— La bande herbacée, Kale.

Dar affichait un air patient. Kale ne savait pas du tout de quoi il parlait.

— À ton poignet.

Elle baissa les yeux sur le bracelet de mince corde verte qu'il avait attachée sur son bras quand elle s'était éveillée la première fois dans le donjon.

— Oh.

Kale regarda pendant que la nuée disparaissait à la suite des bisonbecks.

— Comment les hornets sont-ils arrivés ici?

— Mon peuple, répondit Seezle avec un sourire espiègle sur son minuscule visage. Nous avons cueilli des nids de hornets dans les arbres de la forêt et nous les avons lancés dans l'arène.

Elle sautillait et riait.

Kale leva la main vers son épaule.

— Où est Gymn?

Elle tapota sous le collet de sa blouse, là où le bébé dragon pouvait s'être caché. Elle commença à regarder sur le sol autour d'elle.

— Le voici.

Dar lui remit la créature inerte.

— Il était sous la fenêtre.

— Il s'est encore évanoui?

Seezle secoua la tête, incrédule, en approchant.

Elle tendit un doigt et toucha la petite bête blottie dans la paume de Kale.

— Est-ce qu'il va bien? Il n'est *qu'évanoui*, n'est-ce pas?

Kale s'accroupit à côté de la kimen afin qu'elle puisse mieux voir. La faible lueur bleue émanant des vêtements de Seezle jeta une lumière sur Gymn. Il inspirait et expirait. Il trembla et se roula en toute petite boule. Il ne portait aucune marque de cicatrice sur son corps. Il n'avait pas été blessé de façon visible.

Kale lui caressa le dos.

— Je pense qu'il reprend ses esprits.

Ils observèrent Gymn pendant qu'il ouvrait les yeux, clignait rapidement et levait la tête.

— Il ira bien, dit Kale.

Debout devant Kale, Seezle reporta toute son attention sur le dragon. Kale tendit sa main libre et essaya de palper la douce tunique flottante de Seezle. Ses doigts traversèrent « l'étoffe ». Elle ressaya. Cette fois, elle marqua une pause quand sa main pénétra le tissu. De la lumière se répandit sur sa paume, comme si elle la tenait sous la lueur d'une lanterne. Elle agita les doigts et ne sentit rien d'autre que le vent.

Seezle recula d'un bond. Kale observa les traits de la kimen pour deviner si elle était en colère. Le petit visage s'éclairait de joie.

— De la lumière ! s'exclama Seezle, et elle virevolta en s'éloignant.

Kale se tourna vers Dar et elle refusa d'admettre qu'elle reconnaissait l'expression de « je te l'avais bien dit » peinte sur son visage.

— J'ai faim, déclara Seezle.

Dar et Kale pivotèrent tous les deux pour la fixer.

— Nous *devons* passer par la cuisine pour nous rendre au puits, dit la minuscule créature. Nous ne courons aucun danger en ce moment. Ne pensez-vous pas qu'il serait agréable de prendre une pause pour le thé ?

Kale se tourna vers Dar. Elle se serait attendue à une suggestion comme celle-là de sa part à lui.

— Pas cette fois.

Il secoua la tête en replaçant son épée dans son fourreau.

— Nous devons encore descendre dans ce puits, suivre la rivière souterraine et sauter sur un dragon en vol. Je ne sais pas pourquoi, mais tout cela ne contribue en rien à stimuler mon appétit.

28

ACTE DE FOI

Descendre au fond du puits ne s'avéra pas aussi difficile que Kale l'avait imaginé. Ils assirent Leetu dans un seau avec les jambes enfourchées sur la corde, puis ils l'attachèrent. Seezle descendit avec Leetu, la détacha et la poussa sur le bord de pierre de la rivière. Kale grimpa à son tour dans le seau, et Dar l'abaissa. Quand elle se tint debout sur la berge à côté de Seezle et de Leetu, Dar longea le câble en s'aidant de ses deux mains pour les rejoindre.

Kale examina Leetu pour voir si elle portait de nouvelles ecchymoses. Même si elle n'avait pas pu trouver un meilleur plan, Kale avait détesté l'idée que Seezle pousse l'émerlindian et la laisse tomber sur le sol de pierre. En tenant Gymn, elle fit couler le flot d'énergie guérissante dans Leetu. Après avoir accompli tout ce qu'elle pouvait compte tenu des circonstances, elle se retourna vers la kimen en fronçant les sourcils. Le seau du puits au bout de la corde était suspendu au bord de la rivière, et non sur le rebord de granit servant de voie rapide pour se déplacer sur la berge.

— Comment as-tu réussi à la laisser tomber sur la berge et non dans la rivière ? lui demanda Kale.

Elle parlait fort pour couvrir le tumulte des eaux jaillissantes.

— Nous nous sommes balancées comme un pendule. Ne t'est-il jamais arrivé de grimper sur une balançoire attachée à un arbre et de sauter dans les airs ?

Kale ferma les yeux et frissonna. Et si la minuscule kimen avait relâché sa prise après avoir détaché Leetu ? Et si Leetu avait basculé dans la rivière mouvementée, et non sur la berge ? Elle aurait été rouée de coups en frappant les bordures de pierre pendant que le courant l'aurait emportée sans pitié vers la sortie de la grotte. Puis, son corps aurait été catapulté dans les airs, seulement pour descendre des centaines de mètres dans l'eau rugissante tombant du bord.

— Kale.

Le ton sec de Dar la força à ouvrir les paupières. Il se tenait devant elle en secouant la tête.

— Nous devons nous inquiéter de beaucoup de choses. Ne perds pas ton temps à te soucier de celles qui ne se sont pas produites.

Kale se redressa sur son séant et le fixa avec colère.

— Dar, si je découvre que tu peux lire dans mes pensées après que tu m'aies dit le contraire, ma fureur égalera celle de deux loups pourchassant la même poule.

Elle vit les traits de Dar s'illuminer sous son gloussement, mais elle n'entendit pas son rire par-dessus le bruit de l'eau.

Il lança la cape sur les genoux de Kale.

— Je n'ai pas besoin de sonder ton esprit. Ton visage révèle tout.

Je me demande si c'est bien le cas, monsieur Dar. Il me semble que les doneels sont pleins de surprises et de moyens mystérieux. Tu cuisines, tu couds, tu chantes et tu joues de toutes sortes d'instruments ; tu combats, voyages et cherches l'aventure. Tu ne ressembles à personne de ma connaissance.

Il esquissa un grand sourire, et la franche amitié qui s'en dégageait fit fondre sa colère. Elle se leva et lança la cape sur ses épaules. C'était bon de la récupérer.

J'aime avoir Dar pour ami. Et Leetu, et Seezle. Je me demande s'ils pensent à moi comme à une amie. Quand tu es esclave, tu es l'ami de personne. Pas vraiment.

Je pense que je pourrais aimer un peu les quêtes parce que j'ai des camarades et que les camarades ressemblent aux amis.

Ils pénétrèrent dans l'immense grotte en longeant la rivière torrentueuse. La lumière vive de Seezle jetait une ombre devant le doneel et derrière la jeune o'rant. L'ombre de Leetu dansait sur le plafond de granit au-dessus d'eux. Une brume s'échappait partout des eaux tumultueuses. Toutes les surfaces brillaient d'un éclat luisant dû à l'humidité. Leurs bottes glissaient sous les pierres inégales à leurs pieds. La vapeur d'eau se mélangeait à la transpiration sur le visage de Kale alors qu'elle tenait fermement Leetu.

— J'aperçois des lumières devant, annonça Dar.

Ils firent halte, et Seezle diminua l'intensité de son éclat.

— Je les vois, dit Kale. Elles ressemblent à des lucioles.

— Des kimens ! s'écria Seezle d'une voix perçante.

Elle quitta sa position sous la taille de Leetu d'un bond si rapide que l'attraction du poids de la mince émerlindian vers le bas entraîna Dar et Kale à trébucher en se rapprochant d'un pas.

— Pose-la doucement, pressa Kale en s'adressant à Dar alors que Seezle sautillait devant eux.

Kale s'effondra sur le sol de pierre et s'appuya contre le mur mouillé. Dar, debout avec les mains sur les hanches, observait Seezle accueillir ses parents et les ramener vers eux. Le son de leur voix joyeuse s'élevait au-dessus de l'eau rugissante comme un carillon éolien mélodieux. Elles résonnaient sur les murs de la grotte avec des tintements accentués de rire.

Tous les muscles du corps de Kale la faisaient souffrir. Elle prit Gymn entre ses paumes et le caressa, sachant que ses pouvoirs de guérisseur lui donneraient assez de force pour terminer ce voyage.

Elle se leva pour saluer les amis de Seezle. Elle tenait Gymn dans sa main gauche, sa tête blottie sous son menton. Seezle guidait quatre points de lumière orange brillante. Les kimens glissèrent sur le sol raboteux.

Seezle sauta par-dessus le dernier petit rocher.

— Kale, je te présente Zayvion, Veazey, D'Shay et Glim.

Elle pointa tour à tour chacun de ses compagnons.

— C'est la famille Trio.

— Nous nous ennuyions, dit l'un des hommes minuscules.

Kale pensait qu'il s'agissait de celui appelé Zayvion.

Le deuxième mâle, Glim, parla :

— Nous vous attendions au bord de l'escarpement. Il n'y avait rien à y faire, alors nous sommes venus à votre rencontre.

D'Shay sautait en bavardant.

— Nous pouvons vous aider à porter votre guerrière.

Veazey afficha un grand sourire et cligna des yeux sous la brume s'échappant soudainement de la rivière.

— Paladin a envoyé la famille Trio, car nous sommes la meilleure escorte aéroportée.

— Trio ? s'enquit Dar. Vous êtes quatre.

— Aéroportée ? répéta Kale.

— La famille Trio est composée d'orphelins, répondit Zayvion.

Kale aimait sa voix profonde et forte, bien qu'elle paraissait étrange venant d'un si petit corps.

— À l'origine, ils étaient seulement trois, expliqua Glim en s'avançant plus près de Dar. Les trois ont décidé qu'ils détestaient être orphelins et ils se sont unis pour former une famille.

D'Shay, sautillant sur le bout de ses orteils, ses vêtements scintillants de teintes entre le jaune et l'orange, mit son grain de sel.

— Chaque orphelin kimen peut venir et poser sa candidature pour obtenir un poste dans la famille.

— Personne n'a jamais été refusé, dit Veazey.

— Gale l'a été, ainsi que Sweptor, objecta Zayvion.

Veazey tourna un visage agacé vers le mâle ayant exprimé cette vérité et planta ses poings sur ses hanches.

— C'était il y a deux cents ans.

— Ça compte toujours.

Zayvion plissa le front d'un air buté.

— Tant que c'est arrivé, c'est arrivé. Tu ne peux pas dire que personne n'a été refusé quand des personnes *ont* été refusées. Gale et Sweptor ont été repoussés le même jour du même mois de la même année. Ils ont été rejetés ensemble, et tu ne peux pas dire que personne n'a été refusé, car des personnes l'ont été ; Gale et Sweptor.

D'Shay s'interposa entre les deux.

— Tu as raison Zay. Gale et Sweptor étaient sauvages et indisciplinés et, bien sûr, ils ont été repoussés.

Elle lui tapota la poitrine avec sa petite main, et des étincelles bleues et dorées jaillirent sous sa caresse. Elle se tourna vers Veazey.

— Tu as raison également, naturellement.

Son sourire amical relâcha la tension sur le visage de Veazey. D'Shay chantait ses mots avec l'étrange cadence mélodique de sa race.

— Gale et Sweptor se sont calmés et ils ont demandé pardon à Paladin pour avoir causé tant de problèmes. Puis, ils ont de nouveau présenté leur candidature pour faire partie de la famille et ils ont été acceptés.

Elle toucha le bras de sa sœur, et quand elle le leva, un arc-en-ciel s'étira entre la paume de sa main et l'endroit où elle l'avait posée. Kale cligna des paupières pendant que la bande colorée disparaissait.

Kale dit :

— Refais cela.

Mais le bruit de la rivière noya sa demande.

Zayvion croisa les avant-bras sur sa poitrine.

— Gale et Sweptor ont pris cent soixante-deux ans pour présenter leurs excuses.

D'Shay acquiesça, et ses cheveux flottèrent follement autour de sa tête.

— Mais Paladin leur a accordé son pardon.

Ses yeux se rétrécirent en regardant Zayvion, mais elle ne termina pas sa pensée.

Kale savait ce qu'aurait dit dame Meiger. La vieille femme marione aurait répété des variantes de cette même phrase pendant une demi-journée après avoir prouvé son point. « Si Paladin pardonne à une personne, une autre devrait-elle continuer à la condamner ? Cette autre personne qui retient son pardon, se croit-elle être meilleure, plus intelligente, plus importante que Paladin ? Quelle sottise ! » Oh oui, dame Meiger aurait chicané sans fin sur le sujet. Kale remercia le ciel que la kimen ne soit pas aussi intarissable que sa propriétaire marione à Rivière au Loin.

Veazey pointa Kale.

— Elle ne sait pas ce que nous voulons dire par « escorte aéroportée ».

— Mon nom est Kale.

Kale fronça les sourcils. *Je n'aime plus qu'on dise « elle » en parlant de moi. Quand j'étais esclave, je n'étais pas assez importante pour que certaines personnes se rappellent mon nom. Mais depuis que j'ai quitté ma maison, les gens m'ont appelé Kale, et j'aime cela. Kale Allerion.*

Veazey se rapprocha d'un pas et leva des yeux sérieux sur Kale.

— Je suis désolée. Vraiment, je le suis. Je sais que tu es Kale, la Gardienne des dragons. Tout le monde sait qui tu es. Tu es célèbre. Paladin a affirmé que tu es une bonne servante. Il a déclaré que tu es brave et fidèle. Nous l'avons supplié pour te servir d'escorte.

Elle se détourna et commença à virevolter. Des tourbillons de lumières jaillissaient de son habit pendant qu'elle dansait.

— Nous serons célèbres. La famille Trio vient à la rescousse ; elle est choisie pour escorter la grande Kale, Gardienne des dragons. Quatre Trio intrépides ont rejoint les sauveteurs de la guerrière Leetu et apporté leur soutien aéroporté au doneel et à l'o'rant, qui ont sauté de l'escarpement de Risto sur un dragon en vol.

En s'accroissant, son excitation changea ses mots en chanson.

— Ils ont grimpé, chevauché et agi,
Zayvion, D'Shay, Glim et Veazey.
Quand Paladin a dit : « Il faut me les amener,
rendre à Leetu, Dar et Kale la liberté. »
Paladin a envoyé les Trio, la famille,
Zayvion, Veazey, D'Shay et Glim.

Zayvion et Glim s'avancèrent en riant et la rattrapèrent alors qu'elle passait en tournoyant. Ils la tirèrent vers l'émerlindian inconsciente.

— Nous devons participer au sauvetage, dit Glim, avant de devenir célèbre et que l'on compose des ballades en notre honneur.

Veazey leva un petit bras et cria joyeusement :

— À l'embouchure de la rivière de la grotte !

D'Shay pivota vers les autres, les deux bras en l'air.

— Célisse nous attend.

Une pluie d'éclairs de lumière jaillit de sa robe ; elle éclaboussa les murs de minuscules points colorés qui les frappaient, explosaient et disparaissaient.

Kale remit rapidement Gymn dans son antre de poche. Dar se pencha pour ramasser les pieds de Leetu. Kale hissa les épaules de l'émerlindian. Les cinq kimens se tassèrent sous elle.

— *M'entends-tu, Kale ?*

Oui, Seezle.

— *La famille Trio est toujours flamboyante, mais elle fait bien son travail. Ne t'inquiète pas, Paladin leur accorde sa confiance.*

Crois-tu que cela soit vrai ?

— *Quoi ?*

Que Paladin a dit ces belles paroles à mon sujet ?

— Mais bien sûr. Je l'ai aussi écouté chanter tes louanges.

Mais, il ne me connaît pas.

— Wulder te connaît et Paladin sait les mêmes choses que Wulder. Ils pensent comme une seule personne, car ils se connaissent tellement bien.

Un feu de bonheur se répandit en Kale. Gymn avait fait disparaître sa douleur musculaire. Les kimens de la famille Trio lui avaient remonté le moral avec leur désaccord idiot et leur enthousiasme. Leetu lui semblait très légère. Kale avait l'impression de porter uniquement la tête de son amie pendant que les autres supportaient tout le reste du poids.

Alors que les kimens marchaient au pas, les lumières colorées de leurs habits se modifiaient constamment. Pour refléter leur humeur? Jouaient-ils avec la lumière consciemment, peut-être pour éloigner l'ennui? Kale observait, fascinée, et la bouche de la rivière souterraine apparut rapidement.

La vue coupa le souffle à Kale. À côté d'eux, l'eau plongeait en cascade rugissante depuis le bord de l'escarpement. Devant le groupe, les ombres de la vallée s'étiraient sur des kilomètres dans des teintes sombres et veloutées de vert, de bleu, de mauve et de noir. Au-dessus de leur tête, les étoiles perçaient l'obscurité avec de petits aiguillons de lumière blanche étincelante. La lune éclairait les quelques filaments de nuage d'un éclat lumineux.

Kale lâcha Leetu et appuya son dos contre le mur de pierre solide de l'escarpement. Seezle se déplaça en douceur, juste assez pour supporter la tête de l'émerlindian. Kale respirait bruyamment. Rien ne l'avait préparée à être confrontée à l'immensité de l'étendue devant elle après avoir eu l'impression de se trouver enfermée dans l'espace clos de la grotte.

La rivière dévalant le bord en cascade empêchait toute conversation. Ils allongèrent Leetu sur la saillie, et Kale, horrifiée, vit les quatre kimens Trio s'asseoir promptement sur elle, comme s'il s'agissait d'un rondin.

Kale décela le rire léger de Seezle dans son esprit.

— *Ils la maintiennent au chaud. Il fait frais ici.*

Nous devrions l'envelopper dans la cape de rayons-de-lune, dit Kale en commençant à la déboutonner.

— *Non, les kimens doivent pouvoir la tenir de façon sécuritaire quand ils sauteront sur le dos de Célisse. Garde ton manteau.*

J'entends Célisse. Elle arrive.

— *Dis-le aux autres.*

Kale s'adressa simultanément à Dar et aux quatre kimens par télépathie. Un débordement d'activités s'ensuivit. Tout le monde semblait savoir comment aider, sauf elle. Elle les regarda soulever Leetu et l'éloigner de la chute le long d'un rebord et la transférer dans un endroit où il se rétrécissait pour ne devenir qu'une mince lèvre dépassant de la surface de pierre. Les cinq kimens s'alignèrent sur l'étroit rebord de granit et tinrent leur fardeau comme un sac de pommes de terre par-dessus leurs épaules.

Seezle donna des instructions de dernière minute à Kale.

— *Célisse transportera Leetu et les kimens jusqu'à Paladin, et elle repassera pour vous.*

Kale ressentit un instant de panique.

— *Attends ici avec Dar. Shimeran et moi reviendrons vous chercher dès que nous le pourrons.*

Au loin, une silhouette noire approchait en survolant très haut la vallée. Kale voyait battre lentement les immenses ailes de Célisse. Kale sentit la tension dans le désir du dragon de voler près du mur, de ramasser ses passagers et de tourner avant de frapper le mur d'eau. Venant des kimens, Kale ressentit l'excitation dans l'air ; elle vibra en elle comme si elle allait sauter aussi. Mais Kale n'arrivait pas à chasser l'horreur qui lui serrait le cœur en pensant à se lancer du haut de l'escarpement pour atterrir sur le dos de Célisse.

Une minute, les kimens se tenaient sur le rebord et la minute suivante, ils avaient disparu. Kale se tourna vers l'avant et regarda par-dessus le bord. Au lieu de l'habituelle selle, des mailles de cordes blanches couvraient tout le torse de Célisse.

Kale soupira de soulagement en reconnaissant les petites formes illuminées s'agrippant au harnachement. Les kimens apparaissaient comme de petits points sur la grande silhouette sombre épinglée sur eux. Célisse réussit le virage et dépassa la chute d'eau en douceur.

Ils sont en sécurité.

— *À présent, nous attendons,* lui répondit Dar.

Kale tourna la tête et elle l'aperçut allongé à côté d'elle, également en train d'observer le dragon s'envolant au loin.

Quel dommage que tu ne puisses pas jouer de ta flute !

— *Oh, je pourrais. C'est juste que nous ne l'entendrions pas.*

Kale commença à rire en imaginant Dar essayant de jouer plus fort que la rivière, mais une crainte terrible mit fin à sa bonne humeur.

Dar !

— *Quoi ?*

Il sait que nous sommes ici.

— *Risto ?*

Oui, je crois. Il est maléfique. Il est puissant.

— *Demande la protection de Wulder, Kale. Prononce les mots que t'a donnés Mamie Noon.*

Je l'ai fait. Je l'ai fait !

Kale lui attrapa le bras, et ses doigts s'enfoncèrent dans la manche de sa veste humide.

Il nous maudit, ainsi que Paladin et Wulder. Mais sa méchanceté est dirigée vers nous.

— *Que veut-il faire ?*

Kale tenta de démêler les impressions qu'elle recevait. Les images noires désordonnées l'embrouillaient. Quelque chose se brisait. Une chose énorme. Elle suffoqua.

Dar, il va détacher le côté de l'escarpement. Il fera fondre la pierre sous nos pieds. Il détruit le rebord sur lequel nous nous tenons.

Dar chercha Célisse des yeux.

— Quand ? cria-t-il par-dessus le bruit de la cascade tonitruante.

— Maintenant ! hurla Kale.

29

PALADIN

Kale et Dar s'éloignèrent du bord en roulant, au moment où l'escarpement commençait à vibrer. Ils s'agenouillèrent aussi près du mur de roc que possible.

Devrions-nous nous enfuir par la grotte en retournant vers la forteresse ?

— *Toute la montagne pourrait s'écrouler sur nous.*

Il ne détruirait pas son propre château, non ?

Comme pour répondre à sa question, un rugissement assourdissant secoua les pierres autour d'eux. Kale hurla. Dar saisit son bras et tira. Ils rampèrent à quatre pattes pour revenir vers la chute d'eau et la bordure plus large.

Des éclats de granit pleuvaient sur eux et leur piquaient la peau. Des cailloux grossiers ressemblant à du gravier rebondissaient et couraient comme des grêlons sur le rebord siliceux tout près des compagnons. La montagne continuait de gronder sous leurs mains et leurs genoux. Une forte vibration les précipita sur le ventre. Dès qu'elle fut passée, ils recommencèrent à ramper. Kale entendit un craquement bruyant et elle regarda par-dessus son épaule. Derrière elle, à quelques mètres, une partie de la saillie s'était détachée. Elle resta suspendue dans les airs pendant une seconde, puis elle glissa et disparut. Le roc exposé, de plusieurs teintes plus claires que la surface usée par les intempéries autour de lui, ressemblait à une immense cicatrice sur le visage de l'escarpement.

Dar pénétra dans la grotte et s'effondra avec le dos appuyé contre le mur. Kale suivit et se blottit à côté de lui. Le doneel passa un bras sur ses épaules. Elle leva la tête et contempla la scène désolante.

La brume montant de la chute d'eau embrouillait sa vision. Du gravier fin tomba du plafond de la caverne comme un rideau gris. La montagne gémit. La pierre frottait contre la pierre alors que la terre peinait sous le sortilège de destruction de Risto. Kale posa les mains sur ses oreilles pour ne pas entendre le bruit grinçant.

La vibration dans le roc lui donnait envie de crier et de s'enfuir à toutes jambes. Mais où pouvaient-ils aller ?

Nous ne pouvons pas simplement rester assis ici !

— Je sais. Je réfléchis.

J'ai peur !

— Moi aussi.

Retourner dans le tunnel ?

— Trop dangereux.

Il est aussi dangereux de s'asseoir ici !

— Merlander !

Quoi ?

— Elle arrive.

Comment… ?

Dar bondit sur ses pieds.

— Viens, Kale. Elle est presque arrivée.

Il courut à l'extérieur de la grotte. Kale le suivit pendant qu'il évitait la cascade en longeant le rebord qui s'éboulait. Elle gardait la tête baissée, examinant ses pieds et tentant d'empêcher la poussière de l'escarpement qui se désintégrait de pénétrer dans ses yeux. Une ombre passa, puis une autre. Kale regarda vers le haut, juste à temps pour voir la queue d'un dragon blanc disparaître dans la brume. Alors qu'elle observait, deux petits globes de lumière apparurent au-dessus d'elle et de son camarade, suivis de deux autres. L'éclat devenait plus vif à mesure qu'ils descendaient, se glissant plus près de l'endroit où elle et Dar se tenaient avec précarité sur le rebord de granit.

La montagne vibra. Des débris plurent sur eux lorsque le sol trembla. Dar et Kale s'effondrèrent en tas pour ne pas être jetés par-dessus la saillie par les attaques violentes de la pierre sous eux. Un fracas venant de loin leur indiqua qu'une autre partie de l'escarpement s'était détachée et avait plongé. Quand Kale ouvrit de nouveau ses paupières, quatre kimens les entouraient — Shimeran, Seezle, Zayvion et Glim.

Les petites personnes aidèrent Kale et Dar à se relever.

— *Les dragons reviendront tout de suite.*

C'était la voix forte de Shimeran dans sa tête.

— *Nous sauterons en lieu sûr.*

La gorge de Kale se noua, et elle tenta désespérément de respirer. Ses muscles lui donnaient l'impression d'être des planches qui ne bougeraient pas, ne sauteraient pas, mais en revanche brûleraient de peur pendant que les autres bondiraient sur les dragons de passage. Une petite main effleura sa paume froide, saisit quelques doigts raidis et les serra. Kale baissa les yeux et vit le visage de Seezle tourné vers elle. La kimen souriait, ses yeux brillants d'excitation.

— *Maintenant!* commanda Shimeran.

— Non! hurla Kale, mais une poussée dans son dos, bien placée entre ses omoplates, la projeta en avant.

Elle culbuta par-dessus l'escarpement.

Pendant sa chute, l'air froid soufflait dans ses oreilles, faisait battre au vent ses vêtements et balayait ses cheveux. Seezle tenait toujours ses doigts. La petite kimen enroula son corps autour du bras de Kale. Seezle força le bras de son amie à s'étendre droit devant et elle sembla l'éloigner du mur de pierre à pic en la tirant. Un autre kimen s'agrippait dans son dos. Lui aussi donnait l'impression de diriger sa chute.

Ils frappèrent le dragon avec un claquement. Avec sa main libre, Kale attrapa les cordes souples entrecroisées sur le torse de la créature. Dans la ruée, son pied rencontra des prises pour les orteils dans les mailles du filet. Sa joue cuisait à l'endroit où sa peau tendre s'était égratignée sous l'impact de son saut sur la bête. La tension causait une douleur irradiante dans son corps.

Seezle et Shimeran lui donnèrent de petites tapes. Elle entendit leur voix mélodieuse lui déclarer qu'elle était en sécurité. Ses doigts agrippaient les cordes soyeuses et solides. Elle ne pouvait pas ouvrir les yeux. Elle ne pouvait pas parler.

L'air, à présent limpide, ne portait plus de traces d'humidité et n'était pas chargé de particules de poussières et de gravillons. Le rugissement de la cascade s'évanouit graduellement. Le battement rythmé des ailes du dragon calmait sa frayeur. Elle sentait les gros muscles onduler sous elle pendant que l'immense bête respirait l'air nocturne et se déplaçait presque en silence à travers le ciel.

Dar ?

— *Je vais bien. Je suis sur Merlander. Toi ?*

Je ne suis pas blessée.

Silence. Kale fouilla son esprit pour déceler la présence du bébé dragon. Elle n'osait pas abaisser une main pour explorer la poche de sa cape.

Gymn était là, sonné et recroquevillé en petite boule. Elle sentit son cerveau s'éveiller, frissonner de peur et replonger dans l'inconscience. Kale gloussa.

Dar ?

— *Oui ?*

Gymn va bien. Elle rigola encore une fois et elle savait que le son avait voyagé jusque dans la tête de Dar. *Il s'est évanoui. Puis, il est revenu à lui, il s'est rappelé les événements et il a de nouveau sombré.*

Kale entendit le rire léger de Dar en réponse. Le petit bruit monta et devint une explosion d'hilarité. Elle sourit et gloussa encore. Puis, elle rit et s'agrippa aux cordes. Le rire la secouait avec une détermination grandissante pour vider son corps de toute tension. Il balaya les derniers vestiges de la terreur. Les yeux toujours fermés bien durs et les doigts enroulés autour des cordes, elle laissa son corps réagir. Des larmes roulèrent sur ses joues. Les kimens lui caressaient le dos et les bras.

Quand ses émotions s'apaisèrent et qu'elle s'appuya de tout son long sur les cordes, elle fut parcourue d'un frisson. Les kimens intervinrent rapidement en enveloppant davantage ses membres trempés dans la cape en rayons-de-lune. Elle sentit leurs légers trottinements sur et autour d'elle. Se trouver à des centaines de mètres dans le ciel ne semblait pas du tout indisposer Shimeran et Seezle.

Kale ouvrit les yeux et observa pendant qu'ils allaient et venaient en grimpant sur les mailles, comme s'il s'agissait d'un arbre fermement planté dans la terre. Elle examina le gréement serré dans sa main. Elle était incapable d'identifier les fibres tressées formant un motif incroyablement beau.

Fabriqué par des kimens. Elle avait vu des exemples de leur tressage délicats dans des paniers vendus au marché de Rivière au Loin.

D'un doigt, elle toucha la peau blanche du dragon sous le réseau de cordes. Des écailles aux reflets de perle couvraient le cuir. Son doigt caressa l'un des disques frais et lisses. La lueur de la lune étincelait sur chacune des écailles.

Kale remarqua la crasse sur ses doigts. La bruine venant de la cascade et la poussière de l'escarpement éboulé s'étaient unies pour former un enrobage boueux sur son épiderme. Elle avait besoin d'un bain.

Pas avant que je ne descende de ce dragon. Kale tourna la tête avec précaution pour voir le cavalier qui travaillait avec la bête.

Un géant! Non, un urohm!

Shimeran avança de deux pas sur le dos ridé du dragon pour se rendre à l'immense selle. D'un bond, il atterrit sur l'épaule de l'urohm et lui confia quelque chose à l'oreille.

L'homme pivota à la taille, tendit la main et ramassa Kale dans sa main douce. Comme si elle était une grande poupée de chiffon, il la rangea en sécurité sous un des côtés de sa veste d'équitation.

— Shimeran dit que tu as froid.

Sa voix profonde grondait et vibrait dans sa poitrine.

— Nous atterrirons dans quelques minutes. Nous t'installerons devant un feu de foyer, et tu pourras t'y sécher.

Kale se nicha à l'intérieur de la chaleur ainsi fournie et se demanda si Gymn ressentait la même chose dans son antre de poche. L'urohm fleurait le savon et l'odeur terreuse d'un homme ayant travaillé toute la journée.

Kale écouta le rythme de son grand cœur et se sentit en sécurité. Elle retira Gymn de sa cachette et l'enfouit sous son menton. Elle prit plaisir au flot de santé et de contentement qu'ils partageaient. Avec chaque pulsation, elle augmentait son confort physique et son sentiment de sérénité.

Gymn se redressa soudainement, attentif. Il se tortilla pour sortir de ses mains et replongea sous le bord de la cape. Sa peur courut dans les veines de Kale avant qu'elle n'en trouve la source.

Des dragons de feu ! Kale déglutit. *Des dragons de feu ? Comme le dragon maléfique dans* La légende de Durmoil *? Comme les immenses dragons de feu qui émergeaient des volcans aux jours anciens ? Les dragons de feu existent ?*

Kale secoua la tête. *Pourquoi pas ? Paladin est réel. Les portails aussi. Je voyage dans la veste d'un urohm sur le dos d'un dragon blanc géant.*

Elle n'était plus une esclave de village et elle en connaissait probablement autant que la maîtresse d'école sur les parties véridiques des légendes et sur les passages inventés. Maître Meiger avait dit que Kale ne savait pas grand-chose, mais elle apprenait tous les jours. Elle ne resterait pas sur ses fesses dans le noir à laisser les autres se battre pour elle.

Elle s'efforça de s'asseoir le dos droit et s'approcha plus près de l'échancrure de la veste. Sa main serrait un grand bouton qui couvrait toute sa paume alors qu'elle écartait lentement la laine polaire. Devant, elle aperçut quatre silhouettes sombres dans le ciel. Des dragons volaient vers eux depuis l'est, mais ils ne semblaient pas différents des quelques autres dragons qu'elle avait déjà vus.

— Neuf ; non, une douzaine, déclara la voix de Shimeran au-dessus d'elle.

Il était encore assis sur l'épaule de l'urohm.

Kale s'étira le cou pour le voir. Il tournait le regard vers la forteresse dont ils venaient de s'échapper.

— Nous attendons de l'aide, dit le maître cavalier du dragon blanc.

— Tant que ce n'est pas trop peu, trop tard, répliqua Shimeran.

Kale fixa les yeux devant elle et comprit. Elle vit quatre dragons arrivant à leur rescousse. Shimeran en voyait une douzaine derrière eux s'approchant pour les mettre en échec. Les bêtes dans leur camp étaient des dragons ordinaires. Les cinq qui les menaçaient étaient des dragons de feu. Kale sentit la panique de Gymn quand il frissonna, caché dans son antre de poche. Elle posa une main sur le renflement de la cape où il était allongé.

Je ne suis pas prise de panique, petit Gymn, mais je suis lasse de tous ces ennuis. Une chose après l'autre. N'arriverons-nous jamais à nous reposer comme des gens normaux, couchés au creux d'un lit, dans une maison, auprès d'un feu ?

— Ils nous rattrapent, déclara Shimeran.

— Nos secours sont là, répondit l'urohm.

Les quatre dragons descendirent en piqué en les dépassant, mais un instant plus tard, ils firent demi-tour pour se joindre au dragon blanc en se plaçant dans la même direction. Un volait en avant, deux autres les flanquaient, et Shimeran annonça que le dernier avait pris position derrière Merlander.

— Une escorte, déclara l'urohm. Je me demande quels sont les plans de Paladin à présent.

— Regardez !

Shimeran pointa vers le sud.

— Je crois que nous allons le découvrir.

Kale se souleva et se pencha hors de la veste. Devant eux, l'horizon rosissait à l'approche d'une nouvelle journée. Au sud, un dragon brillant franchissait la crête d'une colline abrupte, et sa lueur miroitait sur la forêt en contrebas. Il monta en flèche et en moins de deux, il survola le petit groupe de six dragons essayant de se mettre en sécurité. Le majestueux dragon décrivit un cercle. Les cavaliers des dragons sous lui l'acclamèrent et agitèrent leurs épées pour le saluer. Puis, l'éclatant dragon vira à l'ouest.

Shimeran était à présent debout sur l'épaule du maître cavalier et sautillait. Kale se hissa à l'extérieur de la veste de l'urohm et se tint sur la cuisse de l'homme. Elle s'appuya contre sa poitrine et scruta le ciel par-dessus son autre épaule en s'agrippant à son collet.

Merlander volait derrière eux, et Kale put voir Dar, Glim, Zayvion et un autre homme ressemblant à un marione ; assis à l'envers sur la selle de la bête, il agitait son chapeau d'une main et son épée de l'autre. Kale regarda tour à tour les autres dragons. Chacun transportait des écuyers gagnés par l'excitation. Elle plissa les yeux en direction du dragon majestueux en suivant sa course à vive allure vers les dragons de feu. Le cavalier portait une cape dorée, une couronne scintillante et tenait une longue épée qui jetait des étincelles bleues.

Derrière, douze dragons, rouges dans la lumière de l'aube avec en arrière-plan un ciel noir et couvert, avançaient à une vitesse extraordinaire. Des flammes jaillissaient de leurs narines à chaque respiration.

Les dragons de feu approchaient.

Un homme allait à leur rencontre.

Paladin.

30

La bataille

Kale oublia l'air froid du matin. Elle ignora le lever du soleil ardent derrière elle. Les acclamations déchaînées de ses camarades se calmèrent et firent place à un silence vigilant. La formation des six dragons vira vers le sud en décrivant un grand arc afin que tous puissent voir la rencontre alors que Paladin volait courageusement vers les forces ennemies.

Kale s'attendait à un affrontement armé, à des éclairs venant de l'épée luisante, à la foudre du ciel, à un étalage spectaculaire de puissance. Dans les récits racontés par les ménestrels ambulants à l'auberge de Rivière au Loin, les luttes historiques comprenaient une abondance de cris et d'effusions de sang. Elle ne savait pas grand-chose de la guerre. En revanche, elle s'en effrayait assez pour avoir les mains moites pendant qu'elle observait les deux camps se placer en position de combat.

Kale n'aimait pas ce qu'elle avait vu dans les batailles. Sa première bagarre avec les grawligs l'avait terrifiée. Les horribles hurlements, les invectives et les rugissements résonnaient dans ses oreilles. Même le sifflement des flèches de Leetu volant vers leurs cibles paraissait sinistre. Lors de l'assaut contre les mordakleeps, le son mat des poings frappant la chair la rendait malade. Les entailles et les grésillements qui s'ensuivaient quand l'épée s'enfonçait dans les mordakleeps lui retournaient l'estomac. La bataille à la forteresse avait inclus le fracas métallique des épées, des lances, des boucliers, des armures et des matraques. À quel point la clameur serait-elle plus atroce lorsque Paladin libérerait son terrifiant pouvoir sur le régiment de dragons maléfiques ?

Les dragons de feu rugissaient, lançant des flammes de six mètres avec leur bouche et leurs narines. Paladin prit sa position pour faire face à l'attaque. Il ralentit, dirigeant son dragon de course afin qu'il adopte un rythme plus lugubre.

Kale se souvint des chevaux de guerre qu'elle avait vus à travers la mémoire de Leetu. Les urohms montaient des créatures majestueuses dans *La légende de la bataille d'Ordray*. Des rangées d'hommes à dos de cheval s'alignaient dans la vallée de Collumna. Leur visage reflétait la détermination. Leur corps se raidissait alors que les guerriers portaient leurs lances pointées vers le sol. Les humains et les animaux faisaient face à l'inévitable avec un courage sans faille. À présent, elle voyait Paladin et sa monture adopter la même attitude.

Ils avançaient sans se presser, en apparence aucunement décontenancés par le nombre jouant contre eux. L'assurance enveloppait le cavalier comme une armure étincelante. Le dos droit et le regard calme de Paladin forcèrent Kale à retenir des larmes de fierté. Quelle bénédiction d'avoir été amené à se mettre au service de ce grand guerrier. Avec le ciel orangé de plus en plus clair en toile de fond, son dragon caracolait dans son impatience de commencer l'attaque.

Kale rassembla ses forces alors que la distance diminuait entre la ligne des dragons de feu et Paladin. Des flammes jaillissaient de la bouche et des narines des bêtes maléfiques. Ils reniflaient et donnaient des coups de tête. Des tourbillons de flammes léchaient leur nez. Avec chaque poussée, les bêtes lançaient de plus longs panaches flamboyants rouges et orange. De temps à autre, l'un d'eux rugissait et laissait échapper des gerbes de feu, jetant une lueur aussi vive que celle du soleil perçant à l'est de l'horizon. Chaque jet devenait plus intense. L'odeur du sulfure imprégnait l'air.

Paladin se tint debout sur ses étriers et leva son épée.

En colère, les douze bêtes arquèrent le cou en mugissant vers le ciel. D'un seul mouvement, ils baissèrent la tête. Des bouches hideuses restaient béantes. Un mur de feu s'ensuivit, dirigé vers le cavalier et le dragon devant. Le brasier enflamma l'espace à découvert, enveloppa Paladin et poussa plus loin.

Kale haleta et retint son souffle jusqu'à ce que la boule de feu ait foncé à travers toute la vallée et se soit écrasée sur la chaîne de montagnes de l'autre côté. Elle écarquilla les yeux. Paladin et son dragon étaient en plein ciel ; ils ne portaient aucune trace de brûlure et n'étaient blessés d'aucune façon. Suspendu en vol, il avait maintenu la même posture qu'avant l'attaque.

Un ordre sortit de sa bouche, s'écoulant comme l'acier en fusion dans le chaudron du forgeron.

— *Assez. Disparaissez.*

Kale entendit un écho et elle sut tout de suite que les mots avaient retenti autant dans son esprit que dans ses oreilles.

Les dragons de feu reculèrent. Paladin pressa le sien d'avancer. Il vola parmi les douze dragons. Ils se séparèrent. Six virèrent vers le sud et rebroussèrent vers l'ouest. Six autres tournèrent au nord et partirent en décrivant un cercle.

Dans le paysage près de la forteresse de Risto, des créatures sinistres se tapissaient dans les ombres du roc et des arbres. Ils ondulaient, rampaient et se glissaient en silence, se fondant dans la terre et disparaissant sous la lumière du jour.

Un gémissement s'échappa brusquement de la montagne. Un cri de frustration amplifié résonna alors qu'il frappait les escarpements et rugit jusqu'au pied de la vallée.

Le silence suivit.

La paix remplaça le chaos.

Aucun bruit n'atteignit les oreilles de Kale sauf le battement des ailes du dragon glissant à un rythme régulier dans le vent de la nouvelle aube. Une brise fraîche fit voltiger les feuilles dans les arbres en contrebas. Les premières notes d'un loriot matinal s'élevèrent de la prairie. Un cheval hennit dans un pâturage. Plus d'oiseaux entonnèrent une mélodie à laquelle se mêlèrent les bêlements plaintifs d'agneaux cherchant leur nourriture du matin à côté de leur mère.

Paladin détourna sa bête vers la forêt et invita d'un signe les autres cavaliers à le suivre. Kale entendit le fredonnement d'une chanson de kimen. Des louanges à Wulder. Des remerciements pour la victoire. La musique coulait en elle et entraîna des souvenirs de sa danse dans la forêt de cynœuds pour célébrer la présence de Wulder. Les mélodies s'élevèrent à pleine voix. Elle sanglota.

Elle se laissa choir sur les genoux de l'urohm et elle pleura. L'immense main de celui-ci la couvrit, mais elle ne se souciait pas d'être vue. Elle n'avait jamais été si fatiguée auparavant. Elle ne prit pas Gymn dans ses mains pour apaiser la lassitude. Au lieu de cela, elle sombra dans le sommeil, préférant se glisser dans la quiétude solitaire des rêves plutôt que se débattre avec ses émotions confuses.

31

LE CONTRECOUP

Kale s'éveilla avec l'odeur agréable de la fumée de bois et le crépitement du feu dans l'âtre. La lumière jaune tamisée d'une lanterne baignait l'intérieur d'une cabane en pin. Une couverture de laine l'enveloppait de chaleur, comme un cocon. Elle cligna des yeux, car la cabane ressemblait à beaucoup d'autres dans son village de Rivière au Loin. Le mobilier carré et trapu était conçu pour le corps des mariones. Les couleurs foncées dans les rideaux et le tapis reflétaient la tradition marione.

Avait-elle rêvé? Quelle était la part de rêve? Était-elle toujours une esclave dans un minuscule village à l'est d'Amara?

Elle se força à lever sa tête souffrante de l'oreiller ferme et s'efforça de s'asseoir. Cette maison ne lui disait rien. Elle ne reconnaissait pas la disposition de la pièce ni aucun meuble en particulier; pourtant elle était allongée sur la paillasse d'une esclave le long du mur d'une cuisine.

La porte avant s'ouvrit, laissant brièvement apercevoir un enclos, une grange, des arbres, des étoiles et la Lune. Un homme entra, mais pas un marione.

Un o'rant!

La pâle lumière de l'intérieur n'éclaira pas son visage, mais elle lui permit d'entrevoir ses vêtements. Vêtu des habits élégants d'un aristocrate, il bruissait en se déplaçant. La lueur du feu dansait sur l'étoffe luisante de son veston et se reflétait sur ses bottes bien cirées. Il se dirigea directement vers l'âtre, souleva le couvercle d'un chaudron et mélangea son contenu.

Kale saliva en sentant l'odeur des pommes de terre pnard arrosées de délicieuses herbes et de beurre. L'étranger versa une louche de ragoût dans un bol, replaça le couvercle et attrapa une cuillère. Il traversa la pièce et tendit le repas à Kale.

— Merci, dit-elle en prenant le bol chaud.

— Ne te brûle pas.

Kale, le souffle coupé, leva la tête pour regarder dans les yeux doux de Paladin. Un jeune homme dans la force de l'âge, il sourit et s'abaissa pour s'asseoir en tailleur sur le sol à côté d'elle. Ses cheveux sombres légèrement ondulés flottaient autour de son visage. Les coins de ses yeux bleus étaient ridés, comme s'il riait souvent. Son nez droit surplombait une bouche ferme et énergique. Sa mâchoire et son menton semblaient têtus, mais son front haut le faisait paraître attentionné et sage. Kale le trouva très séduisant et un peu intimidant.

— Vas-y, mange, l'encouragea-t-il. Tu as dormi pendant un jour et une nuit. Tu dois être affamée.

L'arôme s'élevant avec la vapeur lui chatouilla les narines, mais une boule lui pesait dans l'estomac.

— Leetu ? s'enquit-elle.

— En vie, mais encore inconsciente.

— Dar ?

— Toujours un garnement.

— Les kimens ?

— Ils répondent tous à l'appel.

— Célisse ?

— Complètement remise et aussi pardonnée par Dar. Elle et Merlander sont installées dans un boqueteau en bas de la route.

Kale leva la main vers sa poitrine, là où son petit ami dragon dormait souvent.

Paladin sourit.

— Gymn va bien aussi et il voyage dans ma poche.

Il déposa une main sur les longues basques de son veston de cour.

— Il sommeille.

Kale mangea une bouchée et savoura le goût riche et crémeux. Elle prit une autre cuillérée pleine et examina subrepticement l'homme assis devant elle.

Il sourit.

— Tu peux poser toutes les questions que tu désires.

— Il y a beaucoup de choses que je ne comprends pas.

— Il n'y a rien de mal à cela.

— Veux-tu vraiment de moi à ton service ?

— Absolument.

Elle aima l'enthousiasme dans sa voix, mais elle ne comprenait pas pourquoi il la jugeait digne.

— Que puis-je faire ?

— T'occuper de ce qui tombe sur ta route. Ni plus. Ni moins.

Elle soupira. Les réponses à ses questions ne faisaient que susciter d'autres questions dans sa tête.

— Pourquoi ai-je ces talents particuliers ?

— Quels talents particuliers, Kale Allerion ?

— Trouver des œufs de dragon.

— Wulder savait que tu serais la bonne personne pour la quête, alors Il t'a équipée pour la tâche.

— L'histoire de la lumière.

Paladin baissa les yeux sur sa main et parut examiner ses ongles.

— L'histoire de la lumière ?

Kale hésita, mélangea les pommes de terre mijotées, prit une bouchée, l'avala lentement et se tortilla un peu.

Paladin ne dit rien ; il attendit. Son attention revint vers la jeune o'rant. Son regard calme la réconfortait. Enfin, la paix enveloppa son cœur, et elle se sentit à l'aise de se confier à lui.

— Dans les jardins du château, quand les soldats bison-becks sont venus, je me suis concentrée pour fabriquer l'image d'une lumière, et c'est de la vraie lumière qui est apparue.

— Ah oui, je me souviens. Je me suis réjoui de te voir puiser si facilement dans ce pouvoir, mais je crois vraiment que Fenworth s'amusera à former tes instincts et à canaliser ton énergie.

— Nous trouverons le magicien Fenworth ?

— Oh oui. Je lui ai parlé.

Kale jugea cela intéressant. Elle marqua une pause pour réfléchir à la facilité avec laquelle Paladin réglait les problèmes. Fenworth n'avait pas voulu être découvert et il avait été exaucé. Paladin avait discuté avec le vieux magicien reclus, et à présent, Fenworth leur permettrait de le débusquer. La parole de Paladin était puissante. Cela souleva de nouvelles questions en elle.

— Tu as parlé aux dragons de feu, et ils sont partis. Tu ne les as pas menacés ni tués, tu leur as seulement parlé. Pourquoi ?

— Pourquoi ?

— Pourquoi ont-ils obéi ?

— Parce que mon pouvoir est plus puissant que le leur. À leur grand chagrin, ils savent qu'ils sont incapables de me battre au combat.

Elle imagina les dragons meurtriers volant audacieusement dans le ciel.

— Alors, pourquoi t'ont-ils défié ?

Paladin sourit d'un air contrit et secoua la tête

— Ils étaient furieux, et pas du tout rationnels dans leur colère.

— Pourquoi ne les as-tu pas détruits ? Pourquoi les as-tu laissé partir ? Tu *sais* qu'ils reviendront.

— Ils servent le plan de Wulder. Je n'agirais pas à l'encontre de l'ordre décrété par Wulder.

— Mais si tu les anéantissais, cela n'aurait alors plus d'impor-tance. Des choses comme chercher le magicien Fenworth, trouver l'œuf meech et le prendre à Risto. De telles choses perdraient leur sens. Et si tu avais éradiqué tout le mal plus tôt, Leetu n'aurait pas été blessée. Ces gens au château n'auraient pas été tués. Les autres n'auraient pas souffert. Tu le pourrais, non ? Tu possèdes le pouvoir de détruire le mal. Tu pourrais !

En reprenant son souffle, Kale réalisa qu'elle s'était exprimée d'une manière inconvenante. Paladin devrait être furieux de son impertinence.

Il acquiesça lentement, l'observant de ses yeux patients, l'écoutant tempêter, ne montrant aucun signe de colère devant le fait qu'elle prétendait lui dicter son comportement.

Elle ravala péniblement sa salive en voyant du brouillard emplir la pièce ; le décor s'évanouit autour d'eux. Elle était assise en face du grand Paladin, un bol de pommes de terre pnard à moitié mangé sur les genoux, une cuillère sale à la main, et environnée seulement par une brume grise tourbillonnante.

— Où sommes-nous ? demanda-t-elle.

— Ensemble, répondit-il.

Il agita sa main dans les airs comme s'il chassait une question d'intérêt secondaire.

— Kale, l'ordre de notre monde a été créé par Wulder.

— Je sais cela.

Elle s'exprima doucement, honteuse des mots enflammés qu'elle venait de débiter à la chaîne. Malgré tout, une part d'elle se rebellait encore contre l'injustice. Elle s'efforçait de comprendre, irritée parce que Paladin n'utilisait pas son pouvoir pour redresser les torts commis par les méchants hommes de Risto.

Un gloussement délicat flotta à travers l'air embrumé. Kale tourna la tête et aperçut une petite doneel trotter vers eux. Le bébé riait tout haut et applaudit avec ses minuscules mains duveteuses en voyant Paladin. Sans hésitation, elle grimpa avec difficulté sur ses genoux et se blottit dans ses bras, jouant avec le bouton doré et brillant de son veston.

Paladin la serra dans ses bras et déposa un baiser sur le dessus de son crâne entre ses deux oreilles en bourgeon.

— Suivant les desseins de Wulder, cette petite fille deviendra une couturière renommée dont les modèles seront recherchés au-delà de Vendela ainsi que d'autres villes importantes.

Kale observa la gamine fourrer deux doigts dans sa bouche et appuyer sa tête contre la douce étoffe du manteau de Paladin.

— Devrais-je lui remettre une aiguille et du fil maintenant ? demanda le vigoureux jeune chef.

— Non ! répondit Kale.

— Pourquoi pas ?

— Elle se piquerait.

— Oui, tu as raison. Lui donner une aiguille pointue aujourd'hui irait à l'encontre de l'ordre prévu des choses.

Perplexe, Kale fronça les sourcils. Puis, ses yeux devinrent ronds comme des billes quand l'enfant doneel endormie disparut des genoux de Paladin.

Entre le bord de la paillasse de Kale et les chevilles croisées de l'homme, une plante émergea du plancher de bois.

— Un pommier, Kale, dit Paladin. Cueille une pomme pour moi.

Elle regarda la tendre pousse, puis son professeur. Elle secoua la tête.

— Il ne portera pas de fruits avant des années.

Il acquiesça.

— Après avoir forcé son passage pour étendre ses racines, supporté les affres de la croissance, et profité du soleil et de la pluie.

Elle observa la présence confuse d'un verger les encerclant dans le brouillard. Des pommes rouges surchargeaient chaque branche de chaque arbre.

Paladin examina les fruits avec un sourire content.

— Ces arbres sont matures et produisent une récolte saine.

Il pointa la jeune plante entre eux.

— Devrions-nous placer une pomme sur elle parce que les autres sont prêtes ?

Une grosse pomme apparut, attachée au bout de la seule branche de la pousse, écrasant le petit plant.

Paladin secoua lentement la tête, une expression triste altérant son doux visage. Le verger s'évanouit dans la nature. La brume couvrit le jeune arbre brisé et quand elle se leva en tourbillonnant, la plante n'était plus là.

Paladin tendit le bras et prit la petite main calleuse de Kale dans la sienne.

— Kale, Wulder sait quand il faut faire les choses. Je n'ai pas détruit l'armée maléfique de Risto parce que ce n'était pas le bon moment. Dans ce monde, les gens évoluent, ils apprennent sur Wulder, sur eux-mêmes et effectuent des choix. Devoir affronter Risto et ses semblables fait partie du plan de Wulder pour aider les personnes ordinaires à se développer pour devenir remarquables. Je ne priverais pas ces gens de l'occasion de se montrer supérieur devant Wulder.

— Ce serait plus facile sans les épreuves, dit Kale, n'osant pas regarder directement dans les yeux de Paladin.

Au lieu de cela, elle fixa sa douce main dans la sienne. Sa peau parfaite lisse et sans taches paraissait étrange à côté de la main sale et usée par le travail de Kale.

Il eut un petit rire chaleureux, gentil et amical venant du plus profond de son être.

— Kale, je t'aime. Tu es une enfant de mon cœur. Tu as été appelée à mon service. Certains t'ont ordonné de répondre à l'appel, et tu l'as fait. Mais Kale, je désire maintenant que tu choisisses.

Il retira sa main.

— Veux-tu me suivre ? Tu peux dire oui et poursuivre ta quête avec Dar et les autres. Tu peux dire non et être libre d'aller là où bon te semble.

— Retourner à Rivière au Loin ?

— Si c'est ce que tu veux. Mais tu n'y es pas obligée. Tu pourrais te rendre à Vendela si tu le souhaites et aller trouver Maye, l'amie du fermier Brigg, à l'Auberge de l'oie et du jars.

Elle te donnerait un emploi et un salaire. C'est une gentille femme.

Kale soupesa les possibilités pendant une seconde. Seul un choix l'attirait réellement. Elle avait vu Paladin repousser le mal. Elle l'avait vu tenir un bébé tendrement sur ses genoux. Elle avait senti sa caresse. Elle avait vu son sourire.

— Je veux te suivre.

Ils avaient été assis; à présent, ils se tenaient debout. Kale ne se rappelait pas s'être levée. Paladin la souleva dans ses bras et la fit tournoyer. Auparavant, ils se trouvaient dans la maison d'un marione, maintenant ils se tenaient sur un nuage; du moins, Kale pensait que les gros bancs blancs soufflés sous eux ressemblaient à des nuages.

Paladin tournait si vite que les jambes de Kale volaient derrière elle. Un vent vif et frisquet lui chatouillait la peau. Elle gloussa en réponse au rire profond de Paladin.

Quand le tournoiement ralentit, le plancher de bois réapparut sous leurs pieds, et Kale se retrouva assise sur la paillasse devant Paladin. Ses doigts étaient froids et son souffle, rapide; elle pouvait voir sur le visage expressif de Paladin la même euphorie qu'elle ressentait. Timide tout à coup, elle baissa la tête.

C'est comme appartenir à une famille, une famille importante. Il a dit qu'il m'aime. Si seulement j'avais quelque chose à lui offrir.

Il reprit sa main.

Sa question la surprit.

— Aimerais-tu me donner quelque chose?

Avec précaution, elle leva les yeux, se demandant s'il se moquait d'elle. Qu'avait-elle à offrir à quelqu'un comme lui? Son visage la rassura. Elle acquiesça.

Il lâcha sa main et s'assit confortablement.

Un violon apparut sur les genoux de Kale.

— Ah, un bel instrument, déclara Paladin. Me le donnerais-tu?

Kale sentit des larmes derrière ses paupières. Comprendrait-elle un jour ce qu'il essayait de lui dire ? Elle hocha vigoureusement la tête et lui remit le violon.

Une bague se matérialisa à son doigt. Paladin la lui demanda, et elle la lui offrit. Un chapeau sur sa tête. Un sac de monnaie. Une fleur. Une bouteille de parfum. Chaque objet apparut, et elle le céda chaque fois avec plaisir à l'homme mystérieux assis en face d'elle. Elle tint mollement le dernier article, une photo dans un cadre, dans une main.

— Qu'y a-t-il, Kale ? Pourquoi es-tu peinée ? lui demanda-t-il. N'es-tu pas heureuse de me donner des cadeaux ?

Elle haussa les épaules, combattant la tristesse dans son cœur.

— Ils ne veulent rien dire pour moi, répondit-elle. Ils ne m'appartiennent pas.

— Comment cette peinture pourrait-elle t'appartenir ?

— Si je l'avais peinte ou si j'avais gagné de l'argent pour l'acheter.

— Mais n'est-ce pas plus facile si je te la donne sans que tu aies à te battre pour l'obtenir ?

Kale regarda la peinture dans son cadre disparaître et laisser sa main vide. Alors que le cadeau se volatilisait, un sentiment d'espoir emplit son âme.

Elle leva des yeux pleins d'attente vers Paladin. Il allait répondre à sa question.

— Que puis-je te donner ?

— Tu m'as déjà accordé tout ce que je veux, Kale. Tu t'es engagée à mon service. Tu m'as offert ta personne. En continuant cette quête, dédie-moi chacune de tes pensées, de tes actions, de tes réussites. C'est tellement simple, Kale. C'est ce que tu es et qui tu es ; ce que tu fais, penses et ressens. C'est cela, ton cadeau pour moi.

Le cœur de Kale gémit dans sa poitrine. La déception la déchirait, intensément douloureuse et cruelle.

— C'est trop difficile à comprendre. Je ne peux pas y arriver.

Paladin retira le bol et la cuillère des genoux de Kale et les déposa sur le sol. Il se leva devant elle, tendit les bras pour saisir ses mains et la tira sur ses pieds.

— Ma très chère Kale, ni Wulder ni moi ne te demandons de comprendre, seulement d'agir. Ne prends pas la peine d'essayer d'expliquer l'impossible. Sache que l'inimaginable ne l'est pas pour Wulder. Les mystères insondables sont limpides pour Lui. Permets-Lui de s'occuper de ce qui dépasse ta capacité. Et toi...

Il repoussa doucement une mèche de cheveux épars sur sa joue et la plaça derrière son oreille.

— Concentre-toi sur la tâche devant toi.

Il sourit largement. Kale examina le visage de Paladin et remarqua son enthousiasme et son impatience à vivre. Elle respira profondément comme pour absorber son aura d'assurance par l'air qui l'entourait. Sa bouche s'élargit dans un sourire pour s'accorder à celui de Paladin. Ses mots suivants résonnèrent dans les oreilles de Kale comme un encouragement.

— Sois contente de tes exploits et laisse les incroyables, insurmontables et intimidantes tâches à Wulder.

— Je le ferai, répondit-elle.

L'étrange brume frémit sous une brise rapide et soudaine, et s'échappa rapidement des limites de la cabane en pin. Les rayons de soleil entraient à flots par la fenêtre. Des oiseaux matinaux chantaient en chœur à l'extérieur.

Paladin lui tapota l'épaule.

— Tout d'abord, puis-je faire une suggestion?

— Bien sûr.

Elle ne pouvait pas s'empêcher de lui présenter un visage épanoui. Son cœur lui semblait rempli d'amour et d'espoir.

Il se pencha plus près et lui murmura confidentiellement :

— En premier lieu, voyons si nous pouvons prévoir un bain pour toi. Tu es, ma chère, dans un état épouvantable.

32

LA FEUILLE DE ROUTE

Kale était assise sur le banc d'une table de planches sous un grand chêne. Une douzaine d'enfants mariones effectuaient des allers-retours rapides de la maison pour sortir des assiettes, des tasses et des plateaux de nourriture. Même après une semaine, cela lui paraissait étrange de se faire servir. Mais chaque fois qu'elle offrait son aide, on lui disait qu'elle était une invitée.

Une invitée. Dans une maison de marione. Et pas n'importe lequel ; le général Lee Ark.

Kale tourna son regard vers l'endroit où le célèbre marione jouait au ribbet avec un groupe de jeunes turbulents. Son équipe de demi-portion marquait contre les enfants plus âgés, mais moins organisés. Les spectateurs, assis autour du périmètre de l'aire de jeu, les encourageaient.

Lee Ark était venu à sa rescousse avec l'urohm quand les grawligs l'avaient faite prisonnière. Il avait aussi monté Merlander la nuit où elle et Dar avaient sauté du bord de la chute d'eau.

Sa femme traitait Kale comme une visiteuse de marque. Dame Ark avait cédé à Kale l'endroit le plus chéri de la maison pour y dormir — la cuisine —, la seule pièce qui ne fut pas bondée de mariones endormis. Dans la « cabane » de Lee Ark, une douzaine de chambres à coucher regorgeaient d'enfants — onze — et de différents parents, tantes, oncles et cousins, en plus de quatre grands-parents. Kale était incapable de démêler tous ces gens.

Leetu était allongée sur un lit de camp étroit dans une chambre remplie de vieilles femmes. Là, une des aïeules mariones veillait constamment dans une berceuse installée près de la malade en grave danger. Elle n'était laissée seule à aucun instant. Kale voulait que Paladin guérisse son amie. Le pouvait-il ? Elle n'aimait pas l'attente ni l'incertitude que tous les autres semblaient accepter sans sourciller.

La prairie grouillait d'activités. Tous les voisins s'étaient rassemblés chez Lee Ark pour prendre le temps de célébrer les plans contrariés des forces de Risto, la présence de Paladin et leur compagnie mutuelle. Des membres de chacune des races supérieures profitaient de l'atmosphère de fête. De la musique emplissait la maison de campagne, des enfants filaient à toute vitesse dans les environs, des femmes sous des arbres exécutaient des travaux d'aiguille en se visitant, et les hommes jouaient à des jeux ensemble et avec les petits. Tous ici sem-blaient amicaux et joyeux, même s'ils vivaient à l'ombre de la forteresse de Risto. Encore une explication à demander à Paladin si elle en trouvait l'occasion.

Depuis le matin où il lui avait offert son attention particu-lière, elle n'avait plus été capable de le voir seul. Il se montrait disponible, mais uniquement au milieu d'une foule. Chaque après-midi, il s'installait parmi les enfants et leur racontait des histoires. À la tombée du jour, il relatait d'autres récits, cette fois à un regroupement d'adultes assis sur la pelouse autour d'un feu de camp avec leurs bambins somnolents sur leurs genoux. Pendant que l'obscurité s'épaississait au-delà de la lueur des flammes, il expliquait parfois le sens plus profond d'une anecdote qu'il venait de conter. Kale adorait tout cela. Elle avait soif de ses paroles, de sa sagesse. Comment pourrait-elle continuer à affronter cette quête si elle n'apprenait pas d'abord tout ce qu'il avait à lui enseigner ?

Paladin sortit des bois par un sentier bordé de fleurs d'automnes tardives aux teintes orangé, violet et jaune doré. Dar arriva avec lui d'un pas légér, joyeusement engagé dans une conversation. Brunstetter, le maître écuyer de dragon urohm qui avait volé à leur secours, marchait au pas derrière Paladin. Au cours de leurs aventures, Kale avait oublié combien les doneels étaient petits. À côté de Paladin, mesurant un mètre quatre-vingt, et de Brunstetter, mesurant plus de quatre mètres, le corps de un mètre de haut de Dar paraissait en effet miniature. Il était grand seulement à côté d'un kimen.

En se dirigeant droit vers Kale, Paladin souriait aux gens qui le saluaient et chassait d'un signe de la main ceux qui désiraient se joindre au petit groupe. Elle se leva, son cœur accélérant le rythme en raison de sa joie de le voir.

— Kale Allerion, lui dit-il. Je retourne demain à la frontière sud. Lee Ark reste avec sa famille pendant une saison, et toi et tes camarades reprenez votre quête.

Paladin hocha la tête en direction de Dar et de Brunstetter, qui le quittèrent aussitôt. Il s'assit sur un banc à côté de la table d'où il voyait les activités se déroulant dans les champs environnants.

— Assieds-toi, lui ordonna-t-il.

Sa voix amicale contenait une touche d'autorité. Kale prit place sans tarder et se demanda quels ordres elle recevrait.

— Brunstetter est le chef de votre expédition. Shimeran prendra le rôle de second. Les kimens transporteront Leetu…

— Je peux aider, offrit Kale.

Paladin lui lança un long sourire songeur qui lui réchauffa le cœur et lui donna un sentiment d'acceptation.

— Aucun besoin, Kale. Les kimens sont très semblables aux fourmis en ce sens qu'ils peuvent soulever des fardeaux beaucoup plus lourds qu'on pourrait penser. Et ils pratiqueront des interventions particulières en vue de soigner notre amie émerlindian.

— Pourquoi souffre-t-elle autant, Paladin ? Il y avait peu de blessures sur son corps, et elles sont maintenant guéries.

Le visage de Paladin s'assombrit.

— Les mordakleeps l'ont engloutie. Les mordakleeps personnifient le néant. Sous leur emprise, elle était entourée par le vide. Pas de son, de vision, d'odeur, de goût. Elle ne sentait rien sur elle, même pas sa peau. Elle n'avait même plus la capacité de savoir si elle avait la tête en haut ou en bas. À l'intérieur d'un mordakleep, il n'y a aucun signe de vie. Dans cet état d'oubli, son esprit frémissait d'anxiété, et il s'est fermé pour se protéger de la douleur de la solitude et de l'isolement.

Kale ramena vers elle ses jambes et ses bras de façon à se retrouver perchée sur le banc comme un gros œuf.

Paladin lui prit la main.

— Tu as touché à ce néant quand tu as cherché à pénétrer l'esprit de Leetu. Tu sais à quel point le plus petit aperçu de ce vide peut s'avérer dévastateur.

Elle acquiesça, incapable de répondre en se rappelant l'affreuse sensation d'angoisse qui s'était emparée d'elle.

La main chaude de Paladin sur la sienne la réconfortait. Sa voix profonde la calmait même si ses mots la bouleversaient.

— Wulder possède un endroit comme celui-là. On l'utilise pour punir ceux qui le défient jusqu'à leur dernier souffle dans ce monde. Toutefois, cette punition ne concerne pas Leetu. Elle se remettra. L'imitation de Pretender du néant de Wulder ne laisse pas d'effets permanents quand on administre le bon antidote. Et tu joueras un rôle dans cela.

Devant la promesse de pouvoir faire quelque chose pour Leetu, Kale se redressa, se pencha en avant et écouta Paladin avec encore plus d'attention.

— Les kimens chanteront pour Leetu en la portant. Ils la toucheront, lui caresseront les bras et les jambes, frotteront sa tête, passeront leurs petits doigts délicats sur son visage. Dar apportera des choses à Leetu pour qu'elle les sente, par exemple les fleurs les plus odorantes de Wulder et, m'assure-t-il, certains repas très parfumés qu'il a l'intention de cuisiner. Puis, le magicien Fenworth complétera la cure.

— Que devrai-je faire ?

— En voyageant, tu projetteras les images que tu vois dans l'esprit troublé de Leetu. Les belles fleurs, les prairies paisibles, les couchers de soleil spectaculaires, les bouffonneries des kimens, la grâce d'un papillon.

Je peux faire cela !

— Le soir, toi et Gymn vous assoirez avec elle pour former le cercle de guérison. Tu laisseras ton amour de l'aventure et ton excitation à faire partie de la quête couler dans les veines de notre amie émerlindian.

Oh, non !

— Paladin, je ne peux pas. Je n'aime pas l'aventure. Je suis très effrayée par la quête, pas excitée.

Paladin renversa la tête en riant. Kale serra les lèvres et lui présenta une mine renfrognée.

Quand le grand homme fut de nouveau en mesure de parler, après avoir essuyé les larmes d'hilarité sur ses joues, il lui décocha un clin d'œil.

— Kale, tu en apprends davantage sur Wulder tous les jours. Tu apprends à connaître tes talents et à les utiliser. Et, au cours de cette quête, tu apprendras des vérités profondes sur toi-même.

— Tu dis que j'aime l'aventure et que je trouve la quête excitante.

Paladin arbora un grand sourire, et Kale sentit l'envie pressante de lui tirer la langue comme si elle n'avait pas plus de trois ans. Il rit encore et se leva en fouillant dans sa poche.

— Voici Gymn. Tu lui as manqué autant qu'il t'a manqué. Mais je lui enseignais toutes sortes de petits trucs. Vous vous amuserez ensemble.

Kale prit le petit dragon avec enthousiasme. Paladin s'éloigna pour se joindre à la partie de ribbet. Il laissa tomber son manteau sur le sol, courut dans la foule et attrapa le ballon alors qu'il volait dans les airs. Les enfants des deux équipes applaudirent et fourmillèrent autour de lui.

— Je n'aime *pas* l'aventure, dit-elle à Gymn.

Elle le plaça sous son menton, et il commença à bourdonner.

— Je préférerais demeurer avec Lee Ark et sa famille.

Elle regarda vers le gril extérieur où dame Ark retournait des tranches de viande sur le feu. La femme du général mettait beaucoup d'efforts à prendre soin de sa grande famille. Kale était certaine que la marione retirait énormément de plaisir de ses tâches. Si Kale restait ici, elle pourrait l'assister. Après tout, elle en connaissait beaucoup sur les tâches ménagères. Mais l'idée de ne pas partir ne lui plaisait pas. Elle se tortilla sur le banc et tourna le regard dans plusieurs directions, cherchant ses amis. Bien que Kale n'ait pas de famille, elle avait des camarades : Dar, Leetu, les kimens et Gymn. À présent, Brunstetter se joindrait à eux, et le géant silencieux l'intriguait.

Kale observa la partie de ribbet. Les équipes couraient pêle-mêle en traversant constamment les deux côtés du terrain, pourchassant un ballon de la taille d'un poulet.

— Je ne ressens *pas* d'excitation quand je pense à la quête, grommela-t-elle.

Gymn fredonnait. C'était une des chansons de route de Dar.

Elle le tint éloigné d'elle et le regarda avec suspicion. Ses yeux se rétrécirent et un de ses sourcils s'arqua.

— Que t'a enseigné Paladin ?

Le petit dragon soupira, se lécha les lèvres et cligna des paupières.

Une pensée silencieuse clignota dans l'esprit du dragon et entra dans le sien.

Elle cria.

— Faire éclore un autre œuf ? Pas maintenant. Quand nous irons au Manoir, nous aurons tout le temps d'en faire éclore un autre.

Les pensées de Gymn la pressèrent davantage. Un mot tambourinait dans la tête de Kale.

— *Maintenant. Maintenant. Maintenant.*

— Pas maintenant, déclara Kale.

33

Sur la route encore

Kale était installée dos à dos avec l'urohm Brunstetter sur son grand dragon blanc. Elle était tournée dans la direction de laquelle ils venaient. Son immense corps lui servait de rempart contre le vent.

Le deuxième siège lui offrait une excellente vue des plus petits dragons volants derrière le chef. L'équipement de cuir arborait deux places, dont une assez large pour asseoir confortablement l'urohm. La seconde semblait un peu grande pour le dos de Kale, mais elle était munie de boucles au bon endroit pour ses genoux. Célisse volait à côté de Merlander. Les écailles de Célisse avaient perdu leur teinte morne du début, lorsque la bête avait été secourue, et elles étincelaient à présent au soleil comme l'argent et l'onyx poli.

Des sacs de provisions entouraient Kale. Gymn était perché sur son épaule et il profitait de la vue nette du matin. Un deuxième œuf de dragon voyageait dans la soyeuse pochette écarlate autour du cou et sous la blouse de Kale.

Paladin avait donné raison à Gymn.

Il avait examiné les œufs de dragon que Kale avait alignés à sa demande. Son trésor ressemblait à une rangée d'œufs de poule sur la table de cuisine de dame Ellie Ark.

— Je n'en ai jamais vu autant, déclara la gentille femme à tous ceux qui s'étaient réunis pour assister à l'événement.

Il semblait que tout le clan Ark et la plupart des voisins se trouvaient dans la spacieuse pièce.

— Ni moi, ajouta Lee Ark. C'est un signe, je crois, des temps troublés à venir.

— Nenni, ne dis pas cela, répliqua Ellie en regardant le visage de Paladin pour se faire rassurer.

Paladin posa une main sur chaque œuf tour à tour et tapota son menton avec un doigt de sa main libre en contemplant l'alignement. Enfin, il en choisit un et le remit à Kale. Puis, il sourit, et tout le monde dans la pièce bondée soupira profondément en hochant la tête en direction les uns des autres.

Kale rangea le précieux œuf avec un soupir d'un genre différent. Elle ne voulait pas s'occuper d'un autre bébé dragon. Non que Gymn soit difficile…

Paladin lui donna de petites tapes sur l'épaule et lui décocha un clin d'œil. Kale n'apprécia pas beaucoup sa nonchalance.

Il y a des fois où j'aimerais que ce grand homme agisse avec un peu plus de sérieux. Il aurait besoin d'une bonne dose du pessimisme de maître Meiger. Paladin ne cesse de m'assigner de nouvelles tâches. Trouve le magicien. Débusque l'œuf meech. Pars en quête. Et, oh, en passant, fais éclore et materne un tas de bébés dragons pendant que tu marches d'un bout à l'autre d'Amara.

Le rire bruyant de Paladin la surprit. Il serra son épaule et murmura :

— Tu en es capable.

Puis il quitta la maison chaleureuse parmi les au revoir de ses amis, à l'exception de ceux de Kale.

Il a entendu mes pensées.

— *Oui.*

Kale sursauta. Paladin était debout à l'extérieur de la porte. Une main tenant fermement le coude d'une grand-mère gâteuse, il posa l'autre sur l'épaule voûtée du grand-père. Paladin ne semblait pas du tout attentif à Kale. Il parla au couple d'aînés en acquiesçant à leur réponse.

Tu écoutes mes pensées ?

— *Chaque fois que tu t'adresseras à moi, je le ferai.*

Comment est-ce possible ? Tu es occupé. En ce moment même, tu es accaparé par quelqu'un d'autre. Et tu seras si loin.

— *Je semble me souvenir d'une discussion que nous avons abordée à propos de permettre à Wulder de voir à l'impossible. Wulder et moi garderons un œil sur toi, Kale.*

Il s'éloignait en parlant avec différentes personnes en chemin. Kale se rendit à la porte et s'appuya au chambranle. Elle le regarda descendre la colline, puis passer devant la grange et le pâturage clôturé. Il dépassa presque toute la foule, marcha à plus longues enjambées en se dirigeant vers sa monture blanche luisante, se mit en selle et attendit. Il ne s'agissait pas du même dragon qu'il avait monté dans la bataille. Même dans la lumière du matin, ce dragon semblait avoir été sculpté dans la Lune brillante.

— *Je ne te quitte pas, Kale. Parle-moi quand tu veux.*

Répondras-tu ?

— *Toujours. Mais pas nécessairement avec des mots.*

Mais ce serait beaucoup plus facile si tu me parlais.

Il prononçait ses paroles gentilles et patientes tout en s'installant sur la selle du dragon majestueux et en saluant une dernière fois les gens près de lui.

— *Nous avons déjà eu cette conversation aussi. Vaque à ce qui est placé sur ton chemin, Kale. Je te reverrai.*

Son propre groupe en quête partit peu de temps après.

Dar voyageait sur Merlander. Les kimens, avec Leetu, montaient Célisse. Brunstetter, en tête, dirigeait son dragon, Foremoore, vers le marais de Bedderman. Les autres bêtes, plus petites, suivaient côte à côte. L'estomac de Kale était repu, son corps, chaud, et elle occupait un siège confortable avec rien à faire que jouer avec Gymn. Elle se demanda si le léger frisson d'excitation sur sa peau exprimait sa joie de l'aventure.

Ils laissèrent la vallée derrière eux et s'élevèrent en flèche au-dessus d'une région fortement boisée, puis ils aperçurent bientôt une vaste plaine fertile. Dar et Kale avaient dû beaucoup marcher pour couvrir cette même distance. Kale s'amusa à voyager en sens inverse sur le dos de l'immense dragon blanc Foremoore. Elle admira le panorama et projeta son point de vue dans l'esprit silencieux de Leetu.

Une pluie récente avait gonflé les ruisseaux. Les eaux déferlaient le long des berges et se hâtaient vers les rivières. Le soleil se reflétait sur les arbres, et une brise agitait leurs branches et faisait trembler les feuilles qui semblaient tour à tour vert foncé et émeraude. L'automne avait effleuré certaines parties du paysage. Kale transmit joyeusement tout cela à l'émerlindian inconsciente, jusqu'à ce qu'elle remarque des maisons de ferme rasées par le feu, puis encore quelques autres, puis un village entièrement détruit.

Risto.

Paladin l'avait arrêté pour l'instant. Que prévoyait Wulder pour le mauvais magicien ? Comment se déroulerait leur quête pour récupérer l'œuf meech ?

Et bien, il m'est impossible de le savoir, et je suis censée laisser l'impossible à Wulder.

Tout de même, la vue de la destruction engendrée par l'armée bisonbeck bouleversait Kale. Elle détourna délibérément son attention vers les feuilles prenant peu à peu des couleurs chatoyantes. Elle projeta la jolie image dans l'esprit de Leetu. Un vert riche couvrait presque l'ensemble du paysage, mais des teintes orange vif et jaune éclaboussaient les arbres sur la crête de quelques collines. Un rouge flamboyant se mêlait au bleu violet du feuillage des armagots largement répandus.

Si Kale se trouvait à Rivière au Loin, elle aurait amené les plus jeunes enfants dans les bois pour ramasser des noix d'armagot. Miam ! Ce serait un délice de manger une des tartes aux noix d'armagot de dame Meiger.

Ils volèrent au-dessus d'une autre forêt. Elle transmit à Leetu l'image d'oiseaux éblouissants voltigeant parmi la végétation. Attentive, elle remarqua la beauté et les merveilles sous eux. Elle ne voulait pas manquer une seule scène pouvant aider à la guérison de l'émerlindian.

Tout de suite après midi, quand le Soleil brillait directement au-dessus de leur tête et que leur ombre maintenait le rythme juste sous eux, Brunstetter leur fit signe de descendre. Ils atterrirent aux Entre-deux. Le marais de Bedderman, avec ses cynœuds et ses sentiers marécageux, était visible.

Les kimens montèrent une tente pour Leetu. Dar déballa sa plaque de cuisson. Brunstetter retira avec efficacité les fardeaux et les selles des trois dragons. Il les nourrit, leur donna à boire et entonna de sa profonde voix de basse des chansons exubérantes que, de toute évidence, les bêtes appréciaient. Les trois fredonnaient avec lui, les yeux à demi fermés, balançant leur tête de cette façon particulière qu'adoptent les dragons quand ils sont satisfaits.

Kale s'assit à côté de Leetu et lui communiqua l'image de la tente. La toile n'était pas faite de lumière, mais de fils si fins que Kale se demanda s'ils venaient de la tête des kimens. Le brun roux était certainement identique à la teinte de la plupart des chevelures de ces lilliputiens.

Une voix rugit dans l'air.

— Qu'est-ce que c'est, un campement?

Kale sauta sur ses pieds, renversant un des côtés de la tente. Elle dut se débattre avec la toile pour sortir. Brunstetter se tenait debout, les mains sur les hanches, en zieutant un arbre difforme et un rondin qui étaient apparus entre l'endroit où Dar préparait le repas et celui où les dragons se reposaient.

— Ne m'entendez-vous pas?

La voix était plus forte, à tel point que Kale se couvrit les oreilles. Les mots résonnaient comme le tonnerre et ils étaient difficiles à saisir.

— J'ai posé une question. Question. Quête. Pas un campement. Une quête. Tut tut tut.

Kale entendit un grommellement suivi de la voix tonitruante.

— Un arbre ? Je ne suis *pas* un arbre. Je suis un magicien.

D'autres grommellements.

— C'est ce que je *fais*, je parle doucement. Je suis obligé, tu sais. On effraie les créatures qui n'ont pas l'habitude des magiciens si l'on ne les traite pas gentiment. Oh zut.

Kale tendit l'oreille pour entendre la réponse, mais elle ne perçut qu'un murmure.

— Je ne suis pas un arbre. Arrête de dire cela. Toi, par contre, tu sembles bien être un rondin. Tut tut.

La silhouette du magicien prenait davantage l'allure d'un o'rant et moins celle d'un arbre à mesure que la dispute progressait. Il inclina la tête vers son compagnon.

— Entends-tu le tonnerre ?

À présent, son visage était contracté par la colère.

— Moi. *Moi !* Je ne rugis pas comme le tonnerre et je ne crie *pas* !

L'intensité du son de ces derniers mots fit tomber tout le monde par terre sauf Brunstetter. Le magicien cessa de rugir. Le marmonnement de deux voix remplaça le beuglement.

Kale leva son visage du gazon et regarda l'arbre se changer en un vieil homme grand et élancé avec une longue barbe. Des feuilles et des brindilles s'accrochaient à sa robe froissée. À côté de lui, le rondin se transforma en un petit homme rond qui arrivait à la taille de l'individu plus âgé. Ses vêtements bruns pochaient autour de sa courte silhouette, et Kale reconnut le style d'habit porté par un académicien.

De l'endroit où elle était tombée au sol, Kale se leva sur ses coudes pour mieux les observer. *Le petit homme est peut-être un professeur du Manoir. Et le magicien est sans contredit l'homme que j'ai vu aux Marais.*

Le petit homme était un tumanhofer, l'un des habitants de la montagne. Un peu plus grand que Dar, avec un teint rougeaud et des cheveux courts noirs, il grognait entre ses dents serrées. Ses sourcils broussailleux se joignaient par-dessus son nez alors qu'il regardait son compagnon avec colère. Des lunettes étaient perchées sur son nez bulbeux. De petits yeux foncés se plissaient derrière la monture. Un minuscule bouc accentuait son menton pointu. Une fine moustache soulignait ses lèvres boudeuses.

Dar bondit sur ses pieds et se hâta d'aller à la rencontre des deux visiteurs.

Il exécuta une grande et respectueuse révérence.

— Magicien Fenworth, nous sommes enchantés que vous vous soyez joint à nous. Et vous êtes le célèbre Librettowit ? On parle de vous avec beaucoup d'estime dans toutes les universités d'Amara.

Les deux hommes se tournèrent d'un seul mouvement pour lancer un regard furieux au doneel.

— Hum ! dirent-ils à l'unisson.

— Du thé ? leur offrit Dar.

34

LE CHÂTEAU ÉGARÉ

Dar servit des sandwichs, des fruits frais, des pâtisseries sucrées et, bien sûr, du thé. Avant de s'asseoir pour manger, le tumanhofer fit le tour de l'assemblée et se présenta comme Trevithick Librettowit, bibliothécaire. Fascinée par le magicien, Kale regarda Fenworth avaler avec enthousiasme tout ce que le doneel plaçait devant lui. Pendant tout le repas, le vieil homme ne dit pas grand-chose sauf un merci occasionnel et quelques mots pour demander régulièrement qu'on lui passe un plat ou un autre. À mi-chemin de sa deuxième portion, le magicien tendit la main dans sa barbe emmêlée, en sortit une souris par la queue et la déposa sur le sol. La minuscule créature fila à toute vitesse.

Kale se retint tout juste de rire à voix haute. Elle toussa pour dissimuler le gloussement qui montait dans sa gorge. Elle ne voulait pas offenser l'homme. De fait, *c'était* quelqu'un qui recourait facilement aux cris. Elle observa la réaction des autres membres de son groupe. Tout le monde semblait occupé, presque trop, comme s'ils évitaient sciemment de regarder le magicien Fenworth.

Peut-être que c'est impoli de remarquer quand un magicien agit étrangement.

Le tumanhofer mangeait plus lentement, gribouillant à l'occasion une ou deux lignes dans un cahier qu'il tenait en équilibre sur ses genoux.

— Alors, dit le magicien en se mettant debout et en époussetant les miettes sur le devant de sa robe.

Il délogea aussi des feuilles brunes séchées, un nid de coccinelles, plusieurs papillons de nuit et un lézard.

— Partons en quête.

Librettowit rangea son livre et se hissa sur ses pieds.

— Oui.

Il leva les yeux vers le magicien avec une expression prudente.

— Mais tout d'abord, allons à la maison pour nous préparer.

Le corpulent tumanhofer soupira de soulagement quand Fenworth accepta sa suggestion. Shimeran fit un geste à ses compagnons kimens. Ils se ruèrent pour démonter la tente et installer une litière. Dar arrosa son feu et empaqueta ses outils de cuisine.

Plongé dans ses pensées, Fenworth marcha de long en large pendant quelques minutes. Brusquement, il se tourna vers Kale.

— Tu ne peux pas venir, bien sûr. À cause de ta taille.

La déception de Kale devant cette déclaration triompha de sa réticence à parler à une personne aussi importante que le magicien des marais.

— Ma taille?

— Mince!

Fenworth parcourut rapidement la distance entre eux et s'arrêta pour dominer de sa présence la jeune o'rant.

— Qui es-tu?

— Kale Allerion, Monsieur. Nous nous sommes rencontrés dans le marais de Bedderman.

Kale se souvenait s'être agrippée au plancher de cynœuds en essayant de ne pas glisser à travers pendant que le magicien se tenait tout près en lançant des « tut tut » et des « oh zut ». Puis, elle se rappela l'oiseau.

— Vous ne m'avez pas aidée. Et vous avez même fait semblant de ne pas être là!

Et à présent, il déclarait qu'elle ne pouvait pas participer à la quête à cause de sa taille. Paladin lui avait dit qu'elle pouvait y aller, et elle irait.

— Ma taille ne pose *pas* de problème! cria-t-elle.

— Bien sûr que non. De quoi parles-tu?

— Vous venez tout juste d'affirmer que ma taille ne convenait pas.

— Quelle idiotie! Comme si je ne pouvais pas voir que tu as juste la bonne taille. La meilleure pour une Allerion. La meilleure pour une o'rant. La meilleure pour une fille. Pourquoi te plains-tu? Les quêtes ne sont pas pour les pleurnicheuses.

— Vous avez décrété que je ne pouvais pas y aller. À cause de ma taille!

— Ta taille est parfaite! Arrête tes sottises!

Kale dut alors se couvrir les oreilles. La voix du magicien prenait une ampleur tonitruante.

Le tumanhofer se plaça à côté de son compagnon affolé et parla clairement en pointant derrière Kale.

— Tu as dit que l'urohm ne peut pas venir à cause de sa taille.

Kale jeta un œil par-dessus son épaule et vit Brunstetter debout près des dragons, un large sourire aux lèvres. Agacée d'avoir mal compris Fenworth et de s'être fait piéger dans une dispute ridicule, Kale fixa avec colère l'urohm jubilant.

— Bien sûr qu'il est grand, rugit Fenworth. C'est un urohm, Librettowit. C'est arrivé il y a des centaines d'années à la bataille d'Ordray. Pas à lui, évidemment, parce qu'il est beaucoup plus jeune que cela, mais à son peuple. Une bonne chose, en plus. Les urohms s'avèrent utiles par moment, mais pas aux Marais. Les dragons ne sont pas les bienvenus non plus. Pas de dragons, pas d'urohms; mais les petites o'rants peuvent entrer tout le temps. Enfin, si elles mènent une quête. Et c'est le cas pour celle-ci.

Il y eut un silence pendant que le magicien tirait sur sa barbe et baissait des yeux furieux sur le tumanhofer.

— Où ai-je laissé le château ?

— Dans un lopin de citrouilles.

— Ha ! C'était une diversion. Les temps sont dangereux. J'ai changé d'idée et je l'ai déplacé.

Fenworth posa la main sur son menton, il ferma les yeux et fronça les sourcils.

— Une ruche ? suggéra Librettowit.

Le magicien secoua la tête. Une vingtaine d'abeilles s'échappèrent de ses cheveux et filèrent à toute vitesse.

— Une feuille de nénuphar ?

Fenworth gémit, et des grenouilles tombèrent des manches de sa robe.

— Un peu de bon sens, Wit. Je l'ai laissé dans un endroit sécuritaire.

— Tu l'as laissé sur une feuille de nénuphar quatre fois le mois dernier, maugréa le tumanhofer.

— Aha !

Fenworth claqua des doigts et ouvrit les yeux.

— Une plume sur un oiseau.

— Et te rappelles-tu de quel oiseau il s'agissait ?

Librettowit ne paraissait pas optimiste.

— Non, mais il doit venir à moi quand je lui donne le signal secret.

— Et tu te souviens du signal ?

Le tumanhofer se rassit et ressortit son crayon et son cahier.

— Et bien… non.

— Tu l'as écrit quelque part ? Tu t'es laissé un indice ?

— Allons, Wit, tu ne dois pas te montrer difficile.

Le tumanhofer secoua la tête et il commença à écrire dans son livre, de toute évidence en ayant abandonné l'idée d'un départ imminent du groupe en quête.

Les kimens et Dar ralentirent leurs préparatifs. Fenworth faisait les cent pas, s'arrêtant parfois pour converser avec un papillon ou une plante. Kale s'assit à côté de Leetu et projeta des images des clowneries exécutées par cet homme étrange pendant l'après-midi dans l'esprit de son amie endormie.

Fenworth s'assit sur la pelouse, et une douzaine de lapins se groupèrent autour de lui, comme s'ils assistaient à une réunion. Il parla à chacun d'eux. Se demandant quel langage ils utilisaient, Kale fut tentée d'user de ses dons de télépathie pour espionner leur conversation. Cependant, en se rappelant les instructions de Leetu sur l'utilisation polie de ses talents, elle n'écouta pas aux portes.

Plus tard, le magicien prit place sur une grosse roche et ne bougea pas pendant une heure. Il commença à ressembler à un buisson enchevêtré autour du rocher. Kale dut cligner des yeux à répétition pour conserver une vision nette de l'homme, sinon, il se confondait au paysage. Plusieurs oiseaux descendirent du ciel en piqué pour se percher sur ses branches… sur ses bras. Ils s'envolaient après un instant de jacasserie intense.

Le reste de l'après-midi, Fenworth s'appliqua à visiter ses compagnons comme s'il était l'hôte attentionné s'assurant que ses invités se sentaient bienvenus. À un certain moment pendant son bavardage futile, il demanda aux membres du groupe de lui dire leur âge. Après chaque réponse, il s'exclamait :

— Ah ! Tu vois ? Je suis plus vieux que toi.

Seezle inclina son menton, et une lueur espiègle dans l'œil, elle voulut savoir :

— Enfin, comment puis-je en être certaine ? Vous n'avez pas révélé votre âge.

Le vieillard fulmina. Il se racla la gorge, souffla dans sa barbe, tapota sa robe avec ses mains et lança un regard furieux à la créature lilliputienne devant lui.

Le sourire de Seezle ne fit que s'accroître.

— Vous avez oublié, n'est-ce pas ?

— Soixante, aboya Fenworth. Soixante-dix. Peut-être quatre-vingt et des poussières.

Il se tint plus droit, et son visage s'éclaira.

— Soixante-douze. Un chiffre très près de soixante-douze, je crois.

Il pivota et s'éloigna en fredonnant la chansonnette que tous les enfants chantent aux anniversaires de naissance.

Seezle rigola et se laissa choir à côté de Kale et de Leetu.

— Soixante-douze ans ?

Kale plissa le front, perplexe.

— Il a l'air beaucoup plus âgé.

— Il parle de siècles, pas d'années, expliqua Seezle.

Kale, le souffle coupé, observa le vieux bonhomme alerte avec une nouvelle admiration.

Au crépuscule, un oiseau noir pénétra dans leur campement et atterrit sur l'épaule de Fenworth.

— Oh, oui, dit le vieillard, je me souviens à présent. Le soleil tombant à l'autre bout du monde, c'était cela le signal pour que Thorpendipity m'apporte mon château. C'est logique, voyez-vous. La soirée. L'heure du repas. L'heure de dormir. On veut se retrouver à la maison. Ma propre table. Mon propre lit. Le confort. Ne voyez-vous pas ? Les quêtes peuvent se révéler des entreprises tellement inconfortables.

Pendant une seconde, Kale observa l'expression déboussolée sur le visage de ses compagnons. Un éclair de lumière aveuglante jaillit dans la prairie. Kale plissa les paupières, posa son bras sur ses yeux et eut l'impression que son corps était aspiré dans un trou.

Elle perçut des hennissements de chevaux, des cancanages de canards et le grésillement du bacon sur le feu. Elle sentit la viande, mais aussi des fleurs, puis l'odeur entêtante du savon à lessive.

— Bon, où est la clé de la porte ?

Elle entendit le marmonnement du magicien pratiquement dans ses oreilles. Elle se tourna vers le son et tendit la main, mais elle ne sentit que la brise. Le vent l'étonna, car il tourbillonnait presque en silence. Des bruits étranges, un battement de tambour, une porte qui s'ouvre et se ferme, le miaulement d'un chat, pouvaient être entendus distinctement.

La voix de Fenworth flotta dans l'air.

— Oui, voyez-vous, je suis le chef, car je suis le plus vieux. J'ai demandé, et je suis assurément le plus âgé. L'aîné des magiciens de cette expédition. Eh bien, en fait, le *seul* magicien de cette expédition. C'est-à-dire, le seul du bon côté des choses. Il y a d'autres magiciens impliqués qui ne le sont pas. Mais évidemment, ces magiciens ne font pas partie de notre groupe en quête, et constituent, plus précisément, la raison de cette quête.

Des odeurs voyageaient dans les courants comme si elles avaient été ramassées dans des endroits lointains et passées sous son nez. Elle sentait le cuir, le pain cuisant au four, les pommes, et elle plissa le nez devant les vapeurs d'une grange sale.

Kale sourit en entendant Dar déclarer qu'il ne voulait pas perdre le sac contenant sa flute. Elle décela le rire des kimens et elle entendit Fenworth annoncer :

— Voici la clé. À présent, où se trouve la porte ?

Kale posa sa main sur la pochette protégeant l'œuf à éclore. Aucun problème de ce côté-là. Elle déplaça sa main sur le renflement formé par Gymn dans la cape en rayons-de-lune.

Évanoui.

Kale caressa le petit dragon, la tête ailleurs.

Oh, Gymn, c'est excitant, pas effrayant.

Elle comprit pour la première fois qu'elle ne se trouvait plus sur le sol herbeux quand le plancher de bois sous elle trembla et fit un bruit sourd comme s'il était tombé. Elle déposa sa main par terre et sentit le grain du bois et le bord de vieilles planches lisses usées par les années.

— Ah, dit le magicien Fenworth. Bien sûr que je me souviens. Comment pourrait-on oublier une Allerion ? Une nouvelle apprentie. Sera-t-elle aussi talentueuse que sa mère ?

Kale tourna brusquement la tête pour essayer de le voir, oubliant que la lumière éblouissante blessait les yeux. Ses paupières tressaillirent devant l'éclat, mais pas avant qu'elle n'ait aperçu la silhouette du magicien fermant la porte.

Le vent se calma. La lumière s'évanouit. Kale ouvrit les yeux pour examiner son entourage. Le magicien Fenworth, Librettowit, Dar, Leetu et les kimens remplissaient une petite pièce. Tous étaient assis sur le sol, à l'exception du magicien et de l'émerlindian. Leetu gisait parmi le tas de kimens. Fenworth se tenait debout, les mains sur les hanches et un sourire satisfait aux lèvres.

La pièce ressemblait au foyer chaleureux de Mamie Noon. Même la cabane en pin du général Lee Ark paraissait plus élégante que cette humble demeure. La plupart des maisons à Rivière au Loin possédaient des meubles plus récents. Fenworth avait besoin d'une femme de ménage munie d'un plumeau. Cette masure n'avait d'aucune façon l'allure que Kale pensait voir dans tous les châteaux.

Fenworth étendit les bras en signe de bienvenue.

— Mon foyer est vôtre. Bienvenue dans mon château.

35

Le magicien chez lui

Kale apprit rapidement pourquoi Librettowit, le bibliothécaire, passait son temps avec le magicien Fenworth.

Dans le « château », une pièce commune servait de place de rassemblement principale. Elle formait la seule pièce carrée du château. La cuisine occupait un coin de cet espace. Une table et des bancs nichaient près du four. Sur un petit tapis, un groupe de fauteuils rembourrés offraient un endroit parfait pour s'asseoir devant l'âtre.

À droite de l'immense foyer, une porte menait à la chambre à coucher de Fenworth. La chambre de Librettowit se trouvait à gauche. Le mur à l'opposé du foyer était percé d'une porte double en bois donnant accès à l'extérieur. La porte, avec ses fenêtres en verre biseauté donnait, *elle*, l'impression d'appartenir à un manoir.

Des fenêtres rondes de différentes grandeurs s'affichaient aux murs sans ordre précis. Au milieu de chacun des autres murs, il y avait une porte circulaire menant à un couloir tubulaire. Le long de ces couloirs en labyrinthe, on découvrait des salles rondes avec des bibliothèques allant du mur au plafond, regorgeant de livres.

Des centaines de livres. Des vieux, des récents. Des gros, des minuscules. Des livres épais et des livres minces sans couverture. Des livres avec des pages semblables à du cuir, d'autres avec des pages colorées ; des livres sans pages, mais avec des photos qui bougeaient et changeaient constamment. Dans une salle, une table trônait au centre avec quatre livres ouverts dessus. Pendant que Kale les observait, des mots apparurent sur une des pages de l'un de ces livres. Quand les lignes de texte atteignirent la fin de la page, elle tourna, et de nouveaux mots s'inscrivirent sur la feuille vierge comme s'ils flottaient à la surface d'un étang.

Les jours où Kale attendait que le magicien Fenworth se déclare prêt pour la quête, elle s'aventurait dans ces pièces. Chaque salle possédait un grand fauteuil confortable et des lanternes pierre-soleil. Parfois, elle prenait un livre sur les étagères pour le lire.

Il lui arrivait aussi de s'égarer dans ces pièces et ces couloirs. Le mieux, quand on était perdu dans le château, c'était de trouver une porte pour aller dehors. De l'extérieur, il ressemblait à un cynœud géant avec un petit groupe d'arbres plus petits autour. Les couloirs circulaires que parcourait Kale à l'intérieur du château étaient les branches qui reliaient ses arbres.

Librettowit lui avait fait visiter le labyrinthe de couloirs et de pièces.

— Le château de Fenworth est le centre des Marais, expliqua le tumanhofer. Cet arbre est le plus vieil arbre vivant à Amara. Les arbres autour ne sont pas beaucoup plus jeunes.

Il rayonna en admirant son entourage quand il montra à Kale sa salle d'étude.

— La collection de livres de Fenworth éclipse toutes les autres. C'est un privilège d'agir à titre de bibliothécaire personnel, bien qu'il oublie parfois quelles sont mes tâches.

— Que préparons-nous pour la quête? demanda Kale.

Il lui semblait qu'ils s'activaient peu à part lire, déguster les délicieux repas de Dar et dormir dans les hamacs suspendus d'une bibliothèque à l'autre dans différentes salles par les kimens.

— Je rassemble des informations sur Risto, sur son histoire.

Librettowit regarda par-dessus ses lunettes épaisses. Ses petits yeux examinèrent Kale. Il soupira.

— Les livres peuvent tant nous apprendre. La plupart du temps, il n'est pas nécessaire de comprendre les choses par soi-même. Il suffit de parcourir le bon bouquin sur le sujet. Par exemple, je recherche aussi les faits connus sur les dragons meech. Ils sont rares, tu sais, mais tout de même, il y a des rapports précieux sur eux. Et je copie des cartes géographiques que Fenworth apportera afin de vous aider dans la quête. En fait, je vais les remettre à Brunstetter. Fenworth les égarerait.

— Tu ne viens pas avec nous ?

— Oh, non. Je suis un bibliothécaire.

⊱ ⊰

Kale essaya de piéger Fenworth pour obtenir un entretien. Il avait dit un certain nombre de choses intrigantes. Il avait mentionné sa mère. Personne n'avait jamais parlé de sa maman. Elle s'efforça de se persuader que, vu la façon dont des propos insensés sortaient de sa bouche sans ordre précis, elle détenait là la preuve qu'elle ne devait croire aucune de ses paroles. Toutefois, elle voulait lui poser la question, juste au cas.

L'homme avait le don de disparaître. Elle le suivait dans un couloir, mais il tournait dans une pièce ou dans un autre couloir. Peu importe à quelle vitesse elle courait pour le rattraper, la pièce ou le couloir était vide à son arrivée.

Il pouvait se trouver sous ses yeux, mais complètement indisponible. Parfois, elle le voyait assis sur les plus hautes branches de l'arbre parmi une nuée d'oiseaux. Quand elle essayait de grimper aussi haut, les minces rameaux oscillaient et pliaient, puis la déposaient doucement à un niveau inférieur du réseau de cynœuds. Ils ressemblaient à des doigts agrippant ses vêtements, puis la relâchant une fois qu'elle avait trouvé une prise pour ses pieds.

Chaque soir, Fenworth se retirait tôt dans son appartement. Le matin, il se levait avant le soleil pour s'entretenir avec des animaux nocturnes. En fait, il passait beaucoup de temps avec des bêtes venues lui rendre visite.

Pendant tout ce temps, Leetu ne montrait aucun signe d'amélioration.

Kale demande à Dar quand ils partiraient.

Il sourit par-dessus le chaudron dont il brassait le contenu.

— Nous ferions une erreur grave de nous mettre en route avant que le magicien ne soit prêt. Et puisque Paladin a ordonné que le magicien nous accompagne...

Il haussa les épaules et retourna à sa tâche de cuisiner un festin du midi avec les ingrédients dans le garde-manger étonnamment bien garni du magicien.

Elle le demanda à Shimeran.

— Cela ne rime à rien de brusquer un magicien, lui dit-il.

Elle posa la question à Librettowit.

— Aucune idée. Je n'y vais pas. Alors ça ne m'intéresse pas tellement. Ce sera agréable de profiter des bibliothèques pour moi tout seul une fois que toi et ton groupe serez partis. Habituellement, il fait plutôt bon vivre avec Fenworth. La paix. Du temps pour l'étude.

Les kimens étaient sans utilité. Ils lisaient avec contentement ou se joignaient à Dar pour jouer de la musique. Ils soignaient Leetu et s'amusaient avec Gymn. L'inquiétude ne semblait pas faire partie de leur tempérament.

Kale trouva une pièce entièrement remplie de livres écrits par des o'rants. Elle en prit un sur une étagère et le feuilleta en regardant surtout les images.

— Je pense que nous attendrons que Metta sorte de son œuf.

Kale échappa le livre, claqua une main sur son cœur et pivota brusquement au son inattendu de la voix du magicien près de son épaule.

— Metta ?

— Le dragon nain qui voyage dans la pochette suspendue à un cordon de quarante-trois centimètres autour de ton cou.

Kale ramena sa paume sur sa blouse et sentit la petite enveloppe familière sous le tissu.

— Oh.

Fenworth se détourna.

— Attendez, cria Kale.

Lorsqu'il se retourna, elle prit une profonde respiration et plongea.

— Je désirais vous poser des questions. Que vouliez-vous dire par apprenti ? Quand Leetu ira-t-elle mieux ? Connaissez-vous ma mère ?

— Oh, nous ne devons pas parler d'elle. C'est dangereux. Quand nous, en haut, mentionnons ceux en bas, cela les met en péril mortel. Alors, évidemment, nos lèvres sont scellées.

Kale tenta de protester, mais découvrit que ses lèvres étaient en effet collées ensemble.

Fronçant farouchement les sourcils, elle utilisa son don. *Vous avez peut-être arrêté ma bouche, mais je peux encore communiquer par télépathie. Est-elle en vie ? Où se trouve-t-elle ? Comment la connaissez-vous ? Et mon père ? Connaissez-vous mon père également ?*

Fenworth, pour une fois, la regarda droit dans les yeux, et elle vit de la compassion avant qu'il ne la cache sous une expression sévère.

— *Oui, bien sûr, tu peux te montrer impolie et vilaine et impatiente et causer toutes sortes de problèmes même si l'on t'a prévenue. Mais tu ne le feras pas. Tu ne souhaites pas que cette chère femme de qui nous ne parlons pas coure un plus grand danger encore.*

Kale ouvrit la bouche.

— J'en conviens.

— Maintenant, pour tes autres questions. Encore que nous prétendrons que tu en as posé seulement deux pour des raisons de sécurité, bien sûr. Et donc, nous nous intéresserons à la première de tes deux demandes. Que veux-je dire par apprenti ?

Je pense que tu devras interroger Wit. Il est bibliothécaire, tu sais. Il devrait avoir un bon dictionnaire quelque part. Et pour ta deuxième interrogation : «Quand Leetu ira-t-elle mieux?» D'abord, réponds à ma question.

— Je vais essayer.

— Qui est Leetu?

— L'émerlindian.

— J'en ai rencontré plusieurs, très chère.

— Celle que nous avons amenée avec nous. Celle qui est malade.

— Quatre mille six cent trente-deux émerlindians.

Fenworth frappa sa main avec un doigt osseux de l'autre.

— C'est le nombre que je connais. Vivants, bien sûr.

Kale craignit que le magicien parte dans une autre direction et qu'elle ne puisse plus le ramener sur le sujet de la santé de son amie.

— Leetu Bends. Paladin l'a assignée à cette quête. Elle a été blessée par des mordakleeps. Nous l'aidons, mais c'est vous qui devez la guérir.

— Pourquoi ferais-je cela, ma chère?

— Parce que Paladin a dit...

— Oh oui, évidemment. Je me souviens de quelque chose... Où se trouve cette Leetu?

— Dans votre cuisine, couchée dans un hamac installé par les kimens.

— Ahhhhh.

Le magicien tapa du doigt sur sa tempe.

— Je sais duquel de mes invités tu veux parler. Jeune femme silencieuse, ne pipe pas mot. Plutôt inintéressante dans l'ensemble; nous ne devrions pas retenir cela contre elle toutefois. Des mordakleeps? Mauvais.

Il commença à marcher dans le couloir en direction, Kale l'espérait, de la cuisine. Seule, elle aurait dû aller dehors et contourner le château jusqu'à l'entrée principale pour retrouver son chemin.

Après plusieurs courbes et virages, ils pénétrèrent dans la douceur de la chaleureuse pièce commune. Les kimens et Gymn étaient assis sur l'un des fauteuils rembourrés et Dar leur faisait la lecture.

Fenworth traversa la pièce d'un pas ferme et se tint à côté de Leetu.

— C'est l'heure de se lever, aboya-t-il. Arrête maintenant de t'apitoyer sur ton sort. Des créatures répugnantes, les mordakleeps, mais c'est derrière toi à présent. Si tu veux vivre, lève-toi et vis.

Leetu ouvrit les yeux, cligna deux fois, s'assit et balança ses jambes hors du hamac.

— Affamée, je parie.

Le magicien Fenworth lui tapota l'épaule maladroitement.

— Dar s'occupera de cela.

Il se tourna vers Kale.

— Toi, tu viens avec moi.

Il sortit par la porte avant comme un ouragan, et Kale décolla à sa suite pour arriver dehors avant qu'elle ne se referme sèchement derrière lui. Il s'agissait d'un autre des trucs de Fenworth pour disparaître. Reconnaissante du fait que le bordage autour du château était solidement tissé, Kale filait à toute allure pour le suivre, sans avoir à trop se préoccuper où elle mettait les pieds.

— Je vais répondre à une autre question pour toi.

Fenworth s'arrêta et s'appuya contre un arbre, soudainement détendu, aussi détendu qu'il était électrisé une seconde plus tôt.

— Ce n'est que justice. Non, pas celle que tu n'as pas posée, car nous avons tout oublié de celle-là. Il s'agit d'une question boni, sans frais.

Kale, debout, haletait. Elle acquiesça.

— J'ai reçu des informations qui me mènent à me prononcer sur l'objectif probable de Risto en ce qui concerne l'œuf meech. Je sais ce qu'il mijote ! Rien de bon, bien sûr.

«Une partie de cette information vient de l'excellent résumé fourni par Librettowit des méfaits passés de Risto, révélateurs de ses intérêts. Une autre provient de mes informateurs, différents animaux intelligents qui peuvent se rapprocher de presque n'importe qui sans que cette personne, Risto par exemple, le sache.

«Risto croit qu'il peut surpasser Pretender.

Fenworth partit d'un rire sans joie et secoua tristement la tête.

— C'est trop souvent le même problème; l'ambition, l'orgueil. Dans certains cas, c'est dangereux de vouloir devenir le meilleur et le prouver. Imagine-moi essayant de surpasser Wulder. Grotesque! Imagine-moi tentant de créer quelque chose. Idiotie sans bornes. Je suis un humble magicien chanceux d'être capable d'utiliser les dons de Wulder et, même alors, seulement de la façon dont Il l'a planifié. Pourtant, ces imbéciles passent leur temps à créer le mal et, comme si cela ne suffisait pas, ils cherchent à se surpasser les uns les autres pour découvrir qui peut engendrer le plus grand malheur.

— Quels sont les plans de Risto? demanda doucement Kale.

Elle redoutait la réponse, mais elle devait l'entendre. Elle voulait savoir ce qu'il leur faudrait affronter. Elle craignait que Fenworth parle et parle et qu'il finisse par ne pas le lui dire.

— Il va créer une nouvelle race pour faire sa volonté. Pretender a essayé et échoué sept fois. Mais Risto croit qu'avec l'œuf meech, il a découvert le secret.

— Et c'est le cas? demanda Kale.

Fenworth posa tendrement sa vieille main en coupe sur la joue du jeune visage.

— Il y a tant de choses que tu ignores encore. Mais tu apprends. Non, Kale. Le secret, c'est que tu dois *être* Wulder pour créer. Risto échouera, mais il en blessera beaucoup. Son échec pourrait très bien se promener dans le monde comme les bisonbecks et les mordakleeps. À moins que nous ne l'arrêtions.

Il reprit sa main pour lui tapoter gentiment l'épaule.

— Mais nous avons certaines circonstances en notre faveur. Il est littéralement tombé sur l'œuf meech notre Risto. Trébuché. Il ne possède pas ton talent pour découvrir les œufs de dragon. Très peu de gens l'ont. Mais il est tombé dessus.

— C'est en notre faveur ?

Kale ne croyait pas que le fait que Risto ait débusqué l'œuf par hasard constitue une bonne chose.

— Il n'y était pas préparé, vois-tu. Il était comme une poule qui ne trouvait pas ses poussins. Ou était-ce un canard ? Enfin, les poules et les canards pondent des œufs, tout comme les alligators et un mammifère étrange appelé ornithorynque. Mais les œufs de dragon. Si rares. On doit se montrer attentif à tous les détails sur la façon de les faire éclore. Risto a dû conserver l'œuf séparé et isolé, afin qu'il ne soit pas stimulé par une créature à sang chaud. Il a beaucoup de choses à planifier pour réussir à utiliser l'énergie de l'œuf après qu'il aura été stimulé, et avant son éclosion. Le temps joue contre lui et pour nous. Évidemment, Wulder est pour nous et contre Risto. Bien sûr, nous ne savons pas où se trouve l'œuf, contrairement à Risto. Mais bien sûr, nous avons des amis pour nous aider à le trouver, et Risto n'a pas d'amis. Il dirige des hommes de main, par contre. De méchantes créatures obéissant à sa volonté. Il contraint les esclaves. D'autres comme lui font le mal simplement pour le plaisir. Je ne comprends pas cela. Et ça ne m'intéresse pas particulièrement.

Kale tira sur sa manche.

— Arriverons-nous à temps ?

— Enfin, voyons, c'est ce que nous espérons, n'est-ce pas ?

36

Un nouveau départ

Kale observa Leetu à l'opposé de la pièce. L'émerlindian était assise dans un hamac en pleine lecture. Elle avait la même allure qu'avant l'attaque des mordakleeps, sauf que ses cheveux, blancs comme la lumière de la lune, brillaient maintenant d'une teinte beige, comme la couleur du miel dans ses rayons tournés vers le Soleil. Sa peau albâtre d'autrefois se teintait à présent de crème. Et peut-être ses yeux étaient-ils d'un bleu un peu plus foncé. Les émerlindians devenaient plus sombres à mesure qu'ils vieillissaient et gagnaient en sagesse. Leetu n'avait vieilli que de quelques semaines. À quel point était-elle plus sage qu'avant ? Qu'avait-elle appris en traversant cette pénible épreuve ?

— Je me porte bien, Kale, tout à fait bien.

Leetu leva le regard de son livre.

— Arrête de me fixer.

Va-t-elle vraiment bien ?

Gymn sauta de sur l'épaule de Kale et vola la courte distance à travers la salle commune de Fenworth. Le dragon guérisseur atterrit sur le crâne de Leetu ; cela la fit rire, et elle lui donna de petits coups pour jouer. Il tourna rapidement deux fois autour de sa tête, puis il descendit sur son cœur. Il traversa son corps en croix, se précipitant jusqu'à ses pieds qui se balançaient hors du hamac. Il se percha sur ses orteils un instant en regardant Kale. Il cligna des yeux.

Le visage de Kale s'élargit dans un sourire, et elle rit.

— Gymn dit que tu vas bien. Il a examiné tes organes internes et il affirme que rien ne manque.

Leetu renvoya sa tête en arrière et se joignit au rire de la jeune o'rant. Kale n'avait jamais entendu l'émerlindian réagir à une drôlerie avec plus qu'un léger gloussement.

Des fourmillements parcoururent le bras de Kale. Sa main vola pour saisir la pochette rouge bourrée suspendue autour de son cou.

Leetu s'assit brusquement, déséquilibrant Gymn. Il s'envola, indiquant son mécontentement par des grondements rauques. Il battit des ailes pour atterrir sur l'épaule de Kale.

— Qu'y a-t-il? demanda Leetu, les yeux fixés sur le visage de Kale.

— Metta va éclore.

— Metta?

— Fenworth m'a appris son nom.

Kale retira la corde autour de son cou et sortit doucement l'œuf de dragon de sa pochette écarlate. Gymn rampa le long de son bras et se percha sur son poignet. Il inclina la tête et admira l'ovale niché dans la paume de Kale. Il commença à bourdonner. La vibration chatouillait Kale, mais elle ne le pria pas de s'arrêter; elle ne l'éloigna pas non plus de l'œuf sur le point d'éclore. Leetu sortit doucement de son hamac et s'approcha discrètement. Elle garda une distance respectueuse, mais Kale remarqua l'éclat émerveillé sur son visage.

— Pourquoi la naissance d'un dragon est-elle beaucoup plus spectaculaire que celle d'un poussin? demanda Kale à son amie.

— Le début de toute nouvelle vie est une merveille, répondit Leetu d'une voix douce. On prétend que les dragons portent le cœur de Wulder.

Kale plissa le front.

— Cela ne me semble pas correct.

— Ce ne l'est pas, acquiesça Leetu. On dit beaucoup de choses erronées. Elles sonnent bien, et les gens les répètent. En fait, cette petite fausseté tire son origine d'un conte de fées.

— Comment peut-on départager le vrai du faux ?

— Les personnes au service de Paladin se font un devoir d'étudier les vraies histoires d'Amara. Une fois que tu as appris la vérité, tu commences à percevoir la fausse note dans un ersatz de légende.

— Un ersatz ? Je n'ai jamais entendu ce mot.

— Mais je parie que tu as entendu beaucoup d'ersatz de récits, particulièrement à l'auberge un samedi soir.

— Les récits racontés par les ménestrels itinérants ? Je croyais que ceux-là étaient basés sur des histoires vraies.

— Certains le sont. C'est là que réside le danger. On mélange juste la bonne dose de vérité avec la tromperie pour que cette dernière paraisse véridique.

Kale secoua la tête devant les paroles de Leetu, mais ses yeux restaient fixés sur la fissure qui s'élargissait sur un des côtés de l'œuf.

Leetu s'abaissa avec grâce pour s'assoir en tailleur sur le tapis en loque de Fenworth.

— Quand tu iras au Manoir, tu interagiras avec des personnes qui ont suivi Paladin pendant des années. Tu liras des ouvrages écrits par ceux qui ont été pris dans des quêtes comme la nôtre. Tu entendras des histoires de plusieurs maîtres narrateurs, et il s'agira de versions non corrompues. À mesure que tu sauras qui est Wulder grâce aux preuves que l'on t'aura données, ton cœur deviendra plus sensible à Sa vérité, la *seule* vérité. Tu sauras alors si une personne tente de te tromper dans un but mauvais.

— Je ne suis qu'une esclave o'rant, Leetu.

— Nenni, Kale.

Le murmure de Leetu résonnait d'une puissante conviction.

— Tu es choisie par Paladin. Tu as un destin.

Kale plaça sa main en coupe un peu plus près de l'œuf lisse à l'aspect de cuir. Il y avait longtemps qu'elle n'avait pas réfléchi à sa destinée. Elle avait cru un jour que c'était de vivre au Manoir, de porter de jolis vêtements, d'apprendre de sages et merveilleux professeurs. Elle avait surtout songé à ce qu'il ne serait pas : nettoyer le poulailler, promener des bébés braillards, peler des légumes, ramasser des joncs sur les berges de la rivière. Elle s'était dit que si elle devait laver de la vaisselle, au moins, au Manoir, il s'agirait de belles assiettes en porcelaine, de tasses en argent et de bols en or au lieu de la poterie grossière des maisons de Rivière au Loin.

Gymn fila à toute vitesse sur son bras et autour de son cou, il prit le temps de frotter sa joue contre le menton de Kale, puis il revint à la course le long de son membre pour reprendre son guet à côté de l'œuf sur le point d'éclore. Kale rigola en réponse à sa rapide démonstration d'affection.

Une partie de la coquille tomba, et le bourdonnement de Gymn monta d'un ton et s'amplifia. Il tapait ses pieds de derrière sur la peau de Kale.

— Violet, déclara Kale en apercevant un bout de l'épiderme du dragon.

— Une chanteuse, dit Leetu.

Kale acquiesça. Le livre affirmait que les dragons violets chantaient.

— Mais je ne comprends pas pourquoi Paladin a choisi une chanteuse. Comment une chanteuse nous aidera-t-elle dans notre quête ?

Du coin de l'œil, elle vit Leetu hausser les épaules.

— Il se peut que Paladin n'ait pas jeté son dévolu sur elle en pensant à notre quête. Peut-être l'un d'entre nous a-t-il besoin des soins d'un dragon chantant.

— Des soins ?

— Un dragon chantant peut guérir les blessures émotives à peu près de la même façon qu'un dragon guérisseur soigne un rhume.

Le bébé dragon donna un coup de pied sur un morceau de coquille pour l'écarter, et elle étira sa queue et ses pattes de derrière à travers la main de Kale. Gymn cessa de bourdonner et pépia ses encouragements. Kale retint son souffle pendant que Metta utilisa ses minuscules pattes de devant pour repousser ce qui restait de coquille sur sa tête. Gymn bondit dans les airs et poussa un cri triomphant qui ressemblait à un croassement de merle. Même sans la fanfare de circonstance, la petite Metta retira l'enveloppe de son visage. Ses yeux nouveau-nés se fixèrent sur Kale, puis sur Gymn, lequel se calma et s'allongea sur l'avant-bras de Kale pour regarder avec un profond intérêt le bébé qui s'étirait et se frottait sur la paume dans laquelle elle était installée. Kale caressa la peau délicate avec précaution du bout d'un doigt.

Elle sursauta quand la porte de la chambre de Fenworth s'ouvrit en grand et frappa contre le mur. Sa main se referma instinctivement pour protéger Metta.

— Temps de partir, dit le vieux magicien.

Il traversa la petite pièce à grandes enjambées et sortit en trombe par l'entrée.

Un éclair de lumière remplit la salle. Kale se plia en deux pour servir de bouclier aux deux petits dragons. Elle entendit le vent fendre l'air dans le château du magicien. Un silence sinistre suivit. Elle sentit que son corps était arraché à son entourage.

Kale perçut la plainte de Dar :

— Aucun avertissement !

— Quoi ? Pas moi ! beugla Librettowit.

Des poules gloussèrent. Un coucou résonna trois fois. Kale renifla une odeur de tarte aux pommes fortement aromatisée de cannelle. Elle ressentit la caresse d'un millier de plumes sur son cou et son dos. Le vent froid la fit frissonner. De l'air chaud l'enveloppa comme le souffle d'un grand dragon.

— Venez, venez maintenant. Ne flânez pas.

La voix de Fenworth semblait lointaine.

— Oh zut. Tut tut. Veuillez vous dépêcher.

Le vent tomba. La lumière s'évanouit. Kale ouvrit les yeux pour observer son entourage. Ils se trouvaient dans la prairie où ils avaient laissé Brunstetter et les dragons de selle. Debout, Lee Ark et l'urohm fixaient les nouveaux arrivants.

Kale avait l'estomac retourné par le mouvement imprévu et son arrêt brusque. Les kimens, Leetu, Dar, Librettowit et le magicien Fenworth oscillaient un peu alors que leur corps se réajustait à l'immobilité. Le désordre régnait autour d'eux sur le gazon.

Dar se secoua et grommela dans sa barbe une remarque sur l'impolitesse. Il commença à rassembler ses vêtements au milieu des objets sur le sol. Kale regarda plus attentivement et comprit que toutes leurs possessions avaient été emportées avec eux. Les livres de Leetu étaient éparpillés un peu partout. Son arc et ses flèches et son carquois montraient le bout de leur nez au-dessus des herbes de trente centimètres. Les ustensiles de cuisson de Dar s'étalaient sur plus de une acre.

Librettowit tapa de son pied botté et secoua la plume d'oie qu'il tenait encore à la main.

— Mais dis donc Fenworth ! Je ne participe pas à cette quête. Je suis un bibliothécaire. Je fournis des informations. Je ne cours pas les aventures.

D'un long pas mesuré, le magicien se dirigea vers le plus petit homme et lui assena une claque dans le dos.

— Ah, oui, mon ami ; toutefois, j'oublie constamment ce que tu me racontes. Nous nous rendons au mont Tourbanaut, et j'ai pensé que tu aimerais rendre visite à ta mère.

— Laisse ma mère en dehors de cela.

Il tapa du pied encore une fois et agita les deux poings dans les airs.

— Tu ne veux pas visiter ta mère ? Bon, alors, bien sûr, je vais lui expliquer que tu étais trop occupé. Je suis certain qu'elle comprendra.

Le visage de Librettowit vira au rouge brique.

— Elle ne comprendra *pas*. Tu vois ce que tu connais à propos des mères? Rien!

— Oui, bon, bien sûr. Tut tut.

Le vieil homme secoua tristement la tête.

— Il y a tant de choses que je ne comprends pas.

Son visage s'éclaira, et il posa de nouveau une main sur l'épaule du tumanhofer.

— Cependant, tu es du genre universitaire. Tu me faciliteras les choses, sans aucun doute.

Il se frotta les mains ensemble et entreprit de traverser la prairie vers le marione et l'urohm qui patientaient.

— Lee Ark! Je suis content que tu te joignes à nous. Brunstetter! Toujours heureux de te voir. Commençons à nous organiser, d'accord? Nous devons aller en quête d'une quête. Nous devons partir. Nous ne pouvons pas mener une quête en restant sur place, non? Tut tut, tellement d'affaires à faire, vous savez. J'aime les quêtes, de façon générale, sauf pour leur côté inconfortable.

Lee Ark et Brunstetter décochèrent un large sourire en direction du vieil homme. Les kimens sautillaient dans le gazon, ramassant leurs possessions et retournant différents articles à leur propriétaire légitime. Dar grommela sur l'inutilité de repasser quand ses vêtements voyagent pêle-mêle de cette façon. Leetu trouva d'abord son carquois et commença à le remplir.

Metta rampa jusqu'à l'épaule de Kale et leva son menton vers le Soleil. De sa minuscule bouche sortit une chanson. Aucun mot n'accompagnait la mélodie, juste des syllabes au ton harmonieux pour soutenir la douce musique. Kale se sentit prise d'assaut par l'espoir et la joie.

Tout le monde s'arrêta pour écouter. Cela ne dura que quelques minutes. Le bonheur bouillonnait dans le cœur de Kale alors que les notes frissonnaient dans la brise. Son moral grimpa en flèche, et elle crut qu'il ne lui restait plus qu'à rire tout haut. Le sentiment l'embarrassait un peu, mais pas suffisamment pour détruire son allégresse. Quand la dernière note charmante s'acheva, Fenworth leva une main en guise de salut au bébé dragon.

— Exactement ce que je pensais, petite Metta. Bon travail! Merveilleusement exécuté! Merci, ma chère.

Il se tourna pour examiner le reste du groupe de la quête.

— Et bien, un nouveau départ pour la quête. La deuxième partie, pourrait-on dire. Vers l'avant. Sauf que nous nous rendons dans une montagne. Vers le bas, alors. Non, ça ne me semble pas correct non plus.

Il s'arrêta et pointa le sol.

— Aha! Mon bâton de marche.

Il ramassa une longue branche noueuse. Kale pensa qu'elle aurait pu faire partie des débris naturels de la campagne.

— Je suis content de ne pas l'avoir oublié.

Leetu commença à rigoler. Au début, Dar lui lança un regard mécontent, mais ensuite, un sourire fendit son visage, et il émit un petit rire. Les kimens culbutaient partout, exécutant des acrobaties correspondant à leurs rires joyeux. Librettowit lui-même succomba et gloussa, son corps secoué d'hilarité. Lee Ark et Brunstetter riaient tellement qu'ils s'appuyaient l'un contre l'autre pour essuyer leurs larmes.

— Tut tut. Oh zut. Il semble que Paladin m'ait choisi un tas de têtes de linotte pour une tâche très sérieuse. Je vais en tirer le meilleur parti. Cela ajoute au défi, sans aucun doute.

37

LES BLIMMETS

Ils chevauchèrent confortablement au-dessus de la campagne. Kale occupait le siège du conducteur sur Célisse avec Librettowit, Shimeran et Seezle comme passagers. Les deux dragons nains voyageaient pendant de longues périodes de temps sur les épaules de Kale, mais ils finissaient par avoir froid et par se précipiter à l'intérieur de la cape en rayons-de-lune pour se réchauffer dans leur antre de poche. Dar transportait Leetu avec lui sur Merlander. Brunstetter avait pris la famille Trio sur sa monture. Lee Ark, le chef attitré de cette partie de la quête, escortait Fenworth.

Le vieil homme grommelait à propos de son âge et de sa position de chef établie par la sagesse acquise « à travers les époques, des époques barbares, des époques bénies, des époques barbantes et des époques blasphématoires ». La dernière fois que Kale entendit ses grommellements, il essayait d'autres mots commençant par « b » qui pourraient décrire ce qu'il avait vécu à travers les âges.

— Bizarre. Oui, de fait, il y a eu beaucoup de celles-là. Tut tut. Bileuse. Non ; pas exactement le bon mot. Bruyante ? Hum ? Brutalisée. Oui, j'aime l'adjectif brutalisé. Très descriptif. Il a dû y avoir des époques brutalisées en cours de route.

Librettowit accepta gracieusement son rôle dans la quête après avoir parcouru la prairie un certain temps, la mine renfrognée et en trépignant, à la recherche de ses affaires ; surtout des livres, des crayons et du papier, trois paires de lunettes pour la lecture et un pot de confiture de razbaies. Après avoir exprimé son opinion sur le fait d'avoir été traîné de force dans l'aventure, il s'était avéré un compagnon charmant.

Sur le dos de Célisse, pendant que ses puissantes ailes les emportaient de plus en plus loin des Marais, le bibliothécaire raconta une histoire après l'autre. Les kimens et Kale écoutaient attentivement alors qu'il pointait des sites en contrebas et relatait des faits historiques, des détails de la tradition locale et des fables reflétant l'héritage des citoyens. Sa conférence distrayante dura toute la journée, même quand Seezle distribua les paquets de nourriture préparés par la femme de Lee Ark pour le repas du midi. Parfois, Metta entonnait une chanson folklorique.

— Comment réussit-elle, Librettowit? Elle est née il y a seulement quelques heures. Comment peut-elle connaître toutes ces chansons?

— Elle les cueille dans ta tête. Enfin, dans la mienne, dans ce cas-ci. Elle est télépathe, bien entendu. Si tu te rappelles un air, même si tu ne l'as entendu qu'une seule fois, elle va se l'approprier. Elle te soufflera aussi les paroles que tu as oubliées pour que tu l'accompagnes.

— Et elle peut me donner les mots d'une chanson dont tu te souviens, mais que, moi, je n'ai jamais entendue?

— C'est exact.

Le concept intriguait Kale et ses passagers kimens. Ils passèrent de nombreuses heures de l'après-midi à interpréter des chansons provenant de multiples héritages; des chansons de louanges des kimens; des chansons de culture et de moisson des mariones; des chansons de tumanhofers sur la terre, le ciel et la mer; et des chansons de dragon sur les clans et les ancêtres. Kale découvrit que Célisse et les jeunes dragons nains ressentaient une fierté féroce envers leur généalogie. Librettowit offrit à Gymn et à Metta des récits héroïques de dragons nains.

Une heure avant le crépuscule automnal précoce, Lee Ark donna le signal d'atterrissage. Les quatre dragons atterrirent dans une vallée avec un ruisseau pour leur fournir de l'eau et un bosquet d'arbres pour alimenter leurs feux de camp.

Brunstetter partit à pied pour aller négocier un troupeau de moutons avec un berger qu'ils avaient dépassé plus tôt. Il portait une lourde bourse de pièces de monnaie et il revint avec suffisamment d'animaux pour apaiser la faim des dragons. Kale observa avec gratitude le seigneur urohm escorter les dragons de l'autre côté des arbres pour rencontrer leur repas. Les cabrioles de Gymn — et aussi à présent de Metta — consistant à attraper des insectes et à les avaler tout rond ne dérangeaient pas Kale. Même quand ils piégeaient la souris occasionnelle, elle ne s'offusquait pas. Mais il n'y avait rien de distrayant à regarder un grand dragon dévorer un animal entier.

Agréablement fatiguée après une journée de voyage sans incident, la troupe termina rapidement le repas du soir et s'enroula dans des couvertures pour dormir au chaud sous les tentes. La Lune se cachait derrière un banc de nuages gonflés de neige. Les feux couvaient comme des braises rougeoyantes. Les flammes ne léchaient plus le bois. Aucune étincelle provenant des bûches enflammées ne montait vers le ciel.

Au plus noir de la nuit, les blimmets attaquèrent.

Kale perçut un cri terrifiant et se redressa. À cet instant, les hurlements perçants de panique se multiplièrent et emplirent l'air.

Elle rampa en toute hâte hors de sa petite tente et bondit sur ses pieds, essayant de comprendre la signification du chahut. Elle entendit la voix forte de Lee Ark hurler «blimmets!», et elle sut. Ressemblant à des belettes, ces créatures à la riche fourrure et aux dents tranchantes comme un rasoir dévoraient les animaux à sang chaud.

La cacophonie de braillements ne venait que partiellement des victimes de l'attaque. Les blimmets poussaient des cris extrêmement pénibles à pleins poumons. Le bruit effrayait et troublait ceux sur qui ils fondaient.

Aux oreilles de Kale, le chaos résonnait comme les plaintes de centaines de femmes et d'enfants que l'on déchiquetait. Pourtant, le groupe de la quête ne totalisait que dix-huit membres, incluant les dragons. C'était les meurtriers blimmets qui se comptaient par centaines.

— De la lumière!

La voix de Lee Ark trompéta par-dessus le tumulte autour de la tente de Kale.

Elle se précipita vers le feu le plus près et attrapa un bâton. Elle attisa les braises et y lança les brindilles rassemblées pour le feu du matin. Des flammes jaillirent.

Pas assez! Ils ont besoin d'une flambée s'élevant au-dessus de nous pour illuminer tout le camp afin de combattre les blimmets.

En tenant le bâton, prête à le balancer sur un attaquant, Kale écouta le combat pour la vie. Ses camarades défendaient le campement. Les grands dragons rugissaient. Ils piétinaient les petits ennemis et écrasaient ceux qu'ils attrapaient dans leur puissante mâchoire. Toutefois, les blimmets gagnaient dans la plupart des cas, purement et simplement en raison de leur nombre. Ils sortaient du sol en masse, attaquant tout sur leur passage. Ils n'étaient pas engagés dans une bataille, mais dans festin frénétique.

Kale courut vers le feu suivant. Elle frôla une grande silhouette et ne sut qu'il s'agissait du magicien Fenworth seulement quand elle l'entendit parler.

— L'eau est formée par quels deux éléments? s'enquit-il.

— L'hydrogène et l'oxygène, Fen.

Les mots de Librettowit s'échappèrent entre deux grognements. Sa respiration semblait ardue.

Kale se demanda ce qu'il fabriquait alors qu'elle brassait le lit de braises suivant. Elle amena la flamme à danser par-dessus le bois en nourrissant rapidement le feu hésitant avec des brindilles. Ses yeux allaient et venaient nerveusement en fouillant les ombres. Elle ignorait pourquoi les blimmets n'avaient pas envahi cette petite partie interne du campement. La lumière du feu ne s'étendait que sur quelques mètres et n'illuminait pas les tentes en bordure.

Est-ce que je suis utile ? L'éclat de ce feu suffit-il ?

Elle vit le corps de deux personnes plonger des épées vers le bas. Lee Ark et Dar. Les blimmets n'étaient que de petites ombres ondulant à leurs pieds.

— Une partie d'hydrogène pour deux parties d'oxygène ? s'interrogea Fenworth à voix haute.

Kale voulait crier au vieillard de s'atteler à quelque chose d'utile. Comment pouvait-il parler ce charabia quand leurs amis couraient un danger mortel ?

— Non ! hurla Librettowit. L'inverse.

— De la lumière ! ordonna une nouvelle fois Lee Ark.

Où puis-je trouver de la lumière ? Une illusion ? Puis-je créer une lumière comme celle dans le jardin de Risto ? Non, il s'agissait d'un hasard.

Un tourbillon de blanc aveugla Kale. Des flocons froids et humides piquèrent ses joues.

— Mauvaise température, cria Librettowit.

— Oh zut, tut tut.

En un instant, la neige disparut. Un bruissement noya les hurlements des blimmets et les cris des compagnons de quête. Un torrent d'eau tomba du ciel avec assez de force pour renverser Kale.

— Bon, ça, c'est mieux, dit Fenworth sur le sol près d'elle. Devrais-je en provoquer un autre ?

— Peut-être un, répondit Librettowit.

Cette fois, quand Kale entendit le bruissement au-dessus d'elle, elle se couvrit la tête avec les bras et ferma les yeux bien serrés. Le deuxième déluge ne la prit pas par surprise.

Les feux étaient éteints. L'obscurité complète l'engloutit. L'odeur du bois brûlé et mouillé remplit les narines de Kale. Elle recula.

Les hurlements horribles avaient cessé. Autour d'elle, des gémissements s'échappaient dans la nuit. Elle frissonna et se leva.

Elle voulait sa cape. Elle voulait jeter un œil sur Gymn et Metta. Elle voulait *voir* quelque chose. L'obscurité lui pesait. Son cœur battait la chamade. Elle combattit l'envie d'appeler Dar ou Leetu à l'aide. Qu'était-il arrivé au magicien et à son bibliothécaire ? Pourquoi ne *faisaient*-ils pas quelque chose ? Elle devait avoir de la lumière. Il le *fallait* !

Un bruit sec et un grésillement au-dessus d'elle se changèrent en une longue corde de lumière brillante. Elle était suspendue à quelque sept mètres au-dessus du campement, juste en haut de Kale. Elle grandit pendant qu'elle l'observait, les extrémités s'étirant comme les vrilles d'une vigne. Kale se redressa, son cou toujours penché en arrière alors qu'elle fixait la mince corde vibrant doucement d'une lueur douce.

Le magicien Fenworth et Librettowit vinrent tous les deux se tenir à côté d'elle. Eux aussi, ils braquaient les yeux vers le ciel tandis que la lumière se frayait lentement un chemin à travers la nuit noire, dispersant l'obscurité sur son passage. Le tube se tortilla, puis se divisa en rameaux. De minces doigts de lumière svelte sortirent de chaque côté, grésillèrent un instant et commencèrent à s'allonger. À mesure que chaque nouvel appendice croissait, lui aussi se multipliait en formant des tubes brillants.

— Remarquable, déclara Librettowit.

— Unique, affirma Fenworth. Bon travail.

Il se tourna et posa une main sur l'épaule de Kale.

— Nous avons besoin de toi et de Gymn ce soir. Librettowit et moi allons pratiquer l'art de la guérison de notre côté. Vous ferez de même de votre côté.

Kale arracha son regard du réseau complexe créé par la vigne de lumière entrelacée. Les ombres de la nuit disparaissaient sous la lueur blanche de la Lune en haut. Un cercle de terrain dégagé accueillait le magicien, le tumanhofer et Kale.

Tout autour apparaissait un spectacle épouvantable : des tas de blimmets, le corps trempé, leur fourrure lisse et noire luisante sur les formes sans vie.

— Nous n'avons pas de temps à perdre, ma chère.

Fenworth caressa l'épaule de Kale.

— Va vers nos amis. Arrête les hémorragies. Calme la douleur. Plonge chacun dans un sommeil profond et passe au suivant. Quand nous aurons soulagé leurs souffrances et écarté la menace d'une mort immédiate, nous pourrons alors revenir nous occuper des dommages subis par leur corps.

Kale leva le regard vers le visage du vieil homme. Sa force brillait à travers la tristesse dans ses yeux. Elle acquiesça et retourna à la tente, rampa à l'intérieur et trouva Metta fredonnant en veillant le corps inerte de Gymn.

— Réveille-toi, Gymn, dit-elle.

Le son de sa propre voix la surprit. Son ton contenait une note d'autorité comme si elle occupait tout à coup le poste de Lee Ark ; responsable de leur sécurité et ne souffrant aucune excuse.

Gymn remua. Kale le ramassa. Metta vola pour atterrir à côté de son cou et s'appuya sous son menton. La caresse du dragon chantant réconforta la jeune o'rant.

Quand Kale enjamba la ligne de blimmets empilés et formant un cercle autour du campement, elle réalisa qu'ils avaient été retenus par une force, mais il lui faudrait y réfléchir plus tard. Fenworth et Librettowit se déplaçaient parmi les dragons abattus. Kale s'approcha de Lee Ark. Son pantalon en pièces couvrait à peine ses jambes ensanglantées. Ses blessures saignaient abondamment. Kale tomba à genoux à côté de lui.

Lee Ark tourna la tête vers elle, et un tressaillement au coin de sa bouche lui indiqua qu'il essayait de sourire. Son expression en disait long sur son calvaire et sur son courage.

— La prochaine fois, murmura-t-il, j'irai au lit avec mes bottes.

Kale acquiesça, jugeant plus prudent de ne pas parler. Elle plaça Gymn sur le torse puissant de Lee Ark et se concentra. Vaguement, elle entendit Metta chanter pendant qu'elle et Gymn travaillaient à la guérison de leur chef.

Aucune douleur. Dormir. Arrêter l'écoulement du sang de la vie.

Elle sentit Gymn frissonner. Lorsqu'elle regarda Lee Ark, elle vit que ses traits séduisants s'étaient détendus dans son sommeil. Elle le quitta.

Dar avait déjà sombré dans l'inconscience. Elle répéta la procédure et suivit les instructions de Fenworth, même si elle aurait préféré rester avec son ami et achever de le guérir.

Leetu était tombée parmi les blimmets voraces. Ils avaient déchiqueté presque tout son corps en enfonçant leurs griffes acérées comme s'ils creusaient un terrier dans leur victime et, en même temps, mordant et déchirant de petites bouchées de chair. Recroquevillée en boule, Leetu avait protégé son visage et sa poitrine.

Kale pleura pendant qu'elle et Gymn sauvaient la vie de l'émerlindian, puis elle se leva pour chercher les kimens.

Ils les trouvèrent blottis les uns contre les autres. Leurs blessures étaient moins sévères, car ils avaient bondi dans les arbres dès que l'attaque avait été lancée, sauf Glim. Il avait été le premier assailli. Zayvion berçait le corps sans vie de Glim dans ses bras.

38

En avant!

Fenworth, Librettowit, Kale, Gymn et Metta travaillèrent jusqu'à l'aube. Dar et Lee Ark retrouvèrent leur force les premiers, suffisamment pour faire flamber de nouveau les feux de camp. Ils durent se rendre en forêt pour ramasser du bois sec. Le déluge de Fenworth avait saturé leur environnement immédiat. L'air frigorifique changeait l'eau au sol en glace. Tout le monde portait des vêtements trempés; la chaleur des flammes les réconfortait.

Leetu et Brunstetter souffraient de multiples blessures, mais ils répondaient bien aux soins administrés par Kale et les dragons nains. Le magicien Fenworth et le tumanhofer apportaient leur aide aux grands dragons. Ensuite, ils contribuèrent à la guérison des membres à deux pattes de leur groupe en quête.

Quand le soleil se leva, le fin réseau de dentelles de vignes illuminées au-dessus d'eux s'arrêta brusquement de croître et disparut lentement. Les habitants de la campagne environnante arrivèrent à pied des collines vallonnées tout près pour se rassembler autour du campement. Ils offrirent d'aider de toutes les façons possibles.

Si Kale n'avait pas été si fatiguée dans son corps et dans son âme, elle aurait été amusée par les regards en biais dirigés vers Fenworth. Chaque femme exécutait une petite révérence. Les hommes hochaient la tête. Kale ne doutait pas qu'ils fussent venus pour assister les victimes de l'attaque des blimmets. Les résidants de Rivière au Loin auraient aussi eu le même geste. Toutefois, la présence d'un magicien parmi eux suscitait certainement la curiosité.

Les fermiers et les villageois remercièrent le magicien Fenworth d'avoir tué les blimmets, puis ils entreprirent de creuser un énorme trou dans le sol. Lorsqu'ils eurent terminé, les gens de la région disposèrent dans le cratère les corps des blimmets en alternant avec une couche de bois arrosé de poudre feufollet. Personne ne toucha aux monstres ; ils utilisèrent des pelles et des pics pour les déplacer.

Ceci réglé, les kimens invitèrent Metta à les accompagner dans le bosquet pour enterrer Glim. Kale observa avec tristesse les lilliputiens marcher en procession digne en s'éloignant de la foule. Ils portaient la dépouille de Glim dans un linceul de lumière dorée. Comme la tradition l'exigeait, ceux qui attendaient étaient assis en cercle pour marquer le deuil.

Les femmes de la région rentrèrent à la maison en laissant les enfants derrière pour poser des questions.

— Pourquoi Pretender a-t-il créé ces affreux blimmets ? demanda un garçonnet assis sur les genoux de son père.

En tant qu'aîné du groupe, le magicien Fenworth adressa un signe de tête à Librettowit, indiquant par là au tumanhofer qu'il devait se charger de la réponse. Le petit homme bien en chair se leva et se plaça au centre. Il répondrait aux questions des enfants tant qu'on ne lui en soumettrait pas une à laquelle il ne pouvait pas ou ne souhaitait pas répondre. En caressant sa barbe, il passa en revue la foule d'hommes et d'enfants, s'éclaircit la gorge et commença.

— Pretender a tenté d'imiter chacune des races supérieures de la création de Wulder. Les blimmets représentent la tentative échouée de Pretender à créer une race comme celle de nos amis les doneels.

— Pretender a-t-il envoyé les blimmets pour nous tuer ?

— Non.

Librettowit fit les cent pas autour du cercle, puis il se plaça en face du jeune questionneur.

— Pretender ne dirige pas du tout son œuvre maléfique. Cela fait partie de ses échecs, et je suis certain que cela aiguillonne son ego. Cependant, les blimmets commettent aveuglément un acte de destruction après l'autre, ce qui, assurément, réjouit le cœur mauvais de Pretender.

— D'où viennent les blimmets ?

— De la terre. Ils creusent des terriers à toute vitesse. Parfois, on détecte leurs mouvements sur le sol, car il bombe, puis s'effondre en formant une ligne au-dessus de leurs tunnels. Après avoir mangé, ils dorment pendant des mois, puis ils se réveillent affamés.

— Reviendront-ils ?

Le menton de la petite fille tremblotait, et elle agrippait fermement le bras de son père.

— Ce groupe est mort.

— Pourquoi l'eau les a-t-elle tués ?

Le grand garçon était assis avec le dos droit à côté des autres hommes de sa famille.

— Les blimmets font tout avec rapidité et de petits mouvements féroces. Ils respirent à grands coups. Ils ont aspiré l'eau dans leurs poumons avant de réaliser ce qui se passait. Aussi, ils sont stupides. Ceux qui ont survécu à la première trempette n'ont pas compris qu'ils n'avaient qu'à retenir leur respiration pour échapper à la mort.

— Ils sont beaux, dit une fillette avec le pouce solidement enfoncé dans sa bouche.

Librettowit la regarda avec gentillesse.

— Oui, ma chère petiote, c'est vrai. Leur fourrure est glorieusement brillante en raison de tout ce temps passé à creuser dans la poussière. Elle est incroyablement lisse et soyeuse. Elle dégage même une odeur agréable, ressemblant un peu à celle d'une tarte aux noix cuisant au four : sucrée et riche. Cependant, si tu prends des peaux de blimmets pour fabriquer un vêtement, il attire d'autres blimmets, et tu rencontres une fin effroyable.

Librettowit mit ses mains derrière son dos et jeta un coup d'œil à Fenworth. Le magicien acquiesça.

Librettowit soupira.

— On prétend aussi que la viande est délicieuse. Le blimmet rôti constitue un repas savoureux. Je vous dis cela non pour vous tenter, mais pour vous prévenir. Une fois que vous avez mangé de la viande de blimmet, vous en voudrez encore. Je ne peux pas imaginer un passe-temps moins sain que la chasse aux blimmets. Pourtant, certains le pratiquent. Des hommes jeunes… qui n'ont pas la chance de vieillir.

— Est-ce la raison pour laquelle nous les brûlons ? s'enquit un autre enfant.

— Oui ; et nous utilisons la poudre feufollet pour que le feu soit torride.

Sa voix s'amplifia et, pour la première fois, elle parut sévère et impatiente.

— La poudre feufollet laisse aussi un goût amer qui découragerait n'importe quel imbécile de l'idée stupide d'essayer la viande juste pour vérifier la véracité de ces histoires.

— J'ai une question, déclara Kale.

Librettowit hocha la tête.

— Pourquoi les blimmets ont-ils attaqué uniquement à l'extérieur du cercle dans lequel nous nous tenions ?

Les épaules de Librettowit se détendirent, il gonfla le torse, et un sourire heureux retroussa les coins de sa bouche.

— C'est moi qui ai fait cela.

— Wit.

Fenworth prononça le prénom lentement et à voix basse.

— Bon, c'est vrai. Je n'aurais pas pu y arriver sans Fenworth à mes côtés pour donner de la puissance à mon sort, mais on ne peut pas vivre avec un magicien et organiser sa bibliothèque sans avoir appris au moins une chose ou deux.

Kale se souvint avoir perçu les grognements et les halètements du tumanhofer pendant l'attaque. Si Librettowit pouvait
jeter un sort, tout le monde le pouvait-il ? Tant que cette personne recevait le bon entraînement, bien entendu. Elle ne trouvait pas sage de poser la question maintenant, mais un des
jeunes enfants avait dû se demander la même chose.

— Est-ce que cela a été difficile ? se fit entendre une petite
voix.

— Plutôt, admit le bibliothécaire.

— Monsieur ?

Librettowit se tourna vers une fille assise collée contre sa
sœur légèrement plus âgée.

— Oui ?

— Quelle était cette jolie lumière que nous avons vue dans
le ciel ? Elle est apparue après que les cris eurent cessé. Ce
n'était pas suffisamment haut pour être la Lune ou les étoiles.

Plusieurs voix s'élevèrent simultanément, défiant la tradition de laisser le porte-parole répondre aux questions. La
lumière phénoménale suscitait plus d'intérêt que les particula-
rités des blimmets.

— De la magie.

— C'est le magicien qui l'a fabriquée.

— Le magicien Fenworth a créé la lumière.

Librettowit se tourna pour voir Fenworth en face.

— Oui, dit le vieillard. La magie a créé cette lumière, mais
ce n'était pas moi.

Kale regarda fixement Librettowit. Le tumanhofer avait-il
réussi un sort aussi stupéfiant ?

*Non, il était tout aussi intrigué que moi. Et si le magicien
Fenworth n'est pas responsable, alors qui ? Librettowit et moi étions
les seuls valides. Non, c'est faux. Gymn et Metta. Mais Gymn
s'était évanoui. Metta ?*

La chanson des personnes en deuil quittant le bois et revenant au camp parvint à leurs oreilles. Les gens se levèrent pour
exprimer leur respect. D'un côté surgirent les cinq kimens et

Metta. De l'autre arrivèrent les femmes avec le festin de réjouissance. Quelques-uns dans la foule fredonnèrent la chanson
interprétée d'une voix forte et assurée par les kimens. Metta
vola au-devant de la procession et atterrit sur l'épaule de Kale.

Dar sortit sa flûte et se joignit à la musique. Kale entendit
plusieurs violons s'accorder à la mélodie pendant que les gens
réagissaient à l'appel non verbal de rendre un hommage. La
jeune o'rant reconnut le chant de louanges entonné par les
kimens dans la forêt de cynœuds après l'attaque des mordakleeps. Elle en connaissait à présent les paroles. Metta chantait
de sa voix douce et aiguë, et Kale se joignit à elle, sachant que
le petit dragon violet lui donnait les mots tirés de la mémoire
des kimens.

Dans le passé, Kale avait participé à la coutume de célébrer
la mort d'un citoyen à Rivière au Loin. La mort, elle le comprenait, constituait un passage vers un autre temps et un autre
lieu. À Rivière au Loin, les villageois croyaient que plus les
fêtards se montraient bruyants, plus le disparu courait la
chance d'entrer dans un lieu de bonheur.

*C'est comme l'a dit Leetu. Certaines choses que je considérais
comme véridiques sont, en réalité, fausses. Je change tellement à
l'intérieur. Je ne cesse d'apprendre des choses que j'aurais dû, il me
semble, savoir depuis toujours.*

*Ce n'est pas l'intensité avec laquelle nous dansons et chantons
et profitons du festin de réjouissance qui mène le défunt vers un
endroit heureux. C'est la personne elle-même, et cela n'a rien à voir
avec nous. Cela concerne la vie de Glim, et pas sa mort.*

Elle déambula parmi les danseurs jusqu'à ce qu'elle ait
examiné le visage de chacun des kimens. Shimeran, Seezle,
Zayvion, D'Shay et Veazey semblaient satisfaits. Ils chantaient
joyeusement, mais pas avec une ferveur ridicule. Kale se
détendit. Ils célébraient réellement le départ de Glim, certains
qu'il résiderait dans un paradis.

*Je ne sais pas comment je le sais, mais je le sais. Ces gens ne
comprennent pas tous. Mais les kimens, si. Et Dar et Leetu.*

Elle observa encore les danseurs en grimpant cette fois sur la charrette d'un fermier pour mieux voir.

Elle remarqua l'urohm et leur chef marione mangeant en silence une caille chacun.

Brunstetter et Lee Ark savent ce qui est bon et ce qui est mauvais. Les membres de la quête en savent-ils plus long parce qu'ils suivent Paladin ?

La voix de Fenworth interrompit ses pensées.

— *Les membres de la quête sont en position d'en apprendre davantage, Kale. Parce qu'ils suivent Paladin. Aucun d'entre nous ne sait tout. Seulement Wulder. Seulement Wulder.*

Kale tourna vivement la tête jusqu'à ce qu'elle aperçoive le magicien. Il tenait une fillette sur ses genoux et levait une tasse à ses lèvres pour la faire boire. Il lança un clin d'œil à Kale.

— *Autre chose, jeune o'rant. Tu dois apprendre à maîtriser ton usage de la lumière.*

Moi ?

— *Oui, toi !*

39

Le mont tourbanaut

Kale parcourut le sentier à pas lourds en grommelant à voix basse à propos de tous les gens lui venant à l'esprit. Toute sa nuit avait été peuplée de cauchemars. Elle s'était éveillée en sursaut à chaque bruit en pensant qu'un autre groupe de blimmets se trouvait à l'extérieur de sa tente. Metta s'était aussi réveillée chaque fois, et sa voix apaisante avait bercé Kale jusqu'à ce qu'elle replonge dans le sommeil.

Le premier matin, ils dirent au revoir à Zayvion. Il se rendait dans la patrie de Glim pour informer la famille Trio de sa perte et de la grâce de Glim.

Après des jours de vol vers le nord, les dragons avaient déposé les membres du groupe en quête au pied du mont Tourbanaut. L'envergure de leurs ailes les empêchait de pénétrer dans les canyons étroits ; les grands dragons furent donc laissés en arrière avec D'Shay et Veazey.

Librettowit rayonnait chaque fois qu'il tombait sur un point de repère familier de son enfance. Il pétillait d'enthousiasme pour son retour dans la terre de sa naissance, mais même lui était incapable de commenter sans arrêt leur entourage. Tout comme les autres membres du groupe, le tumanhofer devait se concentrer sur sa respiration pendant qu'ils grimpaient dans les canyons. L'entrée vers Daël, la ville principale des tumanhofers, se nichait entre deux pics de la même montagne.

Des vents glaciaux, les éclaboussures de neige fondue, les pieds endoloris et trop de questions dérangeaient la paix d'esprit de Kale. La cape de rayons-de-lune réchauffait son corps, mais ses joues et son nez lui donnaient l'impression d'être des glaçons. Ses bottes élégantes frottaient contre ses orteils et ses talons, et la faisaient boiter.

La pire chose dans une quête, c'est la marche. Et ne pas savoir où on va. Et d'être entouré de gens joyeux qui ne paraissent pas comprendre le danger derrière nous…

Elle songea au pauvre Glim et aux hideusement beaux blimmets restés séduisants au-delà de la mort. Elle jeta un œil par-dessus le bord du sentier et réalisa qu'une descente abrupte s'était formée pendant qu'elle trottait de l'avant. Il valait mieux pour elle surveiller ses pieds et cesser de marcher à pas lourds pour ne pas causer un effondrement de la bordure de plus en plus étroite.

… le danger à côté de nous…

Lee Ark avait déclaré qu'ils atteindraient la ville de Librettowit avant la tombée de la nuit, mais, à moins que le garde ne reconnaisse tout de suite le bibliothécaire du magicien, ils devraient probablement camper jusqu'au matin quand le tumanhofer se présenterait seul devant les portes d'entrée pour obtenir un laissez-passer pour le reste du groupe.

… et le danger devant nous…

Une fois qu'ils entreraient dans Daël, ils rendraient une brève visite à la famille de Librettowit. Puis, les tumanhofers leur fourniraient un guide pour les mener profondément à l'intérieur de la montagne au-delà des endroits où les gens construisaient les villes. Les membres de la quête entreraient dans un territoire où les hommes de main de Risto avaient établi leur résidence. Fenworth leur avait dit qu'ils devraient traverser un genre de barrière pour passer.

Mais quand Kale demanda qui avait érigé la barrière, les tumanhofers ou l'ennemie, Fenworth avait lâché des « euh » et des « ha », et avait changé de sujet.

Il n'est pas très doué pour répondre aux questions.

La voix de Leetu Bend fit sursauter Kale.

— Qui a-t-il, jeune o'rant ?

— Rien.

— Tu as l'air en colère.

— Je ne le suis pas.

Leetu ne répliqua pas, mais elle marcha directement derrière Kale jusqu'à ce qu'elles atteignent un endroit plus large dans le sentier. L'émerlindian allongea le pas pour venir se placer à côté de Kale.

— Tu boites, dit Leetu. Pourquoi ne laisses-tu pas Gymn te guérir ?

— Gymn est à peine plus âgé qu'un bébé. Il a travaillé dur après l'attaque des blimmets. Il mérite le repos.

Leetu haussa les épaules.

— Têtue, marmonna-t-elle.

Mais Kale l'entendit.

— Quoi ?

— Un commentaire sur l'immaturité.

Kale plissa les yeux et tourna son visage vers le vent.

— Tu es furieuse, affirma Leetu, car Fenworth ne veut pas répondre à tes questions.

— Tu ne veux pas y répondre non plus. Et Paladin n'a pas répondu à mes questions.

— Ah non ?

— Enfin, oui, il m'a enseigné certaines choses, mais il y a longtemps de cela.

Leetu fredonna le refrain d'une des chansons de marche préférées de Dar avant de poursuivre la conversation.

— Pour montrer sa colère, la jeune o'rant recourt à une attitude maussade envers ses camarades, elle grommelle contre ses chefs et refuse obstinément de l'aide.

Kale n'émit aucun commentaire.

— De l'immaturité, dit l'émerlindian.

Kale s'arrêta et regarda Leetu en face.

— Oui. D'accord. Je suis immature. Je suis fatiguée, déboussolée, effrayée, immature. Voilà ! Est-ce utile que je sois maintenant d'accord avec toi ?

Leetu acquiesça, et Kale résista à l'envie de lui donner une bonne poussée.

— Tu mets encore un pied devant l'autre, Kale.

Leetu contourna un rocher sur le sentier. Elle se retourna pour regarder Kale et lui faire signe d'avancer.

— Accorde-toi le mérite de ne pas avoir abandonné. Tu n'as pas ralenti l'expédition et tu t'es avéré un membre précieux.

— La plupart du temps, je ne sais pas ce que je fais.

Leetu rigola.

— La plupart du temps, *je* ne sais pas ce que je fais. J'ai l'avantage de l'expérience. Souvent, je sais ce que l'on attend de moi et je le fais, en ayant ou pas la certitude de réussir.

Kale laissa passer Leetu quand le sentier devint plus étroit et s'éleva abruptement, mais elle la rejoignit dès qu'il y eut suffisamment d'espace pour les accueillir côte à côte.

Leetu offrit à Kale un long et mince bâtonnet de pain, et elle en sortit un autre de sa poche pour elle-même.

— Et, en ce qui concerne le fait d'être déboussolée, tu sais ce que tu dois faire en ce moment. Tu dois suivre Dar juste devant toi. Tu as confiance qu'à son tour, il talonne Shimeran.

— Je veux savoir si j'ai créé cette chose, cette lumière dans le ciel et si oui, comment. Fenworth ne veut rien me dire.

— C'est un très vieil homme, Kale ; il est probablement fatigué. Cette quête exige beaucoup de lui. Sois patiente un peu et montre davantage de compassion. Essaie de lui faciliter la vie, et non le contraire.

— Mais c'est un magicien, protesta Kale.

— Et tu crois que les magiciens possèdent des réserves de forces inépuisables et toute la connaissance du monde, qu'ils détiennent toutes les réponses et les moyens de régler tous les problèmes ?

Kale songea aux paroles de Leetu. Après une minute, elle répondit avec réticence :

— Oui.

Leetu ne dit pas un mot.

Kale soupira.

— Je suppose qu'il s'agit d'une autre de ces occasions où ce que j'ignore surpasse ce que je connais.

— Il est ardu de désapprendre des faussetés, mais Paladin sait que tu le peux, sinon il ne t'aurait pas accordé sa confiance pour cette quête.

La saillie surmontait un cap et, à leur gauche, il y avait un petit bois de majestueux conifères. Au-delà, un autre versant s'élevait en pente raide vers le ciel.

— Effrayée, continua Leetu. Et bien, c'est un mensonge d'affronter des événements effrayants et de prétendre ne pas avoir peur. Tout comme c'est déloyal d'admirer la beauté de ce paysage — elle hocha la tête vers la chaîne de montagnes — et de prétendre que sa grandeur n'émeut pas son âme. Peut-être pas faux, mais fou, de boire la beauté avec les yeux tout en la reniant avec le cœur.

L'émerlindian marqua une pause et posa un regard émerveillé sur les environs. Puis, elle ramena son attention vers Kale.

— Immature. Tu as entendu Dar dire que je suis jeune. Je ne suis certainement pas comme Mamie Noon. Mais quand tu réussis à faire taire ton orgueil qui veut affirmer «je suis grande », tu es alors en position d'apprendre.

Kale vit dans sa tête un petit marione, Dubby Brummer, ses poings potelés plantés sur ses hanches larges, une moue sur le visage et un pied sur le point de taper le sol. Combien de fois avait-elle pris soin de ce bambin turbulent qui désirait toujours suivre la trace des grands ? Le souvenir de son minois entêté et sale fit rire Kale. Le sentier rétrécit de nouveau.

— Relève ton capuchon, dit Leetu en restant en arrière, et le voile sur ton visage, jeune o'rant.

Ils traversèrent la petite prairie de la montagne et entreprirent de grimper une autre pente. Le vent se calma et quelques flocons de neige voltigèrent paresseusement autour des voyageurs.

Kale regarda en avant. Lee Ark les guidait. Shimeran et Dar le suivaient. Elle occupait la quatrième position. Derrière elle, Leetu aidait Librettowit à enjamber un arbre tombé. Brunstetter et une touffe de broussailles cachaient le magicien Fenworth et Seezle. Kale retint son souffle et regarda à nouveau devant et derrière la file. Ses yeux se tournèrent pour fixer le col de la montagne — des rochers, des arbres, un escarpement dans le lointain, de la lumière grise créée par les nuages de neige obscurcissant le soleil.

Le mural à l'auberge! Les détails sur les vêtements étaient aussi pareils aux personnages de la peinture. Cette scène dans laquelle elle vagabondait était la même que celle dépeignant des membres des sept races supérieures traversant un passage dans les montagnes. Kale l'avait vu chaque jour de sa vie. Elle l'avait époussetée. Elle avait essuyé de la bière sur sa surface quand un client insouciant avait agité sa chope pleine avec trop d'entrain.

Kale regarda en arrière juste comme le vieux magicien et la minuscule kimen tournaient le coin. À présent, la scène différait de l'œuvre sur le mur. Cependant, même les broussailles ayant caché les deux derniers membres de leur quête faisaient partie de la peinture à Rivière au Loin. Elle avait toujours pensé que la fraternité de voyageurs semblait avide de se lancer dans l'aventure. Elle se sentait épuisée et lasse, impatiente de trouver un lit chaud.

Qui avait réalisé la peinture? Maître Meiger avait dit que c'était un voyageur qui avait payé pour le gîte et le couvert en dessinant son art sur le mur.

Elle se précipita pour rejoindre Dar. Peut-être aurait-il une idée. Juste au détour d'un autre virage dans le sentier, elle découvrit que ceux qui la précédaient s'étaient arrêtés.

Une vieille o'rant grelottante vêtue d'un habit miteux se tenait le dos courbé et devant Lee Ark.

— J'ai attendu tellement longtemps.

Sa voix grinçante portait une note de supplication.

Kale se sentit mal à l'aise. Pourquoi Lee Ark paraissait-il si redoutable ? Était-il obligé d'avoir l'air à ce point en colère, comme s'il s'apprêtait à tout moment à lever sa puissante main et à battre la pauvre âme déchirée ? Une seule vieillarde ne pouvait pas les mettre en danger. Assurément, leur chef devrait se montrer plus hospitalier. Kale serra les poings sous sa cape de rayons-de-lune, combattant un étrange tremblement dans son corps.

La vieille femme agitait la tête de haut en bas.

— Nous savions que vous étiez en route — un magicien, les guerriers de premier choix de Paladin et la prodigieuse jeune o'rant connue sous le nom de Gardienne des dragons.

La vieillarde tendit deux mains enveloppées dans des moufles tenant délicatement un gros œuf. Ses doigts ratatinés pointaient à travers les trous du tricot de laine noire. L'œuf jauni qu'elle portait était plus gros que sa tête et il était perché en position précaire dans ses mains frissonnantes.

Leetu, Librettowit et Brunstetter arrivèrent derrière Kale et s'arrêtèrent.

— Qui t'a dit que nous venions, vieille femme ? demanda Lee Ark.

— Un marchand. Il a affirmé que c'était important d'apporter l'œuf à la jeune o'rant.

Encore une fois, le ton plaintif dans sa voix écorcha les nerfs fragiles de Kale.

— Alors, pourquoi ne l'a-t-il pas apporté lui-même ? répliqua sèchement Lee Ark. Pourquoi envoyer une vieille femme ?

— Il ne voulait pas venir sur le mont Tourbanaut. Il a dit que les tumanhofers ne l'appréciaient pas. Que Risto saurait qu'il avait porté l'œuf et qu'il le pourchasserait.

Kale regarda l'œuf. Elle ne sentait pas l'attirance des fois précédentes, l'enchantement qui la pressait de tendre la main et de ramasser un œuf de dragon. Une présence obscure entrait et sortait de son esprit pendant qu'elle se concentrait sur l'offrande de la vieillarde.

La voix de Lee Ark provoqua un frisson le long de la colonne vertébrale de Kale.

— Pourquoi t'envoyer, *toi,* au sommet d'une montagne inhospitalière quand la température automnale est si incertaine ? Pourquoi ne pas dépêcher un homme solide, un jeune berger ?

— J'ai vécu sur cette montagne toute ma vie. Mon père était berger.

La vieille femme renifla.

— Personne d'autre ne voulait s'en charger. Le marchand a dit qu'il avait dérobé l'œuf à quelqu'un qui l'avait volé à Risto.

Le magicien Fenworth s'approcha d'eux et s'assit prestement sur une roche. Il était essoufflé et semblait plus concerné par sa bouteille d'eau que par l'étrangère accostant sa troupe.

Librettowit, s'agit-il de l'œuf meech ?

— *Mauvaise grosseur. Mauvaise couleur. Je ne fais pas confiance à cette femme, Kale.*

Leetu parla.

— Elle a obtenu l'œuf d'un bisonbeck, Lee Ark.

La femme releva la tête brusquement et elle fixa Leetu avec colère.

— Tout le monde ne craint pas les infortunés qui ont déçu Risto et ont été ostracisés. Gorrad est un marchand, et un marchand honnête. Il a pris l'œuf, car il a entendu des rumeurs disant que Risto l'avait volé et que Paladin voulait le récupérer. Mais il a vécu de mauvaises expériences avec Risto. Qui fait exception ? Il était effrayé. Qui ne le serait pas ?

Lee Ark l'interrompit.

— Pourtant, une vieillarde comme toi n'a pas peur de nous apporter l'œuf ?

— Ma vie est presque terminée. Je suis venue lentement. Personne ne soupçonnerait une vieille femme de transporter un objet de grande valeur.

La peur noua l'estomac de Kale. Elle voulait se précipiter en avant et renverser l'œuf des mains mal entretenues de la femme. Cependant, une autre force lui dictait de courir en sens inverse, d'ordonner à tout le monde de fuir.

— Je ne veux pas l'œuf, dit Kale. Il n'a pas de valeur. Il est maléfique.

La vieille femme se redressa ; elle dépassait à présent Lee Ark de près de un mètre. Elle souleva l'œuf au-dessus de sa tête, et un cri perçant sortit de sa gorge.

— Courez ! hurla Kale.

La femme lança l'œuf à toute volée sur le sentier de roche à ses pieds. Kale et ses camarades bondirent et filèrent se mettre à l'abri.

Un rugissement, des volutes de fumée et des vapeurs étouffantes jaillirent pendant que la vieillarde caquetait et criait.

Kale et Leetu coururent vers Fenworth, toujours assis sur la roche et buvant à sa bouteille. Elles attrapèrent chacune un de ses bras et, à elles deux, elles traînèrent le magicien le long du sentier.

Il grommela des objections à leur intention :

— En haut, pas en bas. Les portes d'entrée sont en haut. Qui fait cet horrible bruit ? Attendez, laissez-moi me remettre sur pied. Où est mon bâton de marche ? Le meilleur que j'ai eu depuis des lustres. L'avons-nous perdu ?

40

Trois têtes ne valent pas mieux qu'une

— J'imagine qu'un sortilège d'eau ne fonctionnera pas une nouvelle fois ?

Fenworth tira sur sa barbe. Il avait retiré son chapeau et l'avait chiffonné en boule.

— Non, probablement pas, acquiesça Librettowit.

Kale était accroupie entre le tumanhofer et un mur de pierre. Deux gros rochers les protégeaient — elle et le bibliothécaire — d'un monstre à trois têtes en furie arpentant le sentier de la montagne. Les yeux de Kale allaient rapidement de la bête menaçante aux deux hommes âgés. Elle fouilla du regard l'environnement extérieur à la recherche de la femme mystérieuse, mais elle ne la trouva pas. La créature semblable à un lézard faisait les cent pas en tournant lourdement en cercle, empêchant tous les voyageurs de passer.

Fenworth était assis à l'arrière de leur refuge exigu. Il continuait de caresser sa longue barbe grise d'une main et d'agripper son chapeau de l'autre. Sa barbe prit l'apparence de la mousse des marais et des feuilles poussèrent sur sa robe.

— Un sortilège de feu ?

— Trop imprévisible.

— Un ratatinement ?

— Cela demande trop de temps.

Impatiente par rapport à leur conversation, Kale sortit sa petite épée et se repositionna sur les genoux afin de pouvoir scruter l'extérieur à côté de Librettowit pour surveiller le monstre. Ses doigts se resserrèrent sur la poignée jusqu'à ce que ses jointures blanchissent. Elle força sa main à se détendre et prit plusieurs profondes respirations. Elle entreprit de localiser chacun de ses compagnons.

Leetu avait grimpé sur un perchoir au-dessus d'eux, hors de portée du lézard. Elle enfourchait un vieux buisson poussant en marge de l'escarpement et lançait des flèches sur la créature en colère. Elles pénétraient dans sa peau et pointaient comme des plumes d'oie. Du sang saumâtre s'égouttait de chaque plaie, mais cela n'entravait pas ses déplacements.

La bête rugit et chargea Kale. Elle et Librettowit reculèrent d'un même mouvement quand l'une des têtes du monstre stoppa brusquement juste devant leur cachette. La chose donnait de petits coups sur les rochers avec son museau, mais l'étroite ouverture l'empêchait de l'enfoncer davantage.

Kale aspira de l'air par la bouche en sifflant lorsqu'elle tenta de battre en retraite dans l'ombre, aussi loin que possible de l'orifice. Une longue langue noire et maigre sortit de la bouche de cette tête et donna de petits coups explorateurs dans la crevasse. Le magicien, le tumanhofer et la jeune o'rant se tapirent en pressant le dos contre la paroi de pierre. En désespoir de cause, Kale la harcela avec son épée et la piqua. La langue recula brusquement avec un bruit de liquide qu'on aspire, puis la tête s'éloigna de leur abri.

— On ne devrait jamais, dit Fenworth avec sévérité, transporter un monstre, *quel qu'il soit*, dans l'intérieur restreint d'une coquille d'œuf. Se trouver à l'étroit de cette façon le rend grincheux.

Une autre tête plana au-dessus de l'orifice dans les rochers à proximité de Kale et de Librettowit. Kale bloqua ses pieds écartés en position de combat, saisit son épée d'une main ferme et trancha délibérément l'organe buccal quand il s'infiltra près d'elle. L'extrémité de la langue du monstre tomba à ses pieds et se contorsionna dans tous les sens. Avec un cri perçant ne ressemblant en rien à celui d'un soldat, Kale s'en éloigna comme s'il s'agissait d'un serpent. Librettowit s'empara de l'affreuse chose et la lança hors de leur cachette.

— Ce n'est pas une tâche de bibliothécaire, se plaignit-il. Ceci n'a rien à voir avec les livres et l'étude.

Pendant que Fenworth grommelait à propos de sortilèges — mouillé, sec, froid, chaud —, Kale jeta un œil par-dessus les rochers pour essayer de localiser les autres membres de leur groupe. Une des têtes du lézard se déplaçait près d'un rebord jonché de petits cailloux. Un éclair de lumière soudain le fit reculer sec.

Un kimen au moins se trouve là.

Kale vit la troisième tête plonger. Elle poussa un cri alors que Lee Ark se précipitait d'une masse rocheuse à l'autre. Des dents hideuses s'entrechoquaient dans son dos. La trompette de Dar retentit. À cet instant précis, Brunstetter bondit et enfonça sa longue épée dans le cou du monstre au-dessous de sa mâchoire. Les trois têtes de la bête hurlèrent. Celle qui était blessée continua à mugir. Puis, cette tête et ce cou tombèrent inertes au sol. Maintenant, quand la brute bougeait, elle devait traîner sa portion sans vie.

Fenworth s'était levé, puis accroupi près de Kale.

— *Plus d'actes héroïques.*

Elle l'entendit s'adresser au groupe par télépathie.

— *Soyez patients une minute. J'ai presque maîtrisé ce sortilège de calcification.*

Il est à peu près temps !

La pensée surgit dans son esprit, et elle se tourna vivement pour voir si elle avait été surprise par le vieux magicien. Le pli sur son front semblait lié à sa concentration sur l'exploit en cours. Il ne paraissait pas du tout la remarquer. Kale soupira de soulagement, mais la tension ne quitta pas son corps.

La bête arpentait encore les lieux et elle savait où se cachait chaque membre de la quête. Frustrée, elle grognait et attaquait les rochers avec ses deux têtes restantes. L'une assaillit de nouveau Kale, et elle recula en levant son épée. Au lieu de donner de petits coups de langue dans l'ouverture entre les rochers, elle fonça avec force sa tête massive contre le roc. Le coup secoua leur petit fort. De la poussière et du gravier plurent sur eux, couvrant leurs cheveux et leurs vêtements de saleté.

Kale tourna la tête pour voir Librettowit et Fenworth converser en murmurant, tout en époussetant la poussière sur leur tête. Elle grinça des dents.

Son sort sera-t-il prêt à temps ?

La créature se dirigea vers les rochers abritant Lee Ark. Kale observa. La troisième tête traînait par terre. La bête trébucha et lutta. Ses mouvements semblaient gênés par davantage que la seule tête tombée.

— Sa queue devient grise, annonça-t-elle aux hommes dans son dos.

Librettowit se leva pour espionner par-dessus les rochers.

— Il se change en pierre. Bon travail, Fen ; mais que penserais-tu de commencer par l'autre extrémité ? Ce serait bien de voir ses têtes dégoûtantes se transformer en pierre en premier.

Fenworth passa sa main sur le dessus de sa tête. Kale remarqua pour la première fois sa calvitie sur le sommet de son crâne, entourée par une longue frange de cheveux gris. Le bout des doigts du magicien dessinait un cercle sur le scalp exposé.

— Voyons voir, cela exigerait un certain nombre de changements… Oui, c'est possible.

— Oublie cela, dit Librettowit. Le processus s'est arrêté pendant que tu réfléchissais aux ajustements. Continue. La bête cessera de bouger dès que tu arriveras aux jambes.

Librettowit poussa un cri d'approbation.

— Voilà comment il faut faire ! La dernière décharge a touché le reste de sa queue. Il traîne à présent le poids d'un édifice urbain en pierre sur son dos. Oups ! Cela semble avoir exacerbé le gaillard.

Deux rugissements rivalisèrent de férocité. Une des têtes s'approcha et donna un petit coup de dent à l'autre. Kale retint son souffle en observant les pattes de derrière s'arrêter, se raidir, puis changer du vert au gris.

— Accélère un peu, veux-tu Fen ? dit Librettowit. La chose va souffrir maintenant.

Il détourna la tête.

— Oui, acquiesça le magicien Fenworth, puis il ferma les yeux pour se concentrer.

Kale se détourna aussi. Puis, elle se couvrit les oreilles quand la bête gémit. Elle accueillit avec plaisir le silence un instant plus tard et regarda de nouveau le sentier de la montagne. Une statue de pierre était posée là avec une tête suspendue par-dessus le bord de l'escarpement. Les deux cous redressés étaient emmêlés et couchés sur le dos de la créature.

Dar, Lee Ark et Brunstetter sortirent avec précaution de leur cachette. Leetu amorça sa descente, et les kimens sautillèrent à travers l'espace à découvert pour se tenir à côté de Kale quand elle émergea.

— Bon, alors.

Fenworth grimpa maladroitement par-dessus les rochers. Lee Ark et Kale allèrent l'aider.

Il enfonça son chapeau sur sa tête et épousseta sa robe. Puis, il claqua les mains ensemble et vit voler la poussière.

— C'était une situation inconfortable. Je vous avais prévenu, non ? Les quêtes sont des entreprises intéressantes, sauf pour certaines parties inconfortables. Je suppose que cette femme déplaisante est partie.

Il examina les alentours, s'étirant même sur le bout de ses pieds pour scruter derrière le monstre.

— Une magicienne. Je ne l'ai pas reconnue, mais je soupçonne que c'était cette Burner Stox. Mariée à Crim Copper. Un magicien brutal. Je ne peux pas dire qu'ils s'entendent tellement bien.

Les autres commencèrent à s'activer. Kale avait l'impression de s'éveiller d'un cauchemar. Un petit rire montait dans sa gorge, et elle le réprima, sachant que ses compagnons le prendraient pour ce qu'il était : un excès de nervosité. Elle regarda Leetu ramasser les quelques flèches ayant rebondi sur le monstre lorsqu'il était encore vivant et menaçait leur vie.

Les flèches coincées dans sa peau étaient pétrifiées à présent.

Dar se réjouit que son paquet n'ait pas été piétiné. Brunstetter et les kimens rassemblèrent d'autres articles éparpillés et les apportèrent au magicien.

— Mon bâton de marche.

Fenworth tapota l'épaule de Seezle avec un doigt.

— Merci, ma chère.

Il leva les yeux sur la monstrueuse statue.

— Vous savez, je crois vraiment que nous devrions partir. Je ne me souviens pas si ce sortilège agit de façon permanente.

Kale n'avait aucune réticence à quitter l'entourage de la créature solidifiée. Lee Ark reprit la tête, et les autres le suivirent. Quelques minutes plus tard, ils entendirent le son grinçant d'un craquement, puis une forte secousse vibra à leurs pieds.

— Il se désagrège, dit Fenworth. Je me souviens à présent. Il se désagrège. C'est une bonne chose que nous ne nous tenions pas sous lui. Wit, tu devras expliquer à tes concitoyens pourquoi un de leurs cols de montagne est maintenant rempli de gravats. Ça devrait mieux passer venant d'un des leurs.

— Bien sûr, répliqua le tumanhofer, hochant la tête et le fixant avec colère.

— Peut-être pourrais-tu coucher sur papier le récit de cet événement, suggéra le magicien.

— Je suis bibliothécaire. Je *lis* des livres. Je n'écris pas…

— Hum ? Et bien. Tut tut. Je pourrais…

— Je vais m'en occuper, Fenworth.

41

LA VILLE DE DAËL

Le passage s'élargit à un carrefour de sentiers de la montagne. Le Soleil se trouvait depuis des heures derrière les nuages et à présent, la lumière grise s'assombrissait. Le voile en fils de rayons-de-lune lâchement tissés couvrant le visage de Kale la protégeait du froid et améliorait sa vision. Mais à mesure que l'après-midi s'effaçait devant la nuit, elle commença à s'inquiéter qu'ils perdent leur chemin dans les cols montagnards.

— Plus très loin, cria Librettowit à ses compagnons.

— Restez regroupés, ordonna Lee Ark en se déplaçant dans la file pour s'assurer que tous les randonneurs allaient bien.

En revenant pour prendre la tête quelques instants plus tard, il repositionna les kimens. Il envoya Shimeran en avant. Seezle marcha directement devant Kale.

— Brillez, aboya Lee Ark en marchant à grands pas dans le vent plus rapide pour reprendre sa place à l'avant de l'expédition.

Les kimens produisirent une vive lumière jaune. Malgré cela, Kale voyait à peine la silhouette de Shimeran, et la lueur de Seezle jetait juste assez d'éclat pour éclairer légèrement le sentier entre la jeune o'rant et le doneel.

Les autres doivent éprouver plus de difficulté que moi. J'ai l'avantage de la cape en rayon-de-lune.

Ils avaient emballé de lourds vêtements d'hiver. Après leur rencontre avec la magicienne et le monstre à trois têtes, ils avaient atteint une altitude où le vent s'abattait sur leur peau comme des doigts glacés. Lee Ark avait pris une pause juste assez longue pour que chacun enfile des habits supplémentaires. Les kimens, bien sûr, n'avaient aucun besoin d'autre chose que leur habituelle tenue de lumière. Kale avait enfoui ses pieds avec gratitude dans une deuxième paire de bas, et ses mains dans des moufles tricotées par Mamie Noon.

— Plus très loin, cria de nouveau Librettowit.

Les pieds de Kale s'enfonçaient dans la neige empilée de plus en plus haut sur le sentier. Lee Ark revint à pas lourds.

— Posez une main sur l'épaule de la personne devant vous.

Cette fois, il amena Brunstetter pour le faire marcher directement derrière Shimeran, et le magicien Fenworth suivit l'urohm. Le géant avançait en traînant les pieds afin de dégager un passage pour les gens venant après lui.

Les doigts de Kale s'engourdirent sur l'épaule de Dar. Elle changea de main pour cacher sous la chaleur de sa cape celle qui était froide. Seezle agrippait l'arrière du pantalon de Dar. Kale se demanda si la petite créature avait chaud, si sa lumière réchauffait la jambe de Dar.

— Plus très loin, répéta Librettowit.

Kale fut étonnée lorsqu'ils arrivèrent devant deux énormes portes en bois fermant l'accès à Daël. Même debout et blottie contre les autres quand Brunstetter frappa de son immense poing pour annoncer leur arrivée, elle ne voyait qu'une masse sombre s'étirant de chaque côté à perte de vue. Le vent rugissait et la neige tourbillonnait en formant un rideau aveuglant. Une seule lanterne à côté d'une fenêtre barricadée dans la porte d'entrée clignotait en signe d'accueil réticent.

Le volet en bois s'ouvrit à l'extérieur de la fenêtre de la porte. Un carré de lumière apparut, puis fut masqué par une tête enveloppée dans une écharpe foncée.

— Quoi? Quoi? grogna le gardien. Aucune entrée après la noirceur. Rendez-vous dans les cavernes pour vous abriter et revenez demain matin.

Le volet commença à se refermer, mais Brunstetter le retint.

Sa voix basse résonnait plaisamment comme s'il expliquait à un enfant les règles simples de la courtoisie.

— Nous avons le magicien Fenworth avec nous et nous menons une affaire pour Paladin.

— Cela ne fonctionnera pas ici, grommela le gardien de la porte.

Ses mains couvertes de gants épais secouèrent le bord du volet en essayant de le déloger de l'emprise ferme de Brunstetter.

— Allons là, lâche cela. Rejoignez la caverne comme tout bon citoyen et attendez le matin. Des magiciens, vraiment. Utiliser le nom de Paladin comme s'il s'agissait d'un mot de passe. Honte à toi, et *lâche cela*!

Librettowit se fraya un chemin en avant.

— Ici Trevithick Librettowit. Cela ne m'intéresse pas de m'abriter dans les cavernes ce soir. Laisse-nous entrer.

— Wit? Wit? Ne me dis pas! Ici Bumby Bumbocore. Comment vas-tu, espèce de vieux rat de bibliothèque?

— Je me tiens occupé! répliqua sèchement Librettowit. Et j'ai froid.

— Ah oui, une seconde.

Il s'apprêta à s'éloigner de la fenêtre de la porte d'entrée.

— Ordonne à ton ami de lâcher prise.

Brunstetter libéra le volet. Le carré de lumière disparut. Un instant plus tard, le grondement et les gémissements des engrenages se mettant en place leur signalèrent qu'ils pourraient entrer. Le tapage s'étira pendant un long moment avant qu'une grande porte enchâssée dans la porte d'entrée plus imposante ne s'ouvrît.

Pourquoi une simple porte en bois requiert-elle un tel vacarme pour l'ouvrir?

Brunstetter s'écarta d'un pas pour permettre à Fenworth d'entrer en premier; il fut suivi de Librettowit et du reste du groupe. L'urohm dut baisser la tête pour passer. Le gardien de la porte Bumbocore ferma derrière eux, mettant ainsi soudainement fin au bruit du vent hurlant.

Kale tira en arrière le capuchon de sa cape et chassa la neige de ses vêtements. Elle secoua ses pieds et espéra qu'ils se retrouveraient tous bientôt dans un endroit où elle pourrait placer ses orteils frigorifiés près d'un feu de foyer.

Librettowit présenta le gardien.

— Un cousin, expliqua-t-il.

Lui et Bumbocore s'adonnèrent à une séance de tapes dans le dos et d'interrogation. Ils se posèrent mutuellement des questions auxquelles ils ne prirent pas souvent la peine de répondre.

— Hum !

Le magicien Fenworth s'éclaircit la gorge.

— Nous ne devons pas faire attendre ta mère, Wit.

Bumbocore eut l'air surpris.

— Est-ce que Gloritemdomer vous attend ? J'ai rencontré ton père ce midi, et il ne m'a pas dit un mot là-dessus.

— Voyez-vous ça ! N'est-ce pas toujours ainsi avec une quête ?

Fenworth frappa son bâton de marcher avec vigueur sur le sol de pierre.

— Risto sait que nous venons. Cette Burner Stox sait que nous venons. Sûrement que son vaurien de mari, Crim Copper, sait que nous venons. Il a même dépêché un monstre à trois têtes pour nous accueillir, mais est-ce que nos gens savent que nous venons ?

Il commença à grommeler et à secouer la tête, tirant sur sa barbe d'une main et, ce faisant, envoyant promener des feuilles nouvellement écloses sur le plancher.

Bumbocore pâlit.

— R-risto ? Burner S-stox ? Monstre ?

Fenworth donna de légères claques dans le dos du plus petit homme.

— Cela t'inquiète aussi ? Tut tut. Nous devrons faire quelque chose pour cela. Un bon sortilège de calcification fonctionne bien, si on se souvient de rapidement quitter les lieux ensuite.

Il s'éclaircit la gorge et fit un geste à l'intention du bibliothécaire tumanhofer.

— C'est agréable de parler avec de vieux amis, mais nous devons partir. Gloritemdomer prépare de bons repas, et nous ne voulons pas arriver en retard. C'est impoli, vous savez.

Librettowit mena la marche à travers les larges rues de la cité de pierre. Des pierres-soleil brillaient dans une multitude de couleurs sur leur route. Kale se demanda pourquoi elles étaient placées à intervalle aussi éloigné. Les joyeuses teintes éclairaient les passages sombres, mais les pierres n'étaient pas regroupées pour illuminer toute la zone. Après un moment, elle s'habitua à l'effet de la lumière tamisée et pensa qu'il s'agissait d'une jolie façon d'aviver le gris monotone du granit.

— Voyez-vous, déclara Librettowit en levant son chapeau devant ceux qu'il dépassait en continuant à instruire ses compagnons de voyage, les tumanhofers ne se procurent pas du granit dans la montagne pour le fragmenter en blocs et ensuite les traîner à travers le pays et les empiler pour ériger des édifices. Il s'agit d'une manière tellement inefficace de construire une ville. Nos maisons sont creusées dans le roc. Nos rues ne sont pas pavées, car elles sont déjà en pierre. Par conséquent, nous pouvons occuper notre temps à des choses plus utiles.

Leetu ?

— *Oui ?*

Qu'est-ce que les tumanhofers considèrent comme une occupation utile ?

— *Creuser.*

Creuser ? Comme dans la terre ?

— *Parfois, si tu prends en compte leur programme de recherche approfondie en agriculture. Mais il s'agit plutôt de la façon dont les choses fonctionnent. Librettowit creuse dans les livres et découvre des faits intéressants. D'autres tumanhofers creusent différentes façons de faire les choses. Ils ont plus d'inventeurs, de scientifiques et de professeurs que toutes les autres races réunies. Seulement à Daël, il y a six universités.*

Est-ce que qui que ce soit a vraiment besoin d'en apprendre autant ?

— *Les tumanhofers éprouvent ce besoin. Cela les rend heureux.*

Kale déboutonna sa cape, et les deux dragons se précipitèrent pour venir s'asseoir sur ses épaules. Ils pépiaient avec animation. Kale saisit l'essentiel de leurs propos en écoutant avec son esprit.

Elle afficha un grand sourire quand elle réalisa qu'ils disaient des choses qu'elle voulait elle-même exprimer. Metta et Gymn s'exclamaient : «*Regarde cela. As-tu déjà vu… ? À quoi cela sert-il ? Ohhh, c'est beau.*» Ils répétaient sans cesse le même genre d'observations admiratives.

Le groupe en quête parcourut un très, très long chemin avant que les devantures ne ressemblent à des maisons au lieu de magasins et d'auberges. Leur guide tumanhofer se tut en tournant un coin ; il accéléra le pas. En bas de la rue, une porte s'ouvrit à la volée, et une femme corpulente sortit en hâte. Elle trottina pour venir à leur rencontre et enlaça Librettowit.

— Maman ! s'exclama-t-il en l'enveloppant fort dans ses bras.

Un homme apparut et se joignit à leur étreinte en y ajoutant de petites tapes dans le dos de Librettowit et en s'écriant :

— Et bien, et bien, bienvenue fiston.

Des voisins sortirent en masse des foyers tout près et se rassemblèrent dans la rue. Kale recula et observa. Elle n'avait jamais vu une telle chose. Les mariones n'affichaient pas leur affection. Ces tumanhofers passèrent vingt minutes à se souhaiter la bienvenue et à procéder aux présentations. Ils riaient et se serraient dans leurs bras. Grundtrieg, le père de Librettowit, prit la relève des présentations une fois que son fils lui eut fait le tour de ses compagnons et qu'il connut leur nom. Grundtrieg présenta Kale à une jeune tumanhofer nommée Estellabrist. Elle entraîna la jeune o'rant dans le groupe pour rencontrer au moins cinquante voisins, parents et amis venus des rues avoisinantes.

Enfin, les voyageurs de passage furent escortés à la maison. Kale s'enfonça dans un coussin moelleux près d'un mur. Dar s'installa à côté d'elle.

— Serait-ce mal élevé d'enlever mes bottes ? demanda-t-elle au doneel. Mes pieds sont douloureux.

— Pas du tout. Tu as été acceptée en tant qu'invitée de marque.

— Les invités de marque peuvent enlever leurs bottes ?

— Absolument.

Kale repoussa la cape de sur ses épaules et la laissa tomber derrière elle, puis elle s'attela à ses bottes. Avec deux paires de bas à l'intérieur, elles semblaient déterminées à rester sur ses pieds.

Dar se raidit et l'aida à tirer. Kale lui retourna ensuite la faveur et s'émerveilla de constater à quel point elle se sentait à l'aise avec le doneel après tout ce temps passé ensemble. À Rivière au Loin, personne ne lui aurait donné un coup de main pour ôter ses bottes, même si, en fait, elle n'en avait jamais possédé. On lui aurait ordonné de venir en aide à Dar. Lorsqu'ils se rassirent, elle lui offrit un large sourire, juste parce que c'était bon d'avoir un ami.

On avait cédé au magicien Fenworth le plus gros et le plus confortable fauteuil près d'un chaleureux foyer. Brunstetter était assis sur les marches d'un escalier. Lee Ark et Leetu Bends s'étaient installés à la table avec Librettowit et son père. Les kimens s'étaient déniché un coin où l'on ne leur marcherait pas dessus, car dame Librettowit et ses filles s'affairaient autour pour préparer le dîner.

— Librettowit est heureux ici, dit Kale.

— Les tumanhofers ont du plaisir en famille.

— As-tu de la famille, Dar ?

Il acquiesça, puis il ferma les yeux et s'appuya contre le mur.

— Beaucoup.

Kale réfléchit au commentaire de Fenworth sur sa mère. Se pouvait-il qu'elle soit vivante ? Le vieux magicien pouvait-il savoir où elle se trouvait ? Elle demanda presque à Dar son opinion quand elle se rappela que Fenworth lui avait dit que de parler de sa mère mettrait la vie de celle-ci en danger.

Je veux que ma mère soit en vie. J'aimerais la trouver. Elle laissa ses yeux errer dans la pièce pour observer les tumanhofers échanger des sourires et des tapes affectueuses en passant. La maman de Librettowit l'embrassa sur la joue en déposant un panier de pains sur la table. Son père enlaça sa femme par la taille. *Je me demande ce qu'on ressent lorsqu'on fait partie d'une famille. Je pense que cela doit être agréable.*

— Tu es à ta place, Kale.

La douce voix de Dar interrompit ses réflexions.

— Tu fais partie de la légion de Paladin. Nous sommes ta famille.

Kale lui lança un regard dur. Il s'appuyait toujours contre le mur, les yeux fermés. Il paraissait fatigué et sans malice.

— Es-tu certain de ne pas lire dans mon esprit ?

— Positif. Tu es dans l'ensemble trop prévisible pour même s'en donner la peine.

— Pourrais-tu lire mes pensées si tu le souhaitais ?

— Nan. Je n'ai pas ce don. Je ne peux pratiquer la télépathie avec toi que si tu entames la conversation.

Les sœurs de Librettowit passèrent des bols d'eau chaude et savonneuse et des serviettes. Ils se lavèrent avant dîner, juste là, dans le salon de la maison de Librettowit. Kale songea qu'il s'agissait d'une coutume originale. Une autre sœur offrit à chaque invité une assiette contenant du pain, un bol fumant et une cuillère. Dar se redressa et lui décocha son plus charmant sourire en la remerciant.

— Ne mange pas tout de suite, murmura-t-il à Kale alors que la tumanhofer s'éloignait. Grundtrieg va d'abord bénir le repas.

Quand tout le monde fut servi, le père inclina la tête et répéta une simple prière. Puis, il rendit grâce à Wulder pour le plaisir de voir son fils et ses invités. Il ajouta que lui et sa famille étaient honorés de prêter main-forte au plan de Paladin de la façon qui se présenterait à eux.

Kale baissa les yeux sur son bol. Dans la lumière diffuse, elle ne distinguait pas ce que c'était, bien que l'arôme fût délicieux.

— Qu'est-ce que c'est ? demanda-t-elle à Dar.

— Les tumanhofers vivent sous la terre, alors il pourrait s'agir de racines, de ragoût de taupe ou d'asticots.

Il leva la cuillère à ses lèvres et l'avala bruyamment. De l'autre côté de la pièce, Leetu releva brusquement la tête et elle fronça les sourcils en fixant le doneel.

Dar l'ignora.

— C'est bon, Kale. Ce serait impoli de ne pas manger ce qu'on t'a servi. Contente-toi de le savourer.

— Qu'est-ce que c'est ?

Dar poussa un soupir exagéré.

— De la soupe de vers plats.

Kale se mordit la lèvre et regarda autour de la pièce. Personne ne remarquait qu'elle ne mangeait pas. Metta et Gymn s'activaient à la base des murs en cherchant des insectes. Les petits dragons aimaient les vers et les asticots et ce genre de choses. Mangeraient-ils des vers plats cuits ?

— Prends une bouchée, dit Dar.

Il trempa un morceau de pain dans le bouillon et l'enfourna.

Kale déglutit péniblement. Elle n'insulterait *pas* son hôtesse. Elle plongea sa cuillère dans la soupe et la remplit seulement à moitié. En fermant les paupières, elle la leva à sa bouche. C'est *vrai* qu'elle sentait bon. Elle la goûta. Ses yeux s'ouvrirent tout rond.

— Des oignons !

Dar rit.

La voix de Leetu pénétra l'esprit de Kale.

— *Je t'ai dit qu'il était pareil à un grand frère. Il taquine même quand il est trop éreinté et fatigué pour s'asseoir à table.*

Kale sourit en grand à l'opposé de la pièce, répondant au sourire amical de Leetu en lui lançant un clin d'œil.

Tout comme un grand frère. Je vais devoir apprendre à le taquiner en retour.

— *Je pourrais vouloir t'aider dans ce projet.*

Kale soupira et trempa sa cuillère dans la soupe à l'oignon. Elle aimerait rester ici. Mais demain, ils reprendraient la route.

Loin à l'intérieur de la montagne.

Pour chercher l'œuf meech.

En marchant directement dans le repère de Risto.

42

LA BARRIÈRE

Le ciel bleu, les nuages blancs et l'herbe verte.

Après une demi-journée de pénible descente dans des tunnels de granit gris vers le centre du mont Tourbanaut, Kale désirait voir la voûte céleste au-dessus de sa tête et le gazon sous ses pieds. Elle tenta de se souvenir qu'il y avait une furieuse tempête de neige autour de la montagne et que de marcher à l'intérieur s'avérait beaucoup plus facile.

Je ne veux pas vraiment partir en quête sur les pentes glacées d'un mont avec un vent déchaîné essayant de me faire perdre pied et des cristaux de neige me fouettant le corps.

Elle regarda les murs sinistres éclairés par leurs lanternes. *Je ne suis certainement pas faite pour être une tumanhofer.*

Librettowit marchait en avant avec leur guide, Tilkertineebo Rapjackaport. Kale trouvait difficile de se rappeler même une parcelle des noms des tumanhofers. Les noms de lieux dans la montagne tumanhofer étaient courts. Ils avaient traversé de petites villes comme Glep, Tras et Burr. Bientôt, ils arriveraient à Fiph, et ensuite, à une étendue de tunnels où aucun tumanhofer n'avait envie de vagabonder.

Fenworth roulait bruyamment dans une charrette tirée par un âne. Aucun danger ne les guettait pendant cette portion de leur voyage, et le vieux magicien dormait la plupart du temps. Dar chantait ses chansons de route. Les kimens et Metta se joignaient à lui. Kale fredonnait aussi, mais son cœur ne battait pas au même rythme joyeux.

Je n'ai pas vraiment peur, je suis simplement réalistement prudente. Après tout, nous nous dirigeons vers le territoire de Risto. Quelqu'un devrait s'inquiéter à propos des choses que nous devrons possiblement affronter.

Ils mangèrent le repas du midi dans une auberge à Fiph.

Les longs tunnels de Penn s'étiraient sur des kilomètres dans une configuration ressemblant à un labyrinthe. Rapjackaport expliqua que les tumanhofers avaient exploité des mines dans cette région des centaines d'années auparavant. À présent, seuls les druddums donnaient de la bande dans les passages.

Kilomètre après kilomètre, Rapjackaport les mena plus profondément dans la montagne. Des teintes de gris marbraient les murs des larges tunnels. Les sols nivelés ne présentaient aucune bosse ou strie. Les parois lisses avaient été taillées par les outils des tumanhofers. Les seuls accrocs à la monotonie venaient de pancartes laissées aux coins par les mineurs pour s'orienter. Elles représentaient les quatre points cardinaux d'une boussole avec une flèche montrant la direction suivie par le passage.

Kale résista à l'envie de demander jusqu'où ils continueraient d'avancer.

Je serai heureuse d'arriver là où nous allons, de récupérer l'œuf et de me hâter de repartir.

— La Grotte des arcs-en-ciel, annonça Rapjackaport. Voici où je vous quitte.

Kale redressa brusquement la tête au son de la voix du tumanhofer. Ses mots enthousiastes avaient résonné sur les murs. Ils venaient de pénétrer dans une gigantesque grotte.

D'immenses cristaux scintillants aux vives teintes de l'arc-en-ciel descendaient du plafond. Le sol était formé d'une substance en pierre marbrée qui semblait avoir été auparavant un gruau épais aux couleurs pastel. Kale imagina une personne en train de le verser, puis de le regarder durcir. Des cratères ronds étaient éparpillés dans la zone. Ils rappelèrent à Kale les trous formés par les bulles au-dessus d'un gruau cuisant dans un chaudron, sauf que ceux-ci étaient plutôt grands. Kale aurait pu mettre ses deux pieds dans celui se trouvant le plus près d'elle. Un autre était assez large pour que Dar s'allonge dedans. Trois des murs étaient complètement formés en pierres-soleil, mais pas de couleur bleutée comme elle avait le plus souvent vu sous terre. Ces murs brillaient d'une éclatante lumière argentée.

— Je vais ramener la charrette et l'âne avec moi, déclara Rapjackaport. Si vous passez à travers la barrière, vous trouverez des kilomètres de tunnels naturels. Certains de ces passages sont trop étroits pour n'importe quel chariot.

Brunstetter parut mal à l'aise de cela. Il regarda le petit véhicule et sa propre masse pour comparer.

Leetu et Librettowit aidèrent Fenworth à sortir de la voiture à deux roues. Il s'assit sur un rocher qui émettait une douce lueur rose. Venant tout juste de s'éveiller d'une nouvelle sieste, le vieux magicien admira la vaste grotte souterraine avec des yeux endormis, il bailla et il caressa sa barbe.

— Merci, cher Rapjackaport, de nous avoir guidés.

La douce voix de Fenworth résonna faiblement autour d'eux.

— Nous comprenons ta hâte à vouloir retourner chez toi. Nous ne te retiendrons pas.

Le tumanhofer exécuta une révérence avec plus de précision que d'élégance et se tourna vers son cousin.

— Prends soin de toi, Librettowit. Voilà un bien étrange travail pour un bibliothécaire.

— J'en suis conscient, Port. Mais nous devons faire ce qu'il y a à faire.

Ils s'étreignirent. Lee Ark et Dar déchargèrent les quelques provisions de la charrette et aidèrent l'âne à faire demi-tour. Kale se souvint d'offrir ses remerciements quand le tumanhofer les quitta, mais ses yeux étaient fixés sur la magnifique grotte.

L'éclat et les couleurs vives l'avaient presque aveuglée ; ils avaient pour ainsi dire réussi à oblitérer la laideur qui suintait d'une crevasse de l'autre côté. En contraste à la beauté du merveilleux hall de pierre, un monticule grossier de sable, de roches et de galets s'échappait de cette large ouverture.

Fenworth, lourdement appuyé sur son bâton de marche, traversa le sol inégal, les yeux constamment fixés sur cette déplorable difformité. À quelques mètres de sa base, il se rassit, cette fois sur un rocher lavande. Les autres commencèrent à installer leur campement, mais Kale alla rejoindre le vieil homme.

Après un moment, il soupira. Il déposa son bâton de marche sur son épaule, puis il plaça ses deux mains sur ses genoux. Il se pencha en avant et plissa les yeux devant les cailloux noirs déchiquetés, comme s'il lisait des phrases écrites dans le tas. Finalement, il tendit sa main pour prendre celle de Kale sans détourner le regard de la masse friable en face d'eux.

— Crim Copper. C'est lui qui a réalisé cette atrocité, Kale. Crim Copper.

Il tapota sa main. Une souris tomba de sa manche et fila à toute vitesse en les ignorant tous les deux.

— Risto, Burner Stox et Crim Copper travaillant ensemble. Ce ne peut pas être bon. Oh zut, oh zut. Ce ne peut pas être bon.

Dar prépara un repas particulièrement délicieux ce soir-là et joua ensuite de la musique « digestive » apaisante. Metta se percha sur son épaule et fredonna sa chanson de syllabes. Kale écouta patiemment pendant que Librettowit expliquait encore une fois que le museau du petit dragon violet n'était pas formé pour prononcer des mots comme ceux qu'utilisaient les sept races supérieures, mais que les dragons nains parlaient leur propre langage. Par conséquent, les créatures douées pouvaient communiquer mentalement dans le langage commun, mais ils exprimaient à voix haute leurs pensées d'une façon qui ressemblait pour nous à une série de syllabes incompréhensibles. Kale pensait que la musique sans paroles interprétée par Metta était plus jolie que toutes les ballades qu'elle avait entendu chanter par des ménestrels à l'auberge.

Les kimens se joignirent aux chants et ils dansèrent. Leurs beaux vêtements changeaient avec chaque mouvement. Avec les couleurs pastel de la roche de lave à leurs pieds et les tons brillants comme des joyaux s'égouttant comme des cristaux du plafond, la performance spectaculaire retenait l'attention de Kale — sauf les quelques fois où son regard s'égarait vers le vieux magicien.

Fenworth avait à peine touché à son repas, et tout ce que cuisinait Dar suscitait habituellement son admiration, sinon au moins son intérêt. Le magicien se plaignait souvent du manque de talent culinaire de Librettowit, ce à quoi le tumanhofer répliquait :

— Je suis un bibliothécaire.

Fenworth aimait aussi la musique. C'était étrange de le voir ignorer Metta, Dar et les kimens.

Ce soir, Fenworth avait mangé quelques bouchées, puis il avait posé le bol de ragoût vert à l'écart. Il était assis et contemplait la barrière.

Kale s'inquiétait quand elle remarquait à quel point le magicien était préoccupé par le gâchis noir laissé par Crim Copper dans cette belle grotte. Des feuilles poussaient sur Fenworth, et il ne prenait pas la peine de les enlever. Il disparaissait sous la forme d'un tronc massif qui se dissipait à chacun de ses mouvements. Parfois, il se levait et marchait de long en large. Kale tenta une fois de pénétrer son esprit, mais comme elle l'avait découvert en d'autres occasions, ses pensées étaient protégées.

Un magicien inquiet n'offre pas une vue réconfortante. Pourquoi les autres l'ignorent-ils ?

La musique la ramena vers les activités dans le camp, et elle commença à s'interroger. *Toutes les chansonnettes parlent d'amitié… S'agit-il d'une coïncidence ? Non, elles célèbrent la fraternité*

*que nous formons dans notre quête... Volontairement ? Probable-
ment... Pourquoi ?*

Elle renonça à comprendre. La chanson suivante compor-
tait plusieurs couplets, et elle l'avait souvent entendue. Elle
appela Metta pour qu'elle vole jusqu'à son épaule. Kale voulait
de l'aide pour se souvenir des paroles. Tournant le dos à la
silhouette songeuse de Fenworth, elle se laissa aller au plaisir
de la soirée avec ses camarades.

━━ ━━

Le lendemain matin, Fenworth était toujours assis sur son
rocher lavande, montant la garde devant la barrière noire.

Kale était installée à côté du tumanhofer ; ils partageaient
une assiette de mullins frits pour le petit déjeuner. Elle hocha
la tête en direction du magicien, qui était presque changé en
arbre ce matin.

— Que fait-il, Librettowit ?

Le bibliothécaire prit un bâtonnet chaud sur l'assiette,
mangea une bouchée et tourna les yeux vers son ami de longue
date.

— Il réfléchit.

— Pourrais-tu l'aider ? C'est-à-dire, avec quelques faits
venant de tes recherches.

— Hum ! Un bibliothécaire a besoin de livres pour effectuer
des recherches.

Il mâcha pendant un moment, puis il avala.

— Je me suis souvenu de plusieurs événements dans
l'histoire où un magicien a été appelé à détruire des murs. Je
me souviens même d'un cas où un magicien a déplacé une
montagne. Mais il se trouvait à l'extérieur de la montagne, pas
dedans. Il y a une différence.

— Que va-t-il faire ?

— Continuer à méditer.

Les autres s'assirent dans les environs et laissèrent Fenworth réfléchir. Parfois, il faisait les cent pas en ruminant. Il portait son chapeau dans sa main et il le chiffonnait en une boule impossible à reconnaître. Il grommelait souvent. Cependant, Kale avait l'impression qu'il ne faisait aucune grande découverte avec toutes ses réflexions, son va-et-vient, son chiffonnage et ses grommellements.

La nuit tomba, et la musique parla de Wulder et des nombreux miracles qu'il avait réalisés.

Kale observa le magicien songeur. *Nous avons besoin de Wulder ici, maintenant.*

Le matin suivant n'amena pas de meilleurs résultats. Fenworth traînait une longue vigne enherbée avec sa robe chaque fois qu'il faisait les cent pas. Les petits dragons restaient près du vieux magicien. Une abondance d'insectes s'éparpillait hors de ses feuilles quand il bougeait.

Autour du feu de camp ce soir-là, ils chantèrent les formidables exploits de Paladin. Kale participa aussi, mais son cœur aspirait à l'action. *Nous avons besoin de Paladin ici, maintenant.*

Le matin suivant, elle n'arrivait plus à supporter la patience de son entourage. Elle ne voulait rien d'autre que d'aller bombarder le magicien avec un millier de questions et peut-être inciter ses vieux os à faire quelque chose. Elle grimpa sur le mur qui s'inclinait vers la barrière noire et découvrit une autre roche lavande sur laquelle elle put poser ses fesses. Sa cape en rayons-de-lune flottait autour de ses épaules, mais ne lui donnait pas le sentiment de faire partie d'une grande quête. Gymn et Metta étaient nichés dans leur antre de poche et ne lui offraient aucune compagnie. Elle était assise les coudes sur les genoux, son menton sur ses poings, et son visage tourné vers le magicien Fenworth sur le rocher ; il commençait à ressembler à un buisson.

Elle le fixa avec colère, puis transféra ce même regard sur la barrière noire.

Il devrait faire quelque chose. Ceci est une perte de temps. Pourquoi ne peut-il pas tout simplement dire : « Bouge » ?

Fenworth bondit sur ses pieds et regarda directement Kale. Son expression inquiète lui apprit avant le grondement dans le sol qu'elle avait fait quelque chose d'effroyable.

Kale tendit les bras vers le bas pour maintenir son équilibre sur le rocher secoué. La masse noire devant elle commença à se déplacer. En bas, dans le campement, ses amis se précipitaient aux abris. Leetu et Lee Ark piquèrent un sprint jusqu'au magicien et le traînèrent sous ses protestations pour l'éloigner du gravier noir s'effondrant en cascade. La barrière se brisait.

Une épaisse poussière emplit l'air. Kale tomba à la renverse et dégringola la pente rocailleuse. Elle entendit des cris, mais ne put regarder. Sa principale préoccupation consistait à ne pas recevoir un coup sur la tête pendant qu'elle culbutait encore et encore et de plus en plus vite en bas du mur incliné. Elle toussa et s'enlisa et essaya de garder les bras enroulés sur son crâne.

Lorsqu'elle atteignit le fond et que les minuscules roches noires continuèrent à glisser autour d'elle, elle se recroquevilla en boule et tenta de respirer à travers sa cape.

Enfin, la montagne cessa de trembler. Kale s'assit et déclencha une autre petite avalanche quand le tas de gravier sur elle s'écroula. L'air était rempli d'une épaisse poussière noire ; elle maintint le bord de sa cape sur son nez et sa bouche. Elle cligna des yeux pour chasser la saleté.

La lumière naturelle de la magnifique grotte luisait faiblement à travers la poudre noire pendant que cette dernière se déposait. Le gravillon et la poussière étaient partout, recouvrant l'ancienne luminosité. Seule une demi-clarté montrait à Kale la petite caverne qui l'entourait.

Quand elle cessa de tousser à cause de l'air poussiéreux, elle tendit les bras vers la cape et sortit Metta et Gymn en les tenant chacun dans une main. Metta courut se percher sur l'épaule de Kale aussi près de son cou et sous son menton qu'il lui fut possible. Gymn gisait inerte dans sa paume. Elle caressa son épine dorsale et lâcha un soupir de soulagement lorsque sa queue tressaillit.

— Il s'est encore évanoui, dit-elle à Metta. Il ira bien.

Kale l'affirma davantage pour se rassurer elle-même. Elle se sentait meurtrie. Ses bras et ses jambes étaient douloureux. Gymn soignerait ses ecchymoses. Elle s'examina et ne découvrit que quelques égratignures sous la couche de poussière noire.

Je m'en sortirai. Je n'ai rien de brisé. Je n'ai qu'à trouver les autres.

J'espère que personne n'est blessé.

En regardant autour, elle explora la cave réduite séparée créée par l'avalanche. Les rochers formaient une nouvelle barrière qui l'entourait presque complètement. Elle remarqua le petit tunnel légèrement ouvert à l'arrière. Désorientée par sa chute en bas de la pente, elle n'arrivait pas à savoir où il pouvait mener.

Aux autres, j'espère.

Kale installa Gymn dans la cape. Elle rampa à quatre pattes pour traverser l'orifice. Metta fredonna une chanson d'encouragement dans son oreille. Long et droit, le passage les conduisit à une autre caverne plus grande.

Kale se leva et s'étira, sentant ses muscles endoloris.

Cette pièce en pierre ressemblait beaucoup à celle dans laquelle ils avaient campé pendant plusieurs jours. De gros nuages de poussière noire avaient été soufflés à travers le tunnel étroit.

Kale fit le point sur la situation. Elle avait la cape de rayons-de-lune et ses deux dragons. Elle avait de la nourriture, parmi d'autres choses, rangées dans les cavités de la cape. Elle n'était pas sérieusement blessée, elle ne souffrait de rien qui ne pourrait être guéri par Gymn.

Ce n'est pas trop mal. Elle ravala la boule dans sa gorge. *Je me demande où sont les autres.*

43

Le labyrinthe

Leetu ?

Kale tendit son esprit vers celui de l'émerlindian.

Gymn jeta un coup d'œil hors de la cape, puis fila à toute vitesse vers son épaule pour s'installer à côté de Metta.

Leetu ?

— *Êtes-vous en sécurité ? Metta et Gymn ?*

Oui, nous allons bien. Et toi ? Les autres ?

— *Le magicien Fenworth est inconscient. Librettowit a une méchante coupure sur le front. Lee Ark a un bras cassé. Un rocher a frappé Brunstetter sur la tête, et il est étourdi. À part cela, il se porte bien, sauf pour quelques entailles et ecchymoses. Shimeran et Seezle sont couverts de saleté, mais intacts. Dar est trop sale pour parler intelligemment. Il boite en se déplaçant. Et il semble ménager un de ses flancs, comme si des côtes étaient brisées. Il grommelle à propos de ses habits salis, pas de ses blessures.*

Kale sourit presque en imaginant le dégoût du doneel pour la crasse noire de suie recouvrant tout. Toutefois, elle se rappela le vieux magicien, pâle et immobile.

Fenworth ?

— *Librettowit croit qu'il a tenté d'endiguer l'avalanche et que cela s'est révélé trop pour lui. Je n'ai découvert aucun os brisé. Il semble bien, d'après ce que je peux voir. Gymn pourra nous en dire plus.*

Kale se souvint de l'horreur sur le visage de Fenworth quand il l'avait regardée. Elle frissonna à ce souvenir.

La barrière noire s'était effondrée et, d'une manière ou d'une autre, la faute en revenait à Kale. À présent, ses compagnons étaient blessés.

Mais si Fenworth avait été incapable de faire bouger la masse en trois jours, comment pouvait-elle être responsable? Elle repoussa le sentiment dérangeant que ses pensées avaient provoqué la chute des rochers noirs s'étant abattus sur tout le groupe.

Où êtes-vous?

— *Toujours dans la Grotte des arcs-en-ciel. Par contre, quand la barrière noire s'est effondrée, les murs ont bougé. Plusieurs tunnels sont apparus ici.*

Devrais-je essayer de venir à vous?

— *Oui, si tu le peux. Nous avons besoin de Gymn pour nous aider avec les blessures.*

Kale savait exactement quelle direction suivre à présent pour trouver les autres. Elle sentait la présence de Leetu. Cependant, choisir le bon tunnel s'avéra difficile. Ils étaient si nombreux.

Des pierres-soleil bleues étaient fichées dans les murs de certains souterrains. D'autres étaient plongés dans l'obscurité totale. Certains mesuraient deux fois la hauteur de Kale. D'autres étaient juste assez grands pour qu'elle puisse se glisser à l'intérieur. Une odeur sucrée écœurante s'échappait de l'un d'eux. D'autres empestaient l'humidité et la moisissure. Deux sentaient comme des choux cuisant dans l'eau bouillante. Kale appréhendait de pénétrer dans l'un ou l'autre.

En rampant dans un autre des nombreux tunnels qui semblaient mener nulle part, elle grommela :

— Au moins, vous êtes avec moi, vous deux.

Elle caressa chacun des dragons, prit une respiration profonde et expira lentement.

Tendant la main dans l'une des cavités de sa cape, elle en sortit une pierre-soleil et la remit aux petits dragons. Puis, ils pénétrèrent dans l'orifice le plus près de l'endroit où Kale sentait la présence de Leetu. Metta et Gymn étaient assis sur son épaule et tenaient entre eux la pierre-soleil luisant doucement.

Parfois, Kale marchait.

Parfois, elle rampait.

Des heures plus tard, Kale avait découvert la futilité de sa recherche. Aucun des tunnels qu'ils avaient explorés ne les avait menés à ses camarades blessés. Certains tunnels viraient dans la mauvaise direction après qu'elle se soit traînée sur le ventre pendant ce qui lui avait semblé des kilomètres. D'autres se terminaient en cul-de-sac, et Kale avait dû reculer centimètre par centimètre pour revenir dans un endroit où un autre tunnel convergeait avec celui qui ne débouchait sur rien.

Tous les tunnels étaient remplis d'insectes et de druddums. Les insectes craquaient sous ses pieds ou rampaient sur ses mains. Ils dégringolaient du plafond et se glissaient sous le col de sa blouse.

Les druddums dévalaient les couloirs de pierre comme s'ils étaient pourchassés, leur vitesse normale accélérée jusqu'à la frénésie, probablement en raison de l'avalanche. Kale n'en vit jamais un ralentir pour quoi que ce soit. Ils lui rentraient dedans à intervalles irréguliers. Parfois, l'un d'eux la frappait, et elle tombait, puis les autres à sa suite lui passaient dessus.

Elle devint lasse et démoralisée et plus convaincue que jamais que tout cela résultait d'un geste irréfléchi de sa part.

— J'ai pensé : « Bouge ! » et la barrière s'est affaissée. Pourtant, c'est ridicule de croire que je pourrais causer ce genre de destruction. Je ne suis qu'une esclave.

Metta et Gymn ne réagirent pas à ses paroles.

— J'*étais* une esclave. À présent, je suis une servante de Paladin. Cela ne fait aucune différence. Je suis toujours une o'rant ignorante.

Elle recula dans la grotte la plus centrale qu'elle avait découverte et s'assit, désespérée.

— *N'abandonne pas!* admonesta la voix de Leetu.

Nous avons exploré tous les tunnels sortant de cette grotte. Je suis tellement désorientée, je ne me souviens plus quels passages de quels tunnels nous avons déjà visités.

Kale savait que sa frustration transparaissait dans ses mots même s'ils n'étaient pas prononcés à voix haute. Elle s'efforça de maîtriser ses émotions. La dernière chose qu'elle désirait, c'était de donner une autre occasion à l'émerlindian de la déclarer «*immature*» d'un ton dédaigneux.

— *Alors, marque-les.*

Tu veux dire, recommencer depuis le début? Retourner dans toute la zone déjà explorée?

— *Parfois, il le faut.*

Le ton patient de Leetu agaça Kale. La jeune o'rant s'adressa à ses compagnons dragons plutôt qu'à l'émerlindian.

— Comment allons-nous marquer les tunnels à mesure que nous les traverserons?

Gymn sauta en bas de son épaule et se glissa devant l'entrée du tunnel qu'ils venaient de quitter. Il plaça une patte devant son visage et cracha dedans. Une fine couche de gouttelettes vertes recouvrait sa patte. Il l'estampa sur le mur. Metta bondit dans les airs, exécuta une pirouette et poussa un cri de jubilation. Elle fila rejoindre Gymn et se mit à l'imiter. Elle laissa une minuscule empreinte violette à côté de la tache verte.

Le système fonctionnait, mais cela exigeait quand même des heures à ramper et à marcher. Après chaque tunnel, ils se reposaient quelques minutes. Gymn soignait les nouvelles blessures de Kale. Sous l'influence de son pouvoir de guérison, elle aurait pu oublier de manger. Sauf que Metta aimait les pauses pour les repas, les collations et les siestes. Elle chantait régulièrement des chansons parlant d'alimentation. Les mots s'infiltraient dans l'inconscient de Kale et lui rappelaient de se nourrir.

Kale observa Metta attraper des insectes et en rapporter à l'occasion pour Gymn, bourdonnant sur les genoux de son amie. Les vibrations guérisseuses atténuaient miraculeusement l'inconfort physique de Kale, mais ses pensées harcelantes continuaient de faire mal.

— Je ne comprends pas pourquoi tu penses que s'arrêter pour manger vaut mieux que de capturer des insectes en chemin, dit sèchement Kale au dragon violet.

Metta se laissa tomber sur ses pattes de derrière et fixa Kale.

Kale détourna le regard des yeux tristes du dragon.

— Je suis désolée.

Metta traversa la zone en volant pour atterrir sur son endroit préféré et se blottir sous le menton de Kale. Elle commença à chanter.

Kale rigola et caressa d'un doigt les écailles violettes sur le flanc du dragon.

— Connais-tu une chanson pour chaque occasion?

Après une pause, Kale reprit sa chasse à travers le labyrinthe de tunnels.

— Nous nous trouvons tellement près cette fois.

Elle s'assit à la fin d'un autre cul-de-sac.

Leetu?

— *Je sais. Tu ne peux pas être à plus de quelques mètres. Laisse-moi demander à Brunstetter s'il peut déplacer ces rochers de notre côté. Peut-être pouvons-nous dégager une ouverture.*

Quelques instants plus tard, Kale entendit le raclement d'une pierre contre une autre. Le mur de pierre formant l'obstacle vibra. Avec un regain d'espoir, elle ramassa de plus petits cailloux et les emporta plus loin. En quelques minutes, un trou incliné apparu, et Kale regarda dans les yeux rieurs de Brunstetter.

— Bon retour, jeune fille égarée, dit-il avec un clin d'œil.

Kale rit.

L'immense visage de l'urohm disparut, et Leetu le remplaça. Elle aussi souriait et rigolait.

— N'as-tu pas eu une seule minute pour te laver le minois, jeune o'rant ? Tu ressembles à une émerlindian de mille ans.

Librettowit se montra ensuite, et quand Kale vit le bandage ensanglanté autour de sa tête, elle haleta.

— Tiens, prends Gymn. Il pourra commencer la guérison pendant que nous agrandissons ce trou afin que je puisse passer.

Le bibliothécaire secoua la tête avec précaution.

— Non, Kale. Ses pouvoirs ne fonctionnent qu'avec toi à ses côtés. Il vaut mieux que tu formes le cercle de la guérison en lui touchant.

— Écarte-toi, tumanhofer, lui ordonna gentiment Brunstetter.

Sa voix profonde gronda d'une façon rassurante pour les émotions à fleur de peau de Kale.

Elle se pencha vers la brèche pour voir si elle pouvait apercevoir Fenworth, Dar et les kimens. Dar et les kimens étaient assis autour de la silhouette immobile de Fenworth. Pendant que Kale les observait, ils relevèrent brusquement la tête, leur attention rivée sur quelque chose qui ne se trouvait pas dans son champ de vision.

Dar sauta sur ses pieds et tira son épée de son fourreau. Kale entendit le cri de guerre d'un bisonbeck. Brunstetter laissa tomber la roche de sa main et courut vers le campement. Leetu se précipita derrière lui.

Un contingent de soldats fondit sur ses amis avant qu'ils ne puissent se défendre. Shimeran et Seezle s'élancèrent dans les airs, mais un filet lâché au-dessus d'eux captura les kimens en retombant. Dar n'eut pas la possibilité de s'esquiver sous sa coquille. Il bougeait lentement, et Kale sut que Leetu avait raison, ses blessures devaient être plus graves que de simples ecchymoses.

Que puis-je faire ? Une explosion de lumière ? Déplacer des tas de poussière ? J'ignore comment !

Elle regarda, impuissante et horrifiée, alors que Lee Ark et Brunstetter tombaient sous l'assaut de douzaines de guerriers bisonbecks. Quand le combat cessa, chacun de ses camarades avait été capturé. Leetu, Lee Ark, Brunstetter, Dar et Librettowit étaient attachés les uns aux autres par des chaînes entourées autour de leurs chevilles et de leur cou. Un filet était enroulé si serré autour des kimens qu'ils étaient regroupés en un tas pêle-mêle. Quatre gardes se tenaient autour du magicien Fenworth comme si le vieil homme allait se lever et les frapper tous d'un grand coup. Kale eut un mouvement de recul quand elle vit les lances pointues à quelques centimètres du vénérable et vulnérable magicien.

Pas un seul de ses compagnons ne jeta un œil vers le petit orifice d'où Kale les regardait, observant les bisonbecks détruire les tentes et éparpiller leurs affaires.

Leetu, que devrais-je faire ?

— *Reste hors de vue.*

Oui, mais je peux faire quelque chose, n'est-ce pas ? Pour vous aider à vous libérer ?

— *Trouve l'œuf meech, jeune o'rant. Et quitte cette montagne.*

Mais…

— *Suis les ordres, Kale. Et ne joue pas avec tes talents. Sois respectueuse envers eux ou d'autres ennuis sérieux te tomberont sur la tête.*

Le commandant des bisonbecks rugit. Ses troupes se groupèrent en formation militaire. Un soldat souleva sans façon le vieux magicien et le lança par-dessus son épaule. Les amis de Kale sortirent au pas de la Grotte aux arcs-en-ciel.

Elle grinça des dents.

— Mes talents. Je n'aide personne avec mes talents. J'entraîne le malheur. Pourquoi ? Pourquoi donner des talents à une stupide esclave o'rant ?

44

Dans la forteresse

Dès que le dernier soldat marcha hors du tunnel de sortie, Kale commença à libérer avec ses doigts les pierres lâches autour de la petite brèche. Quelques minutes plus tard, elle enfonça son corps à travers le trou étroit. Elle poussa, se remua et se tortilla jusqu'à ce qu'elle tombe de l'autre côté. Elle trébucha et glissa avant de s'arrêter contre un rocher couvert de poussière noire. Metta et Gymn volèrent par le mince interstice qu'elle avait créé et atterrirent à côté d'elle.

Elle se leva et marcha alentour, hébétée. Elle ramassa le chapeau pointu du magicien et le chiffonna en boule, à peu près comme Fenworth quand il réfléchissait. Elle erra sans but dans le campement détruit. Metta et Gymn la suivirent, émettant de tristes gazouillis entre eux.

Kale se pencha pour prendre la flute de Dar. Une bosse sur le côté témoignait du traitement dur administré par les vicieux bisonbecks.

— Dar voudra ceci, dit-elle aux dragons. Peut-être pourra-t-il la réparer.

Elle l'essuya avec le chapeau du magicien, puis la fourra dans l'une des cavités de sa cape. Elle récupéra l'harmonica écrasé et plusieurs petits instruments, tous endommagés à divers degrés, puis les rangea rapidement.

La pile de livres du tumanhofer avait été éparpillée dans tous les sens à coups de pied. Kale les rassembla, épousseta la suie et leur trouva une place dans une cavité. En ramassant une paire de lunettes de lecture de Librettowit, elle remarqua un verre craqué ; elle la plaça avec les autres objets de sa collection.

S'effondrant sur un rocher, maculé de gris par Crim Copper, Kale laissa sa tête retomber dans ses mains en combattant son envie de pleurer.

Avec un frisson, elle se redressa.

— C'est inutile de prétendre que tout va bien.

Les dragons volèrent jusqu'à ses épaules.

— Nous devons réfléchir à la meilleure ligne de conduite et ensuite la suivre.

Elle fixa les débris autour d'elle en se coiffant machinalement du chapeau de Fenworth. Elle se secoua comme si elle essayait de se réveiller.

— Conserver des choses brisées n'aidera pas.

Elle sortit les lunettes avec l'intention de les lancer aussi loin que possible. Gymn sauta sur son épaule et siffla un trille. Le gazouillis perçant déchira le silence de la pièce.

— Quoi ?

Kale leva une main pour frotter son oreille. Le cri excité de Gymn avait résonné beaucoup trop près de son tympan. Sur son insistance, elle regarda les verres brisés.

— Les lunettes sont réparées !

Kale bondit sur ses pieds. Les dragons perdirent l'équilibre, voltigèrent auprès d'elle un instant, puis atterrirent sur les rochers. Kale sortit les livres et découvrit des pages défroissées et sans déchirures, des couvertures propres comme un sou neuf. La flute ne portait aucune bosse. Elle leva l'harmonica à sa bouche et souffla. Un accord aigu résonna joyeusement dans la grotte abandonnée. Elle s'émerveilla devant les instruments intacts quand elle les déposa en rangée sur le sol.

— On imaginerait que quelqu'un aurait pu me le dire.

Elle replaça les articles dans sa cape et continua à explorer le désordre laissé par les bisonbecks. Elle ramassa des objets appartenant à chacun de ses camarades, sauf aux kimens.

Encore une fois, elle se questionna sur le fait de les avoir rarement vus transporter quelque chose.

— Pensez-vous qu'ils ont des cavités dans leurs vêtements ?

Les dragons n'offrirent pas leur avis.

Kale s'empara de l'arc brisé en deux de Leetu. Elle regarda les morceaux dans sa main et ensuite les dragons qui l'observaient avec des visages pleins d'attente. Kale sentait qu'ils la pressaient de tenter le coup.

Elle assembla les deux extrémités de l'objet. La branche était plus longue qu'elle. Kale glissa l'arme dans l'ouverture de la cavité. L'arc s'y coula facilement, descendant de plus en plus bas jusqu'à ce qu'il disparut complètement. Kale retint son souffle et le retira. Les bords déchiquetés où elle avait appuyé les deux bouts endommagés étaient réparés ; il n'y avait aucun signe de cassure, pas même un joint.

— Regardez ! Attendez que je montre cela à Leetu.

Les paroles de l'émerlindian résonnèrent dans sa tête. «Suis les ordres, Kale. Et ne joue pas avec tes talents. Sois respectueuse envers eux ou d'autres ennuis sérieux te tomberont sur la tête. »

Kale se tourna vivement vers les dragons. Les deux avaient détourné le regard et refusaient de la regarder dans les yeux.

— Il ne s'agit pas de mon talent, mais d'une propriété de la cape.

Les dragons émirent des grognements de gorge.

Kale grogna en retour.

— D'accord. Coupable, dit-elle, et ses épaules s'affaissèrent. Quand vais-je apprendre ?

Elle fourra sèchement l'arc dans la cavité et rassembla les flèches de Leetu dans son carquois de cuir. Lorsqu'elle eut terminé, elle examina la Grotte aux arcs-en-ciel et soupira devant son apparence terne. Ses yeux s'arrêtèrent sur l'un des nombreux tunnels pour en sortir.

— Et bien, Gymn, Metta, nous avons du boulot.

Kale traversa au pas la pièce en désordre pour quitter la grotte par le même tunnel qu'avaient emprunté les guerriers bisonbecks un peu plus tôt.

Je suis censée partir à la recherche de l'œuf meech. Il est probablement gardé au centre de la forteresse de Risto. Les bisonbecks retournaient sûrement dans leur forteresse souterraine. C'est logique de les suivre. Puis, s'il arrive que je tombe par hasard sur mes amis pendant que je poursuis mes recherches pour découvrir l'œuf meech, et que je trouve par hasard une façon de les aider à fuir, je n'aurai pas désobéi aux ordres.

Elle savait instinctivement dans quelle direction elle devait tourner chaque fois qu'une branche du tunnel partait dans un autre sens, tout comme elle pouvait estimer la distance entre elle et le dernier des soldats marchant devant. Elle posa le capuchon et le voile sur sa tête afin de voir dans les passages moins éclairés. Suivre ses amis capturés n'était pas difficile. Par contre, rester à l'écart des citoyens de cette communauté souterraine devint un défi.

Pendant un temps, les couloirs de pierre restèrent sinistrement vides. Aucun druddum ni insecte. Kale se concentra sur les mouvements de la troupe de soldats entourant ses compagnons. Gymn et Metta allaient et venaient en coup de vent, cherchant en vain des collations. Alors qu'ils s'approchaient d'un virage, les deux dragons se précipitèrent vers Kale et plongèrent dans leur antre de poche. Elle éprouva la nette impression que quelqu'un arrivait du côté invisible de la courbe. Elle se colla contre le mur et resta immobile afin que la cape la dissimule. Elle entendit des pas lourds frapper le sol de pierre.

Cinq secondes plus tard, deux soldats, imposants et revêches, passèrent à pied devant elle sans un regard dans sa direction. Elle découvrit rapidement que Gymn et Metta entendaient les gens venir bien mieux qu'elle. Alors qu'ils approchaient du centre de la forteresse de Risto, les dragons l'avertirent à maintes reprises quand une personne s'amenait.

L'air humide devint plus difficile à respirer. Une odeur fétide et rance lui brûlait la gorge. Les dragons toussèrent, réagissant à l'atmosphère déplaisante. Les tunnels s'élargirent, et ils rencontrèrent des charrettes tirées par des ânes et des gens à dos de cheval.

Juste au moment où Kale pensait qu'ils n'avanceraient plus à cause de leurs fréquents arrêts pour la circulation, l'armée descendit un large escalier et entra dans une région moins populeuse. Kale et les dragons leur emboîtèrent le pas et les suivirent encore quand les prisonniers furent amenés en bas d'une autre série de marches de pierre plus étroites.

Le donjon !

Gymn, Metta, ils enfermeront bientôt nos amis dans des cellules et les laisseront. Peut-être pourrons-nous alors être un peu utiles.

Une fois de plus, les tunnels se divisèrent, cette fois dans trois directions différentes. La plupart des gardes bisonbecks s'engouffrèrent au pas dans celui de gauche. Quelques-uns amenèrent les prisonniers épuisés dans le couloir central. Quand Kale arriva à l'intersection, elle tourna à droite.

Elle s'arrêta, pivota, puis elle revint à l'endroit où les tunnels convergeaient. À sa gauche se trouvait l'endroit d'où elle était venue. Tout droit, elle sentait la présence de plus de bisonbecks qu'elle n'en avait jamais rencontré. À sa droite se trouvaient les donjons, elle en était certaine. Son corps tourna sur lui-même, et elle repartit dans le mauvais passage. Elle stoppa encore et tenta de changer de direction.

Je ne sais pas ! répondit-elle aux questions des dragons.

Un de ses pieds esquissa un pas, et Kale s'efforça d'empêcher l'autre de suivre. Elle perdit la bataille et fit plusieurs pas avant de pouvoir s'arrêter de nouveau.

Elle scruta le sombre couloir pierreux et ne vit rien au-delà des murs mornes et quelques pierres-soleil faibles. Elle avança de quelques pas avant de se rendre compte qu'elle se déplaçait.

— Je veux suivre Dar et Leetu.

Elle essaya de se tourner.

— Mais je ne peux pas.

Elle tapa du pied.

— Qu'y a-t-il en bas ? S'agit-il d'un piège ? Peut-être est-ce l'œuf de dragon meech qui me pousse en avant.

Elle frissonna en regardant les murs de pierre froids du domaine du magicien, réalisant qu'elle se trouvait loin de la maison, de ses amis et de tout ce qui était bien.

— Il se peut que Risto ait lancé un sortilège qui attire les intrus entre ses griffes. Et je suis la prochaine victime.

Metta et Gymn échangèrent des pépiements nerveux. Kale comprit qu'ils voulaient l'arrêter d'une certaine façon. Metta commença à chanter, et pendant un moment, Kale sentit l'influence de l'attraction se relâcher. Quand l'attraction se fit de nouveau sentir, elle eut une influence si forte que la jeune o'rant courut une certaine distance avant de pouvoir se forcer à ralentir. Elle ne pouvait pas s'empêcher d'avancer. Devant, elle apercevait deux bisonbecks montant la garde à côté d'une grande entrée voûtée.

Probablement le hall où Risto reçoit les visiteurs. Il attend certainement là pour voir ce que son sortilège lui a apporté cette fois-ci.

Ne venez pas avec moi, Meeta, Gymn. Envolez-vous pour vous cacher. Il n'y a aucune raison de vous faire prendre aussi.

Les soldats la remarquèrent. Ils abaissèrent leur lance en position d'attaque.

— Halte ! lui commanda l'un.

Mais elle était incapable d'exécuter son ordre.

Metta commença à chanter une lente musique mélodieuse apaisante et tranquille.

Merci beaucoup, Metta. Mais mes nerfs ont passé le stade où ils peuvent succomber à tes soins. Je suis sur le point d'être tuée, je pense.

Le deuxième garde fit un pas en avant.

— Halte !

J'essaie. Crois-moi, j'essaie.

Meeta fredonnait.

Pourquoi Paladin a-t-il choisi un dragon chanteur ? Un dragon guerrier, un dragon de feu, un dragon invisible auraient été utiles.

Metta vola au-devant et décrivit des cercles autour de la tête des gardes. Ils ne semblaient pas la remarquer, mais fixaient Kale alors qu'elle approchait.

Peut-être Metta est-elle *invisible.*

Gymn exécuta une pirouette enthousiaste dans les airs et atterrit sur l'épaule de Kale.

Aucun des gardes ne l'interpella une autre fois. Kale les dépassa et examina leurs visages en passant. Ils respiraient, mais ils ne clignèrent pas des yeux. Leurs pupilles n'étaient que de minuscules têtes d'épingle. Leur regard était fixé sur un point à l'extrémité du couloir, là où elle se tenait quelques instants auparavant.

Ils ne me voient pas. Est-ce qu'ils m'entendent ? Metta continua de voler autour d'eux en chantant sa chanson apaisante de syllabes. *Elle les a mis en transe.*

Gymn exécuta un saut périlleux dans les airs. Kale tourna la tête pour examiner la pièce où elle venait d'entrer.

Qui sera ici pour m'accueillir ? D'autres gardes ? Des gardes hypnotisés, j'espère… Personne ?

Elle fouilla des yeux les coins de la pièce tout en avançant vers une armoire en bois. Ses paumes picotaient sous l'envie d'ouvrir les portes richement sculptées sur le mur opposé. Sa main se leva vers la poignée, la tourna et tira dès qu'elle l'eut saisi. Les portes s'écartèrent sans bruit.

À l'intérieur, un œuf énorme était posé dans un panier doublé de velours. Il était deux fois plus volumineux que Kale et grand comme elle l'était de la taille au sommet de son crâne.

Gymn pépia une note de victoire.

Kale plaça sa main timidement sur la coquille dure. La surface blanche lustrée chatoyait comme une perle. *Ne sois pas si content, petit ami. Comment suis-je censée soulever une chose aussi grosse ?*

45

LA VOIX DU MAL

— Gymn, à présent, je *dois* aller chercher les autres. Brunstetter pourrait porter ceci, mais pas moi.

Kale frotta la surface froide de l'œuf meech géant avec le bout de ses doigts. Des couleurs apparurent sur la coquille blanche luisante et ondulèrent comme l'huile dans une flaque d'eau.

Gymn vola dans l'immense armoire et décrivit des cercles autour de l'œuf. Ses yeux brillaient d'admiration, et il exprimait son excitation par un flot continu de trilles et de gazouillis.

— Il est beau, acquiesça Kale.

Elle essaya de reculer d'un pas pour mieux voir l'œuf meech. Ses pieds ne réagirent pas et sa main resta collée sur la coquille.

— Non!

Elle tenta un nouveau retrait. Elle empoigna la main prisonnière avec l'autre et tira d'un coup. Sa paume brûlait comme si elle en arrachait la peau.

Des larmes lui montèrent aux yeux.

— S'agit-il d'un piège? Dois-je demeurer ici jusqu'à l'arrivée de Risto?

— *Ah! La jeune o'rant.*

Une voix profonde emplit sa tête. Un rire malveillant accompagna ces paroles.

— Il y a dix ans, j'ai soupçonné que ton existence n'était qu'un mythe. Je suis en fait satisfait que tu viennes à moi.

Qui es-tu ?

— Je suis le magicien Andor Tarum Risto, et tu es Kale, la dernière des Allerion.

Pendant une seconde, Kale éprouva l'envie de l'interroger sur les Allerion. Mais elle comprit que le mal avait accès à son esprit, et Mamie Noon l'avait mise en garde contre les dangers de communiquer avec le mal sous toutes ses formes.

Je suis sous l'autorité de Wulder. En répétant les mots appris avec la vieille émerlindian, elle sentit Risto s'éloigner de ses pensées. *Je suis sous l'autorité de Wulder.* Elle entendit son rire sinistre avant que sa présence ne quitte complètement son esprit.

— Je suis sous l'autorité de Wulder.

Elle regarda rapidement autour de la pièce, s'attendant à voir apparaître le méchant magicien.

— Nous devons vider les lieux. Il s'en vient sûrement.

Elle s'écarta de l'œuf et tomba brusquement assise sur le sol de pierre quand ses mains furent relâchées. Elle tenta de sauter sur ses pieds, de s'enfuir en courant de la grande salle, mais ses jambes n'obéirent pas.

Gymn pépia.

— Je ne peux *pas* prendre l'œuf avec moi !

Elle se tourna vers Gymn et lui lança un regard brûlant de frustration colérique.

— Pense à quelque chose d'utile.

Kale serra les poings et ramena ses bras à l'intérieur de la cape de rayons-de-lune en les croisant sur sa poitrine.

Je ne peux pas le porter. Que puis-je faire ?

— *Rien, jeune o'rant*, dit la voix moqueuse de Risto.

Les mots sarcastiques semblaient venir de la pièce. Kale tournoya sur elle-même, mais ne vit que des ombres.

— Je suis sous l'autorité de Wulder, cria-t-elle.

Elle plaqua ses mains sur ses oreilles et essaya de bloquer les paroles que Risto pourrait lui jeter. Dans sa hâte à les couvrir, l'étoffe de la cape remonta aussi.

— La cape, murmura Kale. Si je peux y faire entrer l'œuf, je pourrais sûrement le pousser dans une cavité. Je pourrais alors le transporter !

Elle retira vivement le vêtement de sur ses épaules et l'étendit sur le sol, doublure vers l'extérieur, devant l'armoire. Gymn voltigeait autour d'elle, comme s'il examinait ses gestes sous tous les angles.

— Je ne crois pas qu'il s'endommagera si je le laisse tomber, dit-elle. Je vais tout de même essayer d'amortir sa chute par précaution.

Kale plaça ses bras autour de l'œuf et arc-bouta ses jambes, prête à le soulever de toutes ses forces. Elle donna une grande poussée verticale et découvrit qu'il était moins lourd que Leetu. Elle perdit l'équilibre et chancela. Gymn culbuta plusieurs fois dans les airs et atterrit sur le plancher juste comme elle se redressait. Elle abaissa l'œuf avec précaution sur la cape, puis elle se tint debout en secouant la tête de stupéfaction.

— Le poids ne constitue pas un problème, déclara-t-elle après un moment. Par contre, l'ouverture de la cavité est beaucoup trop petite pour l'œuf meech.

Avec Gymn assis tout près, l'observant se démener avec attention, Kale essaya d'étirer l'ouverture de la cavité.

C'est sans espoir.

— *Ah oui, jeune o'rant. C'est sans espoir. De toute façon, ta tâche est inutile.*

Kale plissa le front et tenta de réfléchir. Sa tête lui faisait mal à présent quand Risto s'adressait à elle par télépathie. Elle avait besoin de se concentrer pour résoudre le problème du transport de l'œuf. Le don qui l'avait attiré jusqu'à l'œuf meech ne la laisserait partir sans lui.

— *J'aimerais discuter de mes plans avec toi. Une nouvelle race serait-elle vraiment une mauvaise chose ? Wulder a-t-il réellement dit que de nouvelles races ne devraient pas être créées ? Je veux seulement fournir au monde une nouvelle main-d'œuvre.*

Kale regretta de n'avoir jamais lu les gros volumes sur l'histoire de la contribution de Wulder à la création du monde. Elle en connaissait les grandes lignes grâce aux chansons dans les auberges et aux contes avant d'aller dormir. Wulder avait modelé la terre, la mer et le vent avec Ses pensées. Il avait pris un peu de terre, de mer et de vent pour former chacune des sept races supérieures. Cependant, elle ignorait beaucoup de choses. Elle ne savait pas si Wulder avait dit de ne pas créer d'autres races.

La douleur dans ses tempes s'atténua un peu. Elle se rappelait à présent que, dans toutes les chansons d'auberge, la création des sept races inférieures avait mené à la tragédie. Une souffrance aiguë surgit comme un éclair derrière ses yeux. Kale se pencha en avant et se tint la tête à deux mains.

— *Aimais-tu nettoyer les poulaillers ? Récurer les planchers ? La race d'êtres que je propose prendra en fait plaisir aux tâches dédaignées par les races supérieures. Ce n'est pas une mauvaise chose. Tu n'es pas assez savante pour porter des jugements contre moi, Kale Allerion.*

La façon dont Risto avait prononcé son nom de famille fit frissonner Kale. Il la détestait. Elle le savait.

Je suis sous l'autorité de Wulder. Je suis sous l'autorité de Wulder.

La douleur dans sa tête disparut. Elle s'effondra sur le sol, se sentant complètement vidée.

L'écharpe bleue de dame Meiger ! Je peux fabriquer une bandoulière comme celles que j'utilisais pour transporter un bébé en travaillant.

Gymn plongea dans la poche et revint vite avec la longue bande d'étoffe soyeuse. Kale attacha les deux coins inférieurs de la cape à une extrémité de l'écharpe et les deux coins supérieurs à l'autre. Le grand œuf meech était suspendu comme dans un hamac bien ajusté. Avec l'écharpe passée par-dessus une épaule et lui barrant la poitrine, la cape maintenait l'œuf contre le dos de Kale. Elle ne sentait à peu près pas son poids, mais le paquet volumineux bougeait et l'encombrait.

— C'est le mieux que nous pouvons faire, Gymn. Allons chercher Metta et partons d'ici.

Metta avait continué à voler autour des deux gardes et à chanter jusqu'à ce que Kale et Gymn dévalent le couloir en courant pour s'éloigner de la pièce.

— *C'est sans espoir, petite Allerion. Sans espoir.*

Je suis sous l'autorité de Wulder.

Metta les rattrapa. Kale se demanda pendant combien de temps la chanson du dragon violet maintiendrait les gardes immobiles.

Mieux vaut se hâter et ne pas perdre de temps à se poser la question.

Kale savait d'instinct dans quelle direction était rassemblée la foule de laquais de Risto. Elle se dit qu'elle pourrait fuir les groupes compacts. Elle devait monter aussi vite que possible pour rejoindre le tunnel menant vers la sortie. Son plan consistait à éviter de rencontrer des gens et à se déplacer vers le haut en tout temps.

Au premier coin, elle tomba sur un défilé d'individus descendant le couloir comme s'ils avaient tous en tête un endroit de rassemblement commun. Peu des citoyens de la forteresse souterraine étaient des soldats. Le petit nombre de personnes des races supérieures parmi les femmes et les marchands bisonbecks intriguait Kale. Elle les observa pendant une minute ou deux avant de revenir dans le tunnel qu'elle venait juste de traverser. Elle devrait en trouver un autre, moins achalandé.

— *Tu vois, jeune o'rant, ton peuple n'est pas composé uniquement de gens têtus. Certains accueillent avec joie les avantages de joindre leurs efforts aux miens pour faire de ce monde un endroit plus agréable à vivre, plus facile, un lieu où les individus se démènent moins.*

Je suis sous l'autorité de Wulder.

Je n'écouterai pas Risto. Si ces gens sont si contents de le suivre, pourquoi ne sourient-ils pas ? Ces pauvres personnes ont l'air aussi hypnotisées que les gardes quand Metta a chanté pour eux.

Mamie Noon a dit de ne jamais pratiquer la télépathie avec un être maléfique. Ils ont un pied dans notre esprit de cette façon. Je ne l'écouterai pas.

Je suis sous l'autorité de Wulder. Je suis sous l'autorité de Wulder.

Après plusieurs faux départs à éviter les gens, à revenir en arrière et à se camoufler, Kale se retrouva à déambuler dans un couloir de pierre avec des ramifications s'élançant dans de nouvelles directions chaque quelques mètres. De petites niches dans les murs où les rochers s'étaient éboulés, puis étaient tombés dans le passage, offraient des endroits pour se cacher. Kale se tenait prête à s'y dissimuler à chaque moment. Le sentiment qu'une importante population de bisonbecks se trouvait près la rendait nerveuse.

Gymn et Metta volaient presque tout le temps au lieu de voyager sur ses épaules. Reconnaissante de leur vigilance à détecter les ennuis, Kale avait aussi envie de les sentir près d'elle constamment.

— *Je marche à côté de toi, chère jeune o'rant.*

La voix de Risto pénétra profondément et chaleureusement dans ses pensées.

— *Je n'ai pas l'habitude d'envoyer mes amis affronter seuls une situation dangereuse. Je trouve répréhensible que tu doives faire face à ces épreuves sans formation adéquate, sans camarades. Qui t'a empêché de te rendre au Manoir ? Qui a permis à tes compagnons d'être blessés et capturés ?*

Avant que Kale ne répète les paroles bloquant l'intrusion de Risto, Metta et Gymn tournèrent un coin à toute vitesse. Kale fila vers un enfoncement dans la paroi rocheuse derrière des rochers tombés et s'écrasa sur le sol. Elle savait que, tant qu'elle restait immobile, la cape cacherait l'œuf à la vue.

Kale retint son souffle, et des soldats bisonbecks s'arrêtèrent à quelques mètres de sa cachette. Elle voyait quelques-uns de leurs mouvements entre deux roches. Deux hommes discutaient âprement pour décider si, oui ou non, ils avaient le temps d'aller à la taverne avant leur quart de travail du soir. Trois hommes, attendant leur décision, appuyaient leurs puissantes épaules contre les murs et se reposaient. Un homme s'approcha du rocher protégeant Kale et ses amis, et s'assit dessus.

Kale sentit Gymn trembler dans son antre de poche. Son propre cœur battait la chamade. Elle serra les poings, s'efforçant de ne pas broncher.

— *Tu vois les dangers auxquels tu es soumise. Si tu étais sous mon commandement, ces hommes ne constitueraient pas une menace pour toi.*

Laisse-moi tranquille !

— *Mais je ne veux pas te laisser tranquille. Je me soucie de ce qui t'arrive. Demande-toi, Kale Allerion, qui marche à tes côtés en cette période difficile. Paladin ? Wulder ? Non. Moi. Je t'offre mon aide.*

Encore une fois, le ton de voix de Risto, doux et cajoleur, glissa sur le nom *Allerion*. Une pointe d'amertume empoisonnait le discours suave et persuasif.

Kale haleta. Elle l'avait écouté. *Je suis sous l'autorité de Wulder.*

Juste au moment où elle sentait la présence de Risto quitter son esprit, une main forte lui saisit l'épaule et la tira hors de sa cachette.

— La jeune o'rant ! clama une voix vulgaire et triomphante.

— Il ne s'agit certainement pas de celle que veut Risto.

— Idiot, qui serait-elle autrement ?

— Une des paysannes.

— Une bonne à tout faire. Regarde le fardeau qu'elle porte.

— Elles assistent toutes au discours du soir. Personne n'est assez brave pour désobéir aux instructions.

— Voyons ce qu'elle transporte.

Kale se tortilla pour se libérer de la poigne solide du bison-beck et lui donna de vifs coups de pied. Il grogna, mais ne relâcha pas son emprise.

— Urgh! cria un autre. Mes yeux!

Kale remarqua un soldat courroucé essuyant de la teinture violette sur son visage. Il palpa ses yeux.

— Je ne vois rien!

— Des dragons nains. *C'est* la prodigieuse Gardienne des dragons. Tiens-la bien, Deemer. Tu y laisseras la tête si elle s'échappe.

Kale frétilla sous la poigne de fer. Metta et Gymn volaient tous les deux autour de la tête des bisonbecks en leur crachant au visage. Quand une vomissure verte ou violette atterrissait directement dans les yeux d'un soldat, il se pliait en deux sous la douleur, griffant son visage en essayant d'essuyer l'épais crachat.

Le dernier à se faire arroser fut celui qui retenait Kale. Ses mains quittèrent brusquement ses épaules. Elle courut. Les petits dragons filaient à côté d'elle. Le bout de leurs ailes frôlait ses cheveux et ses joues. Les cris outragés des hommes aveuglés résonnaient dans le couloir de pierre.

L'œuf meech rebondissait sur son dos, lui rappelant qu'elle ne pouvait s'esquiver que par des tunnels assez larges pour sa cargaison peu maniable.

Elle dépassa plusieurs petits endroits pour ramper et tourna dans un terrier sombre qui, elle l'espérait, serait trop étroit pour permettre aux soldats de la pourchasser s'ils repre-naient des forces. Le couloir rétrécit. Elle passa la bande d'étoffe bleue par-dessus sa tête et traîna l'œuf derrière elle. Elle arriva à une fourche.

Quelle direction?

— *Tu déambules à l'intérieur de ma forteresse, jeune o'rant. Chaque direction mène à moi.*

Je suis sous l'autorité de Wulder.

Les deux dragons étaient assis devant elle, scrutant les petits souterrains miteux.

— Savez-vous par où nous devons aller ?

Metta et Gymn se regardèrent et échangèrent quelques mots incompréhensibles pour Kale. Mais elle comprenait leurs pensées. Chacun explorerait un tunnel. Kale devait se reposer.

Kale rit presque quand la suggestion maternelle de Metta de manger quelque chose et de s'accorder une courte sieste pénétra son esprit. Sauf que l'idée de leur départ, même pour quelques minutes, frappait son cœur de terreur.

Et si Gymn tombe sur une chose effrayante et s'évanouit ?

Le minuscule dragon vert lui lança un regard dégouté.

Oui, j'ai bien remarqué que tu avais combattu le dernier groupe de bisonbecks, dit-elle en réponse à sa question inquisitrice, même si, jusqu'à cet instant, elle n'avait pas réalisé l'exploit que constituait l'escarmouche pour son petit ami. *Je suis fière de toi.*

Gymn hocha la tête, satisfait de son compliment, et fila dans l'un des tunnels. Metta disparut dans l'autre.

Manger ? J'imagine que je le dois.

Elle sortit un paquet de sa cape et grignota de savoureux bâtonnets au fromage cuisinés par la femme de Lee Ark.

Sous peu, Metta revint. Le tunnel débouchait sur un tas de débris. Elle s'assit sur les genoux de Kale et partagea son fromage, levant le nez sur le pain. Lorsqu'elles eurent terminé, le dragon violet se recroquevilla sur la cuisse de Kale et fredonna une des chansons «digestives» de Dar.

Kale serra très fort ses paupières pour endiguer la soudaine vague de larmes.

— *La plupart des gens sont installés dans leur maison pour la nuit. L'âtre est illuminé par la lueur d'un feu chaleureux. L'odeur des restes de ragoût et de pain frais du repas familial flotte dans l'air. Tu n'es pas obligée d'être seule.*

Kale soupira, lasse après une longue journée remplie d'ennuis. *Je suis sous l'autorité de Wulder.* Elle entendit le rire moqueur de Risto, puis accueillit le silence avec plaisir. Son menton tomba sur sa poitrine, et elle somnola.

Le donjon! Le donjon! Un trou. Leetu, Dar, Fenworth!

Kale s'éveilla sous les explications frénétiques de Gymn sur ses découvertes. Kale tendit la main vers l'écharpe bleue et suivit le dragon excité. Après avoir longtemps rampé, elle s'arrêta derrière Metta et Gymn alors qu'ils planaient à côté d'un orifice naturel dans le mur de pierre. Elle entendit la voix rauque de Fenworth.

— Des entreprises inconfortables, ces quêtes. Pas toujours prévisibles. Un peu ennuyeuses quand il ne se passe rien. Mais bien sûr, les donjons sont toujours ennuyeux. Les quêtes! Quel ennui! On perd des choses, on trouve des choses. On rencontre les gens les plus désagréables. Excluant ce groupe, cela va de soi.

46

CERTAINES CHOSES PEUVENT ÊTRE DÉPLACÉES, D'AUTRES PAS

Kale regarda par le petit trou et cria presque de joie.

Leetu était assise avec Librettowit, en grande conversation. Lee Ark, Dar et Brunstetter étaient appuyés contre un mur, les yeux fermés, pâles et malades. Shimeran et Seezle étaient hors de vue. Fenworth était installé en tailleur au centre de leur cellule. Un de ses bras ressemblait beaucoup à un arbre. Mais l'autre main caressait le dessus de son crâne dégarni, maintenant ainsi ce côté libre de feuilles et de brindilles. Sans son chapeau, le vieil homme avait un air triste et malheureux.

Un magicien ne devrait pas se retrouver sans son couvre-chef. Il paraît si âgé.

Dès que la réflexion traversa son esprit, Gymn plongea dans la cape et en ressortit en tirant le grand chapeau pointu derrière lui. Kale sourit largement et acquiesça. Elle s'en saisit et le fourra dans le petit trou. Puis, elle l'agita dans tous les sens afin d'attirer un regard.

— Vous voyez, déclara Fenworth. On perd des choses, on trouve des choses. Et voilà mon chapeau, et il est à peu près temps.

Leetu bondit sur ses pieds et courut arracher le chapeau de la main de Kale. Le sourire de bienvenue sur son visage se transforma presque instantanément en grimace de colère.

— Tu es censée chercher l'œuf meech.

— Je l'ai juste là.

— Alors, tu devais le sortir de la montagne.

— J'ai essayé.

Kale regarda furieusement Leetu à son tour.

— Ce n'est pas un travail si facile. Il y a des kilomètres de tunnels ici, et la plupart tournent en rond.

— Allons, vous ne devez pas vous disputer.

Fenworth arriva derrière Leetu et récupéra son chapeau. Il en lissa le rebord, en redressa le sommet pointu et le déposa sur sa tête.

— Ah, voilà qui est mieux.

Il offrit un large sourire à Kale.

— Je présume que les dragons sont avec toi.

— Oui, Monsieur.

— Passe-moi Gymn, alors, et, s'il n'a pas d'objection à m'assister, nous allons soigner les blessures et les douleurs de nos camarades. Metta pourra nous chanter des encouragements.

Gymn se glissa dans l'ouverture en frétillant et vola jusqu'à l'épaule du vieux magicien.

— Je pensais que Gymn pouvait seulement guérir avec moi.

Kale fronça les sourcils alors que les deux dragons se joignaient à Fenworth.

Leetu posa les poings sur ses hanches et plissa le front.

— Uniquement avec toi et n'importe quel magicien au service de Paladin.

La barre sur son front s'épaissit.

— En fait, je crois que même un magicien maléfique pourrait utiliser le pouvoir de Gymn pour guérir, mais dans ce cas, je crois aussi que cela lui ferait du mal.

Kale s'apprêta à dire à Leetu que Risto lui avait parlé, mais elle hésita. La honte la submergea comme si elle avait mal agi. Au lieu de se confier à sa guide, elle se retourna vers l'œuf dans la bandoulière dans la cape en rayons-de-lune et elle défit les nœuds afin d'atteindre plus aisément les cavités.

Elle rappela Leetu vers le trou.

— Voici ton arc. Où se trouvent Shimeran et Seezle?

Leetu prit son arme en caressant le bois d'une main expérimentée pour vérifier les dommages.

— Ils sont emprisonnés ailleurs. Cela aurait été trop facile pour eux de s'échapper de cette cellule.

Kale regarda à l'opposé de la petite salle et remarqua le mur de barres de fer. Les kimens auraient pu passer sans problème au travers. Elle déposa la flute et l'harmonica dans la main tendue de Leetu. Certains instruments étaient trop volumineux pour l'ouverture.

— J'ai tes livres et ceux de Librettowit, mais ils n'entrent pas non plus.

— Pourquoi t'es-tu donné cette peine?

— Je ne sais pas. J'ai pensé que tu les voudrais.

— Je semble me rappeler t'avoir dit…

— Je sais Leetu, je les ai simplement ramassés. J'ignore pourquoi.

Kale poussa la petite épée et le fourreau de Dar par le trou. Elle eut de la difficulté à faire pénétrer la poignée de l'épée de Brunstetter et sa gaine ne passait pas, même avec Leetu qui tirait et Kale qui poussait. Une fois que toutes les affaires de ses amis qui entraient par le trou furent remises à Leetu, Kale regarda dans la cellule pour voir les progrès réalisés par Fenworth et Gymn.

Dar s'assit et lui envoya la main et un clin d'œil. Lee Ark et Brunstetter inspectaient minutieusement leurs armes récupérées. Librettowit portait ses lunettes de lecture et lisait un petit recueil de poésie.

Fenworth s'approcha de l'interstice où Leetu se tenait d'un côté et Kale de l'autre.

— De la nourriture serait utile, chère fille. Et de l'eau.

— De la nourriture?

Leetu soupira.

— Tu as ramassé des livres, mais pas de nourriture.

— Il me reste des provisions.

Kale remit tout ce qu'elle avait.

— *Tu vois, ils ne se montrent même pas reconnaissants pour ce que tu leur as apporté.*

— Je suis sous l'autorité de Wulder.

Fenworth et Leetu tournèrent tous deux vivement la tête quand elle proféra cette phrase avec colère.

— Risto ? s'enquit Fenworth en levant un sourcil.

Kale acquiesça, puis réalisa qu'il ne pouvait pas entrevoir davantage que son nez et sa bouche là où elle se tenait.

— Oui, admit-elle.

— Il te harcèle ?

— Oui, murmura-t-elle.

— Comme c'est typique de lui.

Fenworth s'éloigna vers les autres d'un pas traînant en transportant des paquets de nourriture dans ses bras.

Leetu se rapprocha du trou et se pencha en avant.

— Kale, tu n'as pas parlé à Risto, n'est-ce pas ?

— Non !

Kale changea de position, mal à l'aise.

— Pas beaucoup.

Le pli disparut sur le front de Leetu, et de la compassion surgit dans ses yeux.

— Est-ce que tu vas bien ?

Kale prit une profonde respiration.

— Je crois.

— Il ment.

— Oui.

— Cela ressemble à la vérité.

— Oui.

Leetu fit un grand sourire et un clin d'œil à Kale.

— Si tu étais une émerlindian, tu serais un tantinet plus sombre.

Les yeux de Kale s'agrandirent et sa bouche s'ouvrit. Elle la referma d'un coup avant que Leetu ne puisse dire quelque chose à propos du fait qu'elle ne savait rien ou devait apprendre.

Dar traversa la cellule de la prison au pas de course en agitant son harmonica.

— Kale!

Il tendit une main à travers la brèche pour toucher celle qui était posée là.

— Tu es un régal pour les yeux fatigués, enfin le peu que je vois de toi. Tu as l'œuf meech?

Elle hocha la tête.

— Elle doit le sortir d'ici.

Leetu avait repris un ton plein de bon sens et bourru.

— Nous avons nos armes. Nous pouvons nous échapper. Va devant. N'attends pas.

Kale secoua la tête.

— Je n'arrive à rien. J'ai besoin d'aide.

Lee Ark se joignit à eux. Il ne tenait plus un bras blessé niché contre son torse.

— Je suis d'accord avec la jeune o'rant. Leetu, tu supposes trop de choses. Ses talents sont puissants, mais elle n'est pas formée. Paladin l'a choisie, ce qui établit sa capacité, mais il nous a aussi désignés pour l'accompagner. Nous sommes plus forts ensemble.

Dar regarda Kale dans les yeux et lui décocha un autre clin d'œil. Il se tourna vers Lee Ark et hocha ostensiblement la tête vers le trou par lequel Kale les observait.

— Il me semble que nous avons un problème avec cette histoire d'unité.

Leur commandant marione eut un hochement de tête décisif et alla trouver Brunstetter pour discuter. Les petits dragons volèrent vers la brèche et se glissèrent à travers. Les deux étaient euphoriques en raison de leur réussite. Ils bavardèrent ensemble jusqu'à ce que Kale les interrompe.

— Je ne crois pas que Brunstetter puisse déplacer ce roc.

Metta et Gymn inclinèrent tous les deux la tête et examinèrent le mur de granit, assis sur ses épaules. Ils marmonnaient, et Kale comprit l'essentiel de leurs réflexions. Les gens avaient des idées étranges sur la façon de passer le temps.

— Ils veulent sortir du donjon, expliqua-t-elle. Pouvez-vous jeter un œil plus loin dans ce tunnel pour savoir s'il y a une sortie ?

Ils foncèrent sans répondre. Brunstetter examina le trou. Fenworth fit de même.

— Tut tut. Certaines choses ne peuvent pas être déplacées facilement. Je pourrais rétrécir Kale si vous souhaitez l'avoir avec nous, offrit-il. Mais ce serait plus utile pour nous de la rejoindre. Je ne peux pas prétendre que j'aime cette installation. De plus, la nourriture est immangeable.

— Ils ne nous ont pas apporté de nourriture, dit Librettowit à la hauteur de son coude.

Le magicien sursauta.

— Ne me fais pas peur comme cela, Wit. Pourquoi n'es-tu pas à tes livres ? Cela prouve mon opinion par contre. On ne peut pas très bien manger de la nourriture qui ne nous a pas été servie. Donc, elle est immangeable.

Il se tourna et déclara à Dar dans un murmure assez fort pour être entendu de tous :

— Les bibliothécaires sont des types sournois et silencieux. Une minute il a le nez dans un livre, la minute suivante il traîne un honnête et respectable magicien dans une quête harassante. Aucun respect pour mon âge et mon statut dans la vie. Librettowit est utile, je dois l'admettre. Pourtant, il ne sait pas cuisiner. Il est mon ami, par contre, et on doit se montrer indulgent envers ses amis. Aucun n'est parfait. Peu savent cuisiner.

— Hum hum ! grogna Librettowit en s'éloignant d'un pas lourd.

En secouant la tête, le magicien confus regarda le tumanhofer marcher bruyamment à travers la cellule.

L'attention de Kale fut attirée par des battements d'ailes tannées. Metta et Gymn étaient de retour.

— Ils ont trouvé Shimeran et Seezle, dit Kale à Lee Ark. Je vais aller voir si je peux les faire sortir. Puis, nous reviendrons vous chercher.

Lee Ark acquiesça.

— *Tu pourrais te rappeler*, l'interrompit Leetu en s'adressant à Kale par télépathie, qui *est le chef. Il est plus approprié de demander à Lee Ark si tu peux partir au lieu de l'en informer.*

Kale sentit le rouge enflammer ses joues. Son regard passa rapidement du visage désapprobateur de Leetu à celui amusé de Lee Ark. Elle entendit Dar rigoler et le fixa.

— Je pense, dit Dar avec un sourire impudent, que notre petite esclave o'rant réussit très bien à réfléchir par elle-même.

Es-tu certain de ne pas lire dans mes pensées ?

— *Absolument. Va voir si tu peux aider nos amis kimens.*

Kale suivit Metta et Gymn en traînant l'œuf meech dans sa cape. Le passage se terminait brusquement en s'ouvrant sur une salle. Kale s'accroupit dans le tunnel qui se trouvait environ à la moitié de la hauteur du mur de la nouvelle pièce.

Une sphère flottait au centre. Plus petite que celles que Kale avait aperçues de loin, suspendues au-dessus de la ville de Vendela, cette boule contenait les deux kimens. Kale retint son souffle. Shimeran et Seezle étaient assis dos à dos, les pieds croisés, les genoux relevés sous leur menton, les yeux fermés et les bras en croix sur leurs genoux. Leurs cheveux pendaient sans vie autour de leurs épaules et descendaient en cascade jusqu'à leurs pieds. Aussi immobiles que le roc, ils ressemblaient à des statues.

Kale inspecta la salle vide. Elle pourrait sauter sur le sol de pierre à quelque deux mètres sous elle, mais comment atteindrait-elle la sphère flottante ?

— Pouvez-vous voler jusqu'à eux ? demanda-t-elle à ses compagnons.

Le *non* catégorique la surprit.

— Shimeran ? Seezle ?

Aucune réponse.

Shimeran ! Seezle !

Toujours pas de réaction. Elle n'abandonnerait pas. Autour de la salle, il y avait plusieurs tunnels de sortie. Si elle pouvait découvrir dans l'un de ces tunnels une chose pour l'aider...

Elle attacha une fois de plus l'écharpe bleue aux coins de la cape, glissa la bandoulière de fortune sur son dos et s'assit sur le rebord de pierre en se préparant à sauter au sol. Ses jambes et ses pieds se refroidirent, comme si elle les avait immergés dans l'étang Baltzentor près de Rivière au Loin.

Cela doit avoir un rapport avec ce qui fait flotter la boule.

Metta et Gymn s'opposèrent tous les deux à son geste en lui pépiant des mises en garde contre la salle, mais leurs pensées surgissaient par vagues successives. Kale n'arrivait pas à les démêler et elle n'était pas d'humeur à attendre. Elle se poussa par-dessus la tablette créée par la fin du tunnel et plongea dans l'air aussi épais que l'eau.

Elle tomba, mais n'atterrit pas sur le plancher. L'œuf meech cogna contre son dos. Kale s'agita dans l'air en remontant à la surface comme un bouchon de liège au bout d'une canne à pêche. C'était tellement comme si elle nageait dans l'étang que Kale donna instinctivement des coups de pied et avança vers la sphère. Elle posa les deux mains sur la surface de la boule et sentit le matériau transparent se dérober sous ses paumes. Elle poussa plus fort, mais elle ne la brisa pas. Cependant, sous l'impulsion, l'orbe flotta loin d'elle.

Je me demande si je pourrais rapporter cette boule à Fenworth. Il pourrait sûrement l'ouvrir.

Elle regarda de nouveau vers le tunnel où Metta et Gymn étaient assis en l'attendant anxieusement.

Cette direction me ramène seulement à un minuscule interstice dans un mur.

Elle jeta un œil sur les nombreuses autres ouvertures menant hors de la petite salle. Elle prit une décision presque immédiatement.

Celui-là me paraît de la bonne grandeur et dans la bonne direction.

Kale frissonna dans l'air froid environnant.

Il vaut mieux me remuer avant de geler.

Elle mit son épaule sur la sphère et poussa en donnant de puissants coups de pied de nageuse. L'œuf meech traînait derrière elle, rendant ses mouvements maladroits. Enfin, elle se cogna contre le mur au-dessus du tunnel de son choix. Elle se hissa sur le dessus de la prison des kimens et s'assit dessus pour l'enfoncer plus bas. Après plusieurs essais, elle le poussa dans la brèche.

La sphère éclata, renversant Shimeran et Seezle sur le sol dur. Une lumière étincelante remplit un instant la pièce. Les kimens se recroquevillèrent en boule, roulèrent sur eux-mêmes quelques fois, puis bondirent sur leurs pieds. Ils secouèrent la tête, envoyant voler leurs cheveux déjà en bataille dans tous les sens.

Shimeran posa les mains sur ses hanches et examina les environs. Seezle poussa un cri de joie aigu et traversa d'un bond la distance entre elle et Kale pour l'étreindre par le cou.

— Je pensais que vous étiez morts, rit Kale, soulagée.

Le corps chaud de Seezle la chatouillait un peu.

— Pourquoi donc as-tu cru cela ? demanda Shimeran.

— Vous ne bougiez pas du tout.

— Nous attendions

— Vos lumières ne brillaient pas.

Seezle gloussa.

— Tu as vu nos sous-vêtements.

Shimeran lança à sa sœur un regard impatient.

Kale fronça les sourcils, essayant de se remémorer à quoi ressemblaient les silhouettes des deux kimens immobiles comme la pierre.

— Euh, je ne me souviens pas avoir vu autre chose que beaucoup de cheveux.

Cela fit réagir Seezle avec un nouvel accès de rires, accompagné par une séance d'acrobaties.

Shimeran soupira.

— La peau des kimens est très semblable à une enveloppe, un peu comme un bas finement tricoté sans coutures.

Il regarda Seezle avec une mine renfrognée. Elle cessa de caracoler et resta en place, mais elle continua de frémir de joie. Shimeran reporta son entière attention sur Kale.

— Où sont les autres ?

Kale pointa à travers la salle derrière elle.

— Gymn et Metta nous attendent là-bas. Fenworth et les autres sont dans une cellule de prison.

— Peux-tu les trouver à partir d'ici ?

Kale passa un instant à faire le point et à localiser Leetu. Elle inclina la tête vers le tunnel dans leur dos.

— Ils devraient se trouver par là. Mais la moitié de ces tunnels se terminent brusquement, et on doit revenir sur ses pas.

Le chef kimen acquiesça.

— As-tu besoin d'aide pour aller chercher les dragons nains ?

— Non.

— Alors, vas-y vite.

Il aurait pu dire merci.

La pensée la prit par surprise. Était-ce Risto qui l'avait émise ? Non, c'était sa propre réflexion. Où se trouvait Risto pendant tout ce temps ? Pourquoi restait-il silencieux, sans la harceler ?

Kale plongea dans la pièce et la traversa facilement comme si elle nageait vers la rive opposée de l'étang Baltzentor. Les dragons ne voulaient pas voler dans la salle, mais ils voyagèrent sur la tête de Kale. Leurs pattes griffues s'agrippaient à son cuir chevelu. Ils sautèrent par l'orifice juste au moment où ils l'atteignirent et ils se collèrent l'un à l'autre en regardant avec crainte la pièce à présent déserte.

— Pourquoi trouvent-ils cet endroit si sinistre ? s'enquit Kale.

— L'air lourd aurait congestionné leurs poumons, répondit Shimeran.

— Je n'ai rien senti.

— Non ; tu aurais sûrement pu survivre une heure avant de t'apercevoir que tu te noyais.

Kale regarda de nouveau l'air limpide et se demanda quels autres dangers ils rencontreraient pendant cette quête.

Elle changea la bandoulière de position sur son dos et pivota pour suivre les autres le long du couloir.

L'œuf meech bourdonna. Un bourdonnement fort. Il faisait vibrer ses omoplates. On pouvait l'entendre clairement dans le tunnel de pierre. Il résonnait et s'amplifiait avec chaque battement. Sans doute que tous les bisonbecks de la région pouvaient entendre le bruit satisfait de l'œuf meech.

47

Par où est la sortie ?

Pendant que Shimeran, Seezle, Kale et les dragons approchaient de la cellule du donjon par une extrémité du long tunnel, quatre gardes bisonbecks arrivaient par l'autre.

— Nous vous avons entendu venir, dit Dar quand ils atteignirent la prison.

— Eux aussi, répondit Kale en hochant la tête en direction des hommes solidement charpentés hors de vue des prisonniers.

Shimeran mit un genou à terre à côté de la porte verrouillée et plaça ses mains en coupe pour recevoir le pied minuscule de sa sœur. Seezle se tint sur ce tabouret de fortune et passa sa main dans le trou de la serrure. Rapidement, la porte s'ouvrit. Lee Ark, Brunstetter, Dar et Leetu bondirent dans le couloir avec leurs armes prêtes au combat. Les bisonbecks chargèrent.

Leetu tua le soldat en tête avec une flèche. Dar fit voler deux petits poignards et en terrassa un autre. Bien que Lee Ark et Brunstetter fussent massifs, ils se déplaçaient avec une précision rapide. Le marione et l'urohm en finirent avec les deux derniers guerriers dans un bref et frénétique affrontement à mains nues.

— Y a-t-il une façon de faire taire cet œuf ? demanda Lee Ark en nettoyant sa lame avant de la replacer dans sa gaine.

Le bourdonnement monotone de l'œuf, noyé dans le vacarme de la bataille, résonnait à présent très fort dans le couloir de pierre. L'œuf pendait dans le dos de Kale en vibrant doucement.

Le commandant marione regarda directement Kale, et elle se sentit soudainement coupable.

— Non, enfin, je ne sais pas.

Elle regarda à son tour Leetu et Dar. Les deux haussèrent les épaules et interrogèrent Fenworth du regard. Il secoua la tête et se tourna vers son bibliothécaire.

— Et bien?

Le magicien levait un sourcil.

— Je crois, dit Librettowit, que Kale transporte dans sa cape le livre contenant la référence aux œufs meech.

Kale retira la bandoulière sur son dos et trouva vite les bouquins. Elle sortit un épais volume brun.

Librettowit fronça les sourcils et secoua la tête.

— Non, plus petit.

Il rejeta chaque livre repêché par Kale jusqu'à ce qu'elle glisse le bras jusqu'à l'épaule dans la cavité et récupère un petit cahier de cuir bleu avec de vieilles pages jaunies.

Le bibliothécaire plissa le front en l'ouvrant.

— Quelqu'un s'est risqué à restaurer ces bouquins.

Il dirigea son regard furieux vers la jeune o'rant.

— Un geste téméraire. Tu pourrais causer beaucoup de dommages.

Kale secoua la tête et écarta les mains pour protester de son innocence.

— Pas moi. C'était la cape.

Librettowit tourna les pages fragiles avec précaution jusqu'à ce qu'il tombe sur un passage intéressant. Il se racla la gorge quelques fois en lisant.

— Je pourrais l'envoyer à mon château, suggéra Fenworth.

— Non, dit le tumanhofer en se grattant le front.

— L'utiliser pour confectionner un gâteau, puis renverser le processus avec un sortilège une fois que nous serons sortis de cette affreuse montagne.

— Non, répliqua Librettowit en plissant férocement les yeux derrière ses verres.

Lee Ark, Brunstetter et Leetu se tenaient au garde-à-vous. Dar dansait d'un pied à l'autre. Avec de grands bâillements, les dragons nains disparurent dans leur antre de poche. Fenworth se caressait la barbe, délogeant ainsi une famille entière de souris et un moineau.

— Exactement comme je le craignais, déclara Librettowit.

— Que pouvons-nous faire ? demanda le magicien.

— Rien.

— Rien ? Tu as fréquenté l'université afin qu'en temps de crise, tu puisses arriver à rien ? Ridicule. Nous aurions dû amener un plombier au lieu d'un bibliothécaire.

Il pivota pour s'adresser à Lee Ark.

— Je le savais au départ, mais il a le cafard quand on le laisse à la maison.

Le visage du tumanhofer vira au rouge sous ses favoris. Son livre niché sous un bras, il s'avança devant le vieux magicien et il enfonça un doigt pointé dans sa barbe à la hauteur de la taille.

— Je ne voulais pas participer à cette quête. Je t'ai dit que j'étais un bibliothécaire, et non un individu porté sur les quêtes.

Fenworth se pencha en avant et ronchonna.

— Tu aurais dû me dire que tu étais un plombier ! J'aurais laissé un plombier à la maison. En fait, je l'ai fait. *J'ai* laissé un plombier à la maison et amené un bibliothécaire.

Librettowit agita son poing devant le visage du magicien.

— Tu ne connais même pas de plombier.

Lee Ark esquissa un pas pour les séparer. Il se tint entre les deux hommes furieux et leur donna une petite tape sur l'épaule.

— Si les bisonbecks n'entendent pas l'œuf, ils vous entendront. Je propose que nous partions.

Fenworth se redressa et jeta un œil sur le sol jonché de guerriers bisonbecks tués quelques minutes plus tôt.

— Une très bonne idée en fait. Je commence à me sentir à l'étroit ici.

Il scruta le couloir du donjon dans les deux sens.

— Quelle direction suggères-tu, Wit ? Tu as toujours été doué pour trouver la bonne direction. Particulièrement sous terre.

Librettowit leur fit signe de le suivre et il les ramena dans la direction par laquelle Kale était arrivée avec Seezle et Shimeran. Quand ils dépassèrent la pièce où flottait l'orbe auparavant, Kale toucha le bras de Leetu et murmura :

— Je n'ai pas entendu la voix de Risto dans ma tête depuis un long moment. Quels sont ses plans, selon toi ?

— Nous recapturer. Tu ne l'as plus entendu, car nous avons tous levé un bouclier protecteur autour de toi.

— Comment ?

— De la même façon dont tu as bloqué ton esprit avec les paroles de Mamie Noon. Nous savions que tu courais un danger, alors nous avons maintenu le blocage pour toi.

— On peut faire cela ?

Leetu acquiesça.

Kale regarda ses compagnons marcher dans le tunnel à la suite du tumanhofer.

— Vous tous ?

— Nous tous dans la cellule.

— Qu'avez-vous dit ?

— Nous sommes sous l'autorité de Wulder et nous élevons une barrière de protection contre les mots empoisonnés de Risto autour de l'esprit de Kale.

— Et ces paroles ont eu de l'effet ?

— Pas les paroles, Kale. Wulder a eu de l'effet.

Un nouveau groupe de quatre gardes bisonbecks foncèrent vers eux dans le couloir. Lee Ark et Brunstetter bondirent devant Librettowit.

Leetu poussa Kale derrière Dar et le magicien.

— Garde cet œuf en sécurité, ordonna-t-elle, puis elle courut se mêler au combat.

Le magicien se changea en arbre. Dar se tenait prêt avec un poignard et sa petite épée. Les bisonbecks ne brisèrent pas la ligne de défense de ses camarades.

Kale enjamba avec précaution les jambes des guerriers terrassés quand Lee Ark donna le signal que tout allait bien, et l'on persuada Fenworth de redevenir lui-même. La vue du sang continuait de donner la nausée à Kale. Les silhouettes immobiles des soldats morts paraissaient encore capables de se relever pour reprendre leur attaque féroce.

Kale et le magicien ajustèrent leurs pas l'un à l'autre. Dar et les kimens surveillaient leurs arrières ; Lee Ark, Brunstetter et Leetu suivaient directement derrière Librettowit, qui semblait sûr de son sens des directions.

— Magicien Fenworth, pourquoi ne pouvez-vous pas simplement nous faire tourbillonner hors d'ici ?

— Tourbillonner ? Tourbillonner ! Quel genre d'activité scientifique est-ce que cela ?

Elle décida de ne pas se laisser distraire.

— Tourbillonner. C'est-à-dire déplacer les gens d'un endroit à l'autre sans égard pour le temps ou la distance, comme vous avez fait tourbillonner notre groupe depuis les Entre-deux jusqu'à votre château. Tourbillonner ; l'action utile d'un magicien en période difficile.

Le magicien la regarda avec mauvaise humeur, mais il continua de marcher.

— Tu n'aurais pas, par hasard, ramassé mon bâton de marche, oui ?

— Non, je suis désolée. Je ne l'ai pas vu.

— Tu ne l'as pas rangé dans une cavité de ta cape ?

— Non, Monsieur.

Fenworth reporta son attention sur leurs compagnons devant. Kale jeta un coup d'œil sur le visage renfrogné du magicien. Il ne semblait pas enclin à répondre à d'autres questions.

Ils poursuivirent leur route. L'œuf bourdonnait. Kale déplaça le poids léger au centre de son dos.

— Concernant le fait de tourbillonner hors de cette montagne.

— Le bâton de marche aurait été utile.

— Vous pourriez mettre votre main sur mon épaule, Monsieur.

Il fit promptement claquer sa main ridée sur la bretelle de l'écharpe bleue de Kale et la serra gentiment. Ils continuèrent à marcher, virèrent à l'occasion et montèrent une fois deux volées de marches de pierre. Des soldats en groupe de quatre tentèrent par deux fois de les arrêter.

Elle pouvait sentir les déplacements de la population souterraine. Elle savait que Librettowit les guidait vers une région inhabitée.

— Magicien Fenworth, pouvez-vous faire quelque chose pour nous sortir d'ici sans danger ?

— Tu sais, chère fille, tu penses comme ta mère.

Elle retint son souffle, espérant que le vieil homme en dirait davantage.

Il prit une profonde respiration, toussa un peu et lui serra l'épaule.

— La cape n'a pas réparé les objets que tu as déposés dans la cavité.

— Non ?

— Pas seule.

Elle réfléchit à cette déclaration.

— Je n'ai rien fait, Monsieur. Du moins, je ne le crois pas.

— Non ?

Elle tenta de se souvenir de ses pensées à ce moment-là. Elle voulait faire quelque chose d'utile au lieu de rester assise, hébétée.

— Je pense n'avoir rien fait.

— Tu ne portais pas, par hasard, mon chapeau ?

Oh non ! Je me demande si c'est un crime majeur de mettre le chapeau d'un magicien sur sa tête. Enfin, si l'on n'est pas magicien. Si l'on est qu'une esclave. Enfin, une servante.

Il est inutile d'essayer de le cacher.

— Oui, Monsieur. Je crois bien. Simplement pour garder mes mains libres pour fouiller les débris et ramasser des objets. Je ne voulais pas vous manquer de respect, magicien Fenworth.

— La combinaison du chapeau et de la cape, jumelée à tes dons d'Allerion, a réparé les articles brisés que tu as rangés dans la cavité.

Il lui tapota l'épaule.

— Je vais prendre plaisir à t'avoir comme apprentie, je crois. C'est-à-dire, si nous sortons vivants de cette montagne.

— À propos de tourbillonner, Monsieur ?

— Non, Kale.

48

REMUER CIEL ET TERRE

Après chaque virage, le groupe en quête s'éloignait de plus en plus de la population souterraine. Aucun garde bisonbeck ne les défia après qu'ils eurent pénétré dans une grotte naturelle au creux de la montagne. Ici, le plafond voûté s'élevait loin au-dessus de leur tête. Les minuscules pierres-soleil éparpillées ressemblaient à des étoiles dans le ciel nocturne. Un ruisseau sinueux courait à travers le sentier. Les voyageurs durent traverser le filet d'eau à quelques reprises en suivant Librettowit.

— Brillant, très brillant, marmonnait Fenworth dans sa barbe à intervalles réguliers.

— Qu'a-t-il fait? demanda Kale en regardant le bibliothécaire tumanhofer pendant qu'il avançait d'un pas décidé.

— Pas lui. Moi.

Fenworth s'appuyait lourdement sur l'épaule de Kale en marchant.

— Se faire accompagner par un plombier aurait été une perte de temps totale. Les bibliothécaires sont pratiques. Les bibliothécaires tumanhofers, lorsque l'on se trouve sous une montagne tumanhofer, sont particulièrement utiles.

— Où nous amènent-ils?

— Qui?

— Librettowit.

— À l'extérieur de la montagne.

— Il connaît la route? Il est déjà venu ici?

— Librettowit est un crac de l'histoire. Il connaît les temps anciens. Cette montagne n'a probablement pas vu un pic de tumanhofer depuis plus de mille ans. Le fait est que Wit savait qu'elle se trouvait ici, et il sait où la porte est située.

Kale redressa les épaules.

— Une porte pour sortir de la montagne ?

— Les tumanhofers aiment les portes. Et les oignons. Et le fromage. Les livres, bien sûr. Et les objets mécaniques. Ils sont habiles en agriculture, aussi.

Kale parla rapidement, essayant de stopper le flot de paroles du magicien avant qu'il ne réussisse à la distraire complètement.

— Y aura-t-il des tumanhofers à la porte ?

— Je ne pense pas.

Ils poursuivirent leur route en surveillant leurs pas lors d'un passage particulièrement difficile.

Fenworth toussa, car il éprouvait quelques difficultés à s'éclaircir la gorge.

— J'espère vraiment que la porte sera ouverte. Probable qu'elle soit fermée, par contre. Les tumanhofers aiment les choses fermées et en ordre. Vieille porte. Pourrait ne pas s'ouvrir si elle est fermée. Pourrait ne pas se fermer si elle est ouverte.

Fenworth subit une autre quinte de toux.

— Nous allons nous arrêter ici pour nous reposer.

Lee Ark désigna d'un geste un regroupement de pierres plates ayant l'air d'avoir été disposées pour que les gens se détendent et discutent. L'endroit donnait la même impression que la pièce commune au château de Fenworth.

Kale s'assit à côté du magicien et retira la bandoulière sur son dos. L'œuf meech bourdonnait sans interruption. Elle posa son bras sur le paquet volumineux formé par sa cape et son contenu. Les dragons nains se hissèrent hors de leur antre de poche et clignèrent des yeux devant le décor. Quand ils virent que les autres membres du groupe se reposaient, ils filèrent à la recherche de nourriture.

— Une tasse de thé serait bien, dit Dar en se laissant doucement tomber sur une roche pour s'y allonger, les mains derrière la nuque. De la crasse noire ternissait le jaune vif des vêtements du doneel. Son veston de brocart était déchiré à la couture sur son bras. Son pantalon en lambeaux était éclaboussé de taches et des marques d'éraflures atténuaient le cirage de ses bottes.

Lee Ark et Brunstetter sortirent leurs armes et commencèrent à aiguiser les lames. Kale frissonna devant ce spectacle et regarda derrière son épaule. Elle ne sentait aucune force tapie dans l'ombre. Cela faisait un bon bout de temps qu'elle n'avait pas détecté la présence de bisonbecks près ou loin d'eux.

Leetu s'assit et prit une flèche. Elle tripota les plumes, puis elle en sélectionna une autre. Kale se demanda ce qu'elle fabriquait.

L'émerlindian leva les yeux vers elle.

— Kale, regarde parmi les choses que Mamie Noon t'a données. Vois si tu peux trouver de l'écorce de moerston. Nous pourrions la mâcher.

Kale se souvint de l'écorce bosselée et du conseil de Mamie Noon de l'utiliser pour contrer la faim. « Elle possède des qualités nutritives, lui avait dit la vieille émerlindian. Mais elle est beaucoup plus utile pour le cœur. La petite quantité de nourriture que vous en retirerez vous semblera beaucoup plus, car elle a bon goût et elle rafraîchit la bouche. »

Kale fouilla dans sa cape et en tira un sachet. Elle se leva pour en distribuer le contenu. Elle enfourna le dernier morceau dans sa bouche et le mordit. Cela goûtait comme le thé que dame Meiger infusait, puis mettait au froid afin de le servir à l'auberge les jours d'été.

La crampe d'estomac de Kale s'apaisa. Elle pensa avec nostalgie aux jours paisibles du temps où elle était esclave alors qu'elle était souvent fatiguée, souvent seule, mais jamais affamée. Pendant un instant, Kale se demanda si elle reverrait un jour la vieille émerlindian Mamie Noon, ou dame Meiger.

Il ne s'agit pas là de réflexions très utiles. Elle s'admonesta et alla s'asseoir avec le bibliothécaire.

— Peux-tu me dire si la porte est restée ouverte ou fermée ? s'enquit-elle.

Il avait retiré ses souliers et il frottait ses pieds avec ses mains aux doigts larges.

— Elle a été laissée fermée, mais des rapports au fil du temps indiquent que le mécanisme d'ouverture et de fermeture est devenu peu fiable. Les portes des tumanhofers sont perfectionnées. La porte à l'entrée de Daël constitue un exemple. Elle a l'air simple, mais elle exige la compétence d'un homme formé comme mon cousin Bumby Bumbocore pour l'ouvrir et la fermer après qu'elle a été verrouillée pour la nuit.

— Je me souviens que la porte enchâssée dans l'entrée a fait beaucoup de bruit avant de s'ouvrir.

— Eh bien… oui.

Gêné, Librettowit baissa les yeux.

— Elle aurait eu besoin de quelques ajustements. Tout ce vacarme n'était pas strictement nécessaire, mais je crois que cela donne de l'importance au gardien de la porte ; cela montre qu'il se passe beaucoup de choses pendant qu'il s'affaire à l'ouvrir. Les gens se tenant à l'extérieur sont impressionnés plutôt qu'impatients s'ils pensent que le gardien de la porte se débat avec un bon nombre d'engrenages pour leur permettre d'entrer.

Kale hocha la tête.

— Comment la porte est-elle fabriquée ? Pourrons-nous l'ouvrir si elle est fermée ?

Librettowit fixa son regard au loin pendant un instant avant de répondre.

— Oui, je l'espère. Les jeunes tumanhofers étudient les grandes portes à l'école. Le levier de cette porte vers la vieille mine se situe au centre d'une structure ressemblant à un tunnel. Quand la porte se ferme, le milieu de ce couloir se rétrécit des deux côtés de la porte afin qu'elle ressemble à un sablier reposant sur son flanc. Le levier en soi n'est pas compliqué, mais les murs qui se déforment et se déplacent dans le tunnel sont complexes.

Une douce note sortie de la flûte de Dar résonna à travers la vaste salle, ricochant sur les murs d'environ trente mètres.

Il joua tout d'abord une mélodie calme. Metta vola pour se percher sur son genou et se joignit à lui. Ils choisirent ensuite une chanson de marche entraînante. Quand ils eurent terminé, Lee Ark leur sourit et ordonna à tout le monde de se préparer à partir. Librettowit était incapable de remettre ses souliers sur ses pieds enflés. Gymn arriva et, avec Kale, il guérit la douleur et l'enflure.

— Désolé pour l'attente, s'excusa le tumanhofer. Les bibliothécaires n'ont pas l'habitude des randonnées, vous savez.

— Ne t'inquiète pas de cela, mon ami, dit leur chef marione. Je n'ai pas coutume de voyager avec un dragon guérisseur. Il m'apparaît prudent de prendre quelques minutes supplémentaires afin que Kale et son petit compagnon puissent nous administrer des soins à tous.

En une demi-heure, pendant que Metta et Dar fournissaient la musique, Kale et Gymn redonnèrent des forces à tous les membres du groupe, à l'exception de Shimeran et Seezle, en leur offrant une brève séance de guérison.

La troupe forma les rangs encore une fois derrière le tumanhofer et se dirigea vers la sortie. Les dragons nains couraient autour des épaules de Kale en jouant au chat, jusqu'à ce qu'elle les attrape tous les deux et les installe dans la cape à la hauteur de sa taille. Elle les sentit se frayer un chemin à travers les plis de l'étoffe pour rejoindre leur antre de poche.

— À quelle distance encore ? demanda Leetu à Librettowit.

— Deux autres salles voûtées, un tunnel sinueux et la grotte principale.

Les nerfs de Kale commencèrent à tressaillir dans le tunnel sinueux. Elle rattrapa Leetu.

— Je perçois quelque chose.

L'émerlindian acquiesça.

— Quelque chose nous suit.

Ils marchèrent quelques minutes. Kale regardait les ombres à deux fois et par-dessus son épaule sans arrêt.

— Leetu, je crois qu'ils sont des centaines, peu importe qui ils sont.

— Oui, ils suivent l'ordre de Risto de nous arrêter avant que nous quittions la montagne.

— Ne devrions-nous pas avertir Lee Ark?

— Je l'ai déjà fait.

— Oh.

Kale observa Lee Ark. Il marchait avec tous les sens en alerte. Le dominant de sa hauteur, l'urohm à côté de lui tournait la tête de gauche à droite régulièrement pour surveiller les environs.

— Brunstetter?

Leetu acquiesça.

— Et les kimens et Dar.

— Qu'est-ce qui se cache dans l'ombre?

— Des schoergs.

Kale ferma les yeux un instant. *Je ne serai pas étonnée. Après tous ces événements, j'aurais dû savoir que les schoergs n'étaient pas une invention pour faire peur aux petits enfants et les inciter à bien se comporter. Je me demande s'ils ressemblent un tant soit peu à leur description dans les anciens contes de fées.*

Elle frissonna et ouvrit les paupières.

À présent, elle fouillait les ombres à la recherche d'êtres aussi grands qu'elle, au physique nerveux et couvert de fourrure noire, avec un corps épais, des jambes et des bras maigres, d'immenses dents jaunes et des yeux de fouine. Ils pouvaient ramper le long des murs comme des araignées géantes. Ils pouvaient aplatir leur corps et se glisser à travers de minuscules trous.

Le groupe en quête sortit du tunnel sinueux et pénétra dans une vaste grotte. À l'opposé du plancher spacieux, il y avait un tunnel réduit menant directement à l'extérieur de la montagne. De sa position, Kale pouvait voir la lumière du jour par la petite arche ronde. Elle pressentait aussi la joie anticipée d'un millier de schoergs féroces dans l'attente de l'attaque.

— Courez!

L'ordre de Lee Ark retentit une seconde avant qu'un cri aigu ne traverse la grotte. En un instant, chaque parcelle du mur derrière eux et à leur gauche grouillait de corps foncés à longs poils hirsutes se déplaçant avec rapidité. Brunstetter souleva d'une main le magicien Fenworth et le déposa sur son épaule avant de s'élancer à travers l'espace à découvert. L'œuf meech rebondissait sur le dos de Kale pendant qu'elle courait, presque comme s'il la poussait en avant dans sa propre panique.

Lee Ark, Dar et Leetu rejoignirent la porte d'entrée du tunnel une minute après les kimens. Ils se tournèrent tous face à l'ennemi, leurs armes prêtes au combat. Brunstetter déposa Fenworth au sol et se joignit à la ligne de défense. Librettowit et Kale arrivèrent en dernier.

Lee Ark tourna un visage sérieux vers la jeune o'rant.

— Traverse le tunnel, Kale. Nous les retiendrons ici. Tu verras le village o'rant Kringlen. Vas-y si nous ne te suivons pas.

Librettowit et le magicien réfléchissaient ensemble, se disputant à propos d'un sortilège de boule de feu.

— Nécessaire, cria Fenworth.

— Imprévisible, argumenta le bibliothécaire d'une voix deux fois plus forte.

Kale s'esquiva par le tunnel et courut. Cinq mètres devant, le soleil brillait sur la neige nouvellement tombée. Elle regarda par-dessus son épaule et vit les jambes de Brunstetter flanquées de Leetu d'un côté et de Dar de l'autre. Les hurlements des schoergs sauvages suivirent Kale, résonnant comme un rugissement régulier dans le tunnel.

Son orteil heurta une tige pratiquement dissimulée dans le sol, et elle vola sur le côté, se cognant contre le mur et une barre en métal verticale. Elle tomba en plein visage. En se relevant péniblement sur les genoux, elle fixa le plancher derrière elle.

Le levier! J'ai renversé le levier. Elle regarda les murs autour d'elle. *Il ne se passe rien. Il ne fonctionne plus.*

Puis, le sol trembla. Les murs aussi. Un bruit perçant de raclement rempli l'air autour d'elle.

Elle bondit sur ses pieds et se cogna la tête au plafond alors qu'il s'abaissait et se déformait. Ses jambes cédèrent sous elle pendant que le sol bougeait aussi, s'élevant et se tordant.

En courant, s'accroupissant, tombant et rampant, Kale réussit à sortir et bascula dans une congère. Elle pivota et fixa le tunnel avec son ouverture de quinze centimètres en plein milieu. Le levier barrait le trou de ce côté de la porte d'entrée.

Ils sont emprisonnés!

Kale revint vers le tunnel pour soulever le levier. L'œuf meech sur son dos frappa le haut du tunnel rétréci. Elle recula, glissa son corps hors de la cape en bandoulière et laissa l'œuf et les dragons en tas à côté de l'entrée. Elle rampa dans le tunnel. Après seulement quelques mètres, elle dut s'allonger sur le ventre et se tortiller pour s'approcher du levier. À travers la petite ouverture, elle entendait la clameur du combat.

Elle arriva à un endroit trop étroit pour ses épaules, sans pour autant être capable d'attraper le levier. Elle tendit un bras aussi loin que possible devant elle et réussit à s'approcher de deux centimètres. Le bout de ses doigts se trouvait à cinq centimètres de son but.

Elle poussa avec ses pieds, ses genoux. Elle se tortilla et gagna deux centimètres.

— Je dois l'atteindre. Ils ne peuvent pas sortir.

Elle fournit un effort supplémentaire, égratignant ses épaules sur le roc.

— Je dois le bouger. Je dois…

Le levier bondit vers elle. Elle enroula ses doigts fermement autour et tira. Il ne céda pas. Elle poussa. Rien. Elle le secoua d'avant en arrière, et le levier glissa de deux centimètres sur la droite. Elle essaya encore, et il s'enfonça davantage dans le mur. Le sol trembla sous elle et se déplaça vers le côté. Kale roula. La porte commença à s'ouvrir.

Pendant que le cercle s'agrandissait, Kale vit la bataille frénétique qui se jouait pour la vie à l'extrémité de la grotte du tunnel. Des éclairs de lumière témoignaient de l'activité des kimens. Ou était-ce le magicien qui utilisait un sortilège de boule de feu ? Kale entendit des épées fendre l'air et le bruit mat du choc sur le corps dur des schoergs.

— Leetu ! Dar ! La porte est ouverte. Dépêchez-vous !

Son cri se fit à peine entendre au-dessus d'un deuxième tremblement des rochers autour d'elle. Le mur de pierre à côté de Kale éclata et s'effondra en une grosse masse de graviers, de sable et de pierres de la grosseur d'un poing. Le sol sous ses pieds se souleva. Elle glissa vers l'extérieur de la montagne.

— Dar ! Fenworth !

Un rocher s'écrasa à côté d'elle et emprisonna une de ses jambes de pantalon. Kale tira comme une forcenée, déchira le tissu et se précipita hors du tunnel. Elle tenta de se lever, mais le sol en mouvement la rejeta à quatre pattes sur le sol. Elle essaya d'essuyer la poussière autour de ses yeux avec une manche de sa blouse incrustée de saleté. Elle se tourna et vit une crevasse s'ouvrir derrière elle. La neige blanche déboula dans la brèche pierreuse qui s'élargissait.

La cape en tas glissa hors de la portée de Kale et vers la crevasse.

— Non !

Kale plongea vers la cape de rayons-de-lune et la manqua.

Gymn ! Metta ! Volez vers moi ! Les œufs !

Kale s'agita dans la neige, essayant de rattraper la cape qui glissa vers l'orifice sombre. La montagne continuait de s'étirer pour briser ses limites. Le sol céda sous Kale. Elle s'enfonça, et la neige tomba en cascade sur elle en l'enterrant. Dès que ses pieds touchèrent quelque chose de solide, elle se débattit pour remonter. Quand elle refit surface, la cape et son contenu s'étaient enlisés sous un buisson. Les branches dénudées frissonnaient sous les vibrations de la terre. Kale avança à tâtons vers eux, déterminée à arracher ce précieux paquet aux branches.

La montagne s'apaisa. Le sol redevint immobile. Kale se hissa sur ses jambes et plongea dans la neige qui s'était déplacée. Elle trébucha, mais tomba par en avant, et sa main attrapa l'étoffe lisse de rayons-de-lune. En rampant vers l'avant, elle tira de toutes les forces qui lui restaient. L'enchevêtrement de branches d'hiver la retenait comme des doigts osseux.

Un hurlement résonna à travers les rochers sous elle, comme le cri de mort d'un monstre hideux. La terre s'éleva sous elle une dernière fois et une fissure s'ouvrit à la droite de ses pieds. Kale fut précipité en avant par le mouvement vif de la montagne, et la cape lui fut violemment arrachée des mains. La cape et le buisson volèrent dans les airs dans la direction opposée.

Kale était allongée sur le dos, fixant le ciel bleu éclatant. Un nuage blanc esseulé flottait paisiblement au-dessus de la montagne torturée.

Se détournant du ciel tranquillement moqueur, la jeune o'rant s'assit et rampa jusqu'au bord du gouffre nouvellement formé. Elle tendit l'esprit vers Gymn et Metta.

Le vide.

Elle essaya de communiquer avec l'œuf meech.

Le néant.

Des larmes coulèrent librement sur ses joues. Des voix lui firent tourner la tête pour fixer l'entrée difforme de la vieille mine tumanhofer. Dar et Leetu étaient assis avec un Fenworth roussi entre eux. Lirettowit gisait de tout son long avec Brunstetter agenouillé par-dessus lui. Des volutes de fumée s'élevaient de ses vêtements brûlés. Il portait une moustache et une barbe de plusieurs jours. Les kimens examinèrent le bibliothécaire avec leur rapidité et efficacité habituelles. Lee Ark, ensanglanté et fatigué, boita vers Kale.

— Tu nous as sauvé la vie, jeune o'rant.

— J'ai perdu la cape.

Elle détourna ses yeux de lui et les baissa vers les bords déchiquetés de la gorge de la montagne.

Lee Ark ne répondit pas. Elle ne pouvait pas dire qu'elle avait perdu les dragons nains et l'œuf meech. Les mots se coinçaient dans sa gorge, derrière une boule qui lui coupait le souffle et la voix.

Un sanglot brisa l'étranglement. Elle se pencha en avant et pleura à chaudes larmes.

La voix calme du marione l'enveloppa.

— Nous allons fabriquer deux litières, pour le magicien et le tumanhofer. Nous aurons bientôt de l'aide venant de la vallée o'rant. Ils auront remarqué les perturbations et envoyé du secours.

Il la quitta et partit s'occuper de questions d'ordre pratique. Kale le vit partir à travers un brouillard de larmes.

Ils devraient continuer sans moi. Je ne veux plus aller plus loin. Je ne veux plus rien. J'ai échoué. Oh! Gymn et Metta, je me suis montrée négligente envers vous. Paladin, je suis désolée.

49

La maison

Des mains o'rant soulevèrent Kale de la neige. Quelqu'un enroula une robe en laine polaire autour de son corps contusionné. D'autres mains o'rant se joignirent aux premières pour la faire passer avec une tendre précaution à l'arrière d'un dragon bleu et doré. Des bras o'rant la portèrent pendant le trajet en bas de la montagne et dans la vallée.

Une odeur d'agrumes collait aux vêtements de ses sauveteurs. Le parfum piquant et légèrement sucré avait toujours embaumé la literie de Kale à la maison. L'odeur du terroir parfumait la peau des mariones. Très jeune, Kale avait remarqué que sa peau sentait différemment de celle des bébés qu'elle berçait pour les mères du village.

Kale s'installa confortablement contre le torse puissant de l'homme o'rant qui la tenait délicatement enveloppée dans les couvertures douces embaumant les agrumes. Le chagrin dans son cœur l'incitait à se plonger dans l'impression qu'elle avait de se retrouver entourée par une étrange familiarité. Kale ne voulait pas essayer de comprendre. Elle ne désirait pas trop réfléchir. Elle ferma les paupières et s'enferma dans son monde.

Elle s'éveilla dans un lit chaud et confortable, dans une pièce aux murs peints et ornée d'un tapis sur le plancher. De la chaleur irradiait d'un feu crépitant dans un foyer de briques. Un paysage peint dans un cadre doré était suspendu au-dessus d'un manteau de cheminée en chêne. Des rideaux drapaient les fenêtres. Des rayons de soleil dansaient à travers les nombreux panneaux de verre biseauté installés dans des châssis à guillotine finement sculptés.

La pièce sentait le citrus.

Kale s'assit et regarda par la fenêtre. Un manteau de neige épaisse enveloppait la campagne. Deux murs de pierre surmontés d'une calotte mousseuse s'éloignaient le long d'une route de campagne en ligne droite. Des arbres aux branches dénudées dans un verger retenaient des flocons de neige givrée. Le soleil faisait jeter des étincelles à la myriade de minuscules cristaux de glace revêtant tous les champs, arbres, buissons et bâtiments.

Kale ferma les yeux devant l'éclat de cette magnificence.

Il ne devrait plus y avoir de beauté dans le monde.

Un sifflement joyeux et des pas légers annoncèrent l'arrivée d'une personne derrière la porte en bois polie. Un petit coup, suivi du bruissement de la porte glissant sur le tapis épais, précéda un « bonjour » enjoué.

Une o'rant entra avec un plateau muni de pattes pour permettre son installation au-dessus des genoux de Kale. La femme portait une jupe d'un bleu profond avec un petit veston assorti, une blouse ivoire en dessous, et un bonnet de dentelle sur sa tête. Elle sourit de ses dents blanches et droites, jolies et naturelles dans son visage agréable. Quelques rides s'étiraient de ses yeux et autour de ses lèvres, comme si elles avaient été gravées par des années de bonne humeur amicale.

— Du thé et des rôties.

La femme traversa la pièce d'un bon pas.

— Puis, encore du sommeil pour toi. Tu n'as pas à te lever aujourd'hui ni demain si tu ne le souhaites pas.

Elle déposa le plateau sur la table de chevet.

— Allez, laisse-moi t'aider à redresser ces oreillers pour te permettre de t'asseoir correctement et de manger un peu.

Elle attrapa trois oreillers et les empila contre la tête de lit.

— Essaie ceci.

Elle tendit la main vers le plateau.

— Mon nom est dame Sanci Moorp. Je suis la gouvernante en chef ici aux Résidences Ornopy.

Kale se laissa tomber sur les oreillers en tirant les couvertures sur elle. Elle fixa ses mains.

— Je suis propre.

Elle leva son bras devant elle et examina le lin fin de la manche de sa chemise de nuit.

— Comment?

— Oh, tu étais vraiment très fatiguée quand tu es arrivée tard hier après-midi.

Sanci Moorp posa le plateau par-dessus les jambes de son invitée et versa une tasse de thé. Elle plongea deux cuillères à café pleines de sucre blanc fin dans le breuvage et brassa vigoureusement. La cuillère en argent tinta dans la porcelaine.

— Tu ne te souviens pas avoir trempé dans la baignoire?

Kale secoua la tête.

— Bois ceci, à présent. Il contient des herbes pour t'aider à dormir et à guérir.

Dame Moorp s'assit sur la chaise et regarda Kale soulever la tasse et avaler une gorgée. Le bonnet de dentelle s'agita sur la tête de la gouvernante quand elle acquiesça en guise d'approbation.

— Tu étais complètement gelée. Vous l'étiez tous. Votre magicien a contracté un rhume. Le tumanhofer a les jambes cassées. Des coupures et des ecchymoses comme je n'en avais jamais vues, sur tous tes amis. Mais ils se rétablissent. Nous avons de bons médecins dans la vallée. Librettowit devra remettre les aventures à plus tard. Il ne semble pas s'en soucier, toutefois. Il marmonne à propos de livres et il s'est montré vraiment enchanté quand j'ai demandé à un valet de pied de lui apporter des bouquins de la bibliothèque du seigneur Ornopy. Le gentilhomme tumanhofer ne peut pas s'asseoir pour le moment, mais il paraît réconforté par la pile d'épais volumes sur sa table de chevet.

— Il est bibliothécaire.

Kale parla, la bouche pleine de rôti.

— C'est ce que l'on m'a dit. Et qu'il ne mène pas de quêtes. Votre magicien est un très vieil homme. Je ne crois pas que c'était la chose la plus sage pour lui que de partir aussi en quête. Cependant, les magiciens sont dotés d'une endurance remarquable. Espérons que le repos et la bonne nourriture suffiront à le remettre sur pied.

— Dar ?

— Le doneel ?

Devant le hochement de tête de Kale, elle sourit.

— Oh, j'adore les gentils doneels. Ce sont des invités tellement agréables. Il est occupé à regarnir sa garde-robe. Il a demandé du tissu et du fil. Ses pieds ont été blessés, et il avait une plaie ouverte sur le dos.

Kale eut le souffle coupé.

— Pas si terrible, la rassura dame Moorp. Plus qu'une égratignure, moins grave que cela aurait pu être. Il est satisfait de suivre sa petite routine dans sa chambre jusqu'à ce qu'il ait rassemblé quelques vêtements adéquats.

Elle bondit sur ses pieds pour remplir la tasse de thé vide de Kale.

— Tes autres amis dorment. Même les kimens. Du moins, je le suppose. Ils prennent soin d'eux-mêmes, tu sais. J'ai quand même pu leur servir quelques-uns de mes gâteaux sucrés, et du jus de baies que j'ai fait l'été dernier. Ce sont de petites créatures tellement adorables.

— Leetu Bends va bien ?

— L'émerlindian ?

— Oui.

— Elle dort, et tu devrais faire de même. Tu commences à avoir sommeil, non ?

Kale acquiesça et leva une main pour dissimuler un énorme bâillement.

Dame Moorp sourit de satisfaction et retira le plateau.

— Installe-toi encore confortablement, et quand tu t'éveilleras, j'aurai un bon bol de chukkajoop pour toi.

Kale se glissa dans les couvertures en renversant deux oreillers sur le côté dans le grand lit.

— Dar m'a dit un jour que le chukkajoop est le plat national des o'rants. Je n'en ai jamais goûté.

Dame Moorp gloussa.

— Et bien, si nous avions un plat national, j'imagine que ce serait le chukkajoop.

Elle plissa les lèvres en une moue comique.

— Les doneels adorent taquiner. Et ils font d'excellents amis. Tu es chanceuse de le compter parmi tes compagnons. Il s'est inquiété pour toi.

Les regrets s'immiscèrent dans le bien-être de Kale. Elle n'avait pas été une très bonne amie pour aucun de ses camarades. Cette pièce, cette nourriture, la gentille attention de la gouvernante, rien de cela ne devrait être gaspillé pour elle.

— Je ne mérite pas d'être si bien traitée.

Dame Moorp fronça sévèrement les sourcils devant sa jeune protégée.

— Dans cette maison, nous n'attendons pas qu'une personne mérite d'être traitée avec décence, ma chère.

Sa voix portait une trace de dureté, et Kale comprit qu'elle avait d'une façon ou d'une autre offensé la femme.

— Je suis désolée. Je ne voulais pas…

L'expression de dame Moorp s'adoucit.

— Non, ma chère. C'est moi qui devrais présenter mes excuses. J'oublie que l'on ne t'a pas enseigné les manières des o'rants. Mais cela va changer. Tu peux rester ici tant que tu le désires. Le seigneur Ornopy a déjà déclaré qu'il t'accueillerait comme l'une de ses filles. C'est un homme généreux, et ton histoire a touché son cœur.

— Mon histoire ?

Kale se débattit contre le sommeil qui l'emportait loin des paroles de dame Moorp.

— Qui lui a raconté mon histoire ?

— Mais Paladin, ma chère. Il faisait partie de ceux qui sont allés à votre rescousse.

— Paladin ?

Kale tenta de s'asseoir encore, mais elle n'arrivait même pas à garder les paupières ouvertes. Des larmes glissèrent sur ses joues. Elle ne voulait pas affronter Paladin. Il serait tellement déçu d'elle.

— Repose-toi, ma chère, et guéris.

Le bruissement de la porte qui s'ouvre et se ferme sur le tapis suivit les douces paroles de dame Moorp.

L'arôme piquant d'un mets savoureux tira Kale de son profond sommeil. Le feu crépitait et pétillait, réchauffant la chambre autant par sa lueur dorée que par sa chaleur agréable. Dans la chaise où s'était assise dame Moorp plus tôt, un homme se reposait, sa tête sur le haut dossier rembourré. Ses longues jambes s'étiraient droit devant et ses pieds chaussés de bottes cirées noires se croisaient aux chevilles. Kale cligna des paupières et regarda attentivement pendant que la lumière des flammes dansait sur ses traits.

— Paladin !

Elle s'assit vivement.

Ses yeux s'ouvrirent lentement, et un doux sourire para ses lèvres.

— Petite Kale, c'est bon d'entendre ta voix.

Il tendit la main vers un bol posé sur la table à la hauteur de son coude.

— Dame Moorp t'a fait porter du chukkajoop. J'ai moi-même une préférence pour ce ragoût, et dame Moorp cuisine l'un des meilleurs qu'il m'a été donné de goûter.

Kale croisa les jambes sous la couverture et s'empara du bol en céramique épaisse. Il entrait dans une main, et la chaleur se répandit dans les doigts de cette main quand elle leva la cuillère avec l'autre. Sa faim se réveilla devant l'odeur du plantureux ragoût sombre. Elle en prit une grosse bouchée et se délecta.

— *J'aime* cela.

— Tu as l'air étonnée.

— Dar a dit qu'on le cuisinait avec des ingrédients venant de sous la terre. Seulement des racines et des trucs de ce genre.

— Les doneels.

Paladin secoua doucement la tête. Le sourire sur ses lèvres s'élargit.

Kale prit une seconde bouchée et regarda dans le bol. Il n'y avait pas assez de lumière pour qu'elle voie bien son contenu.

— Il a aussi affirmé qu'il était rouge sang.

Une bougie sombre grésilla sur la table. Une flamme surgit brusquement sur la mèche non allumée. Paladin la souleva et la tint au-dessus du bol de Kale.

— C'est vrai !

Kale lança un grand sourire à Paladin.

— Le bouillon est rouge.

— Mange-le, Kale. C'est bon pour toi.

Paladin s'installa confortablement dans la chaise pendant qu'elle vidait son bol et cueillait les dernières gouttes au fond avec sa cuillère. Elle lui remit le bol vide, et il le déposa sur la table. C'est seulement à ce moment-là qu'elle fut frappée de consternation parce que Paladin lui-même l'avait servie et qu'il s'était assis en silence pendant son repas. Elle n'avait même pas entretenu une conversation polie avec lui comme le faisaient les mariones autour de leur table bien mise pour les invités de marque.

— Voyons, Kale.

Sa voix contenait une note de réprimande.

— Nous nous sentions très à l'aise l'un avec l'autre. Pour-quoi es-tu tendue à présent et pourquoi as-tu l'air malade ? Est-ce que le chukkajoop t'a dérangé l'estomac ?

Elle savait que la dernière question était une plaisanterie. Cela ressemblait beaucoup à une chose que dirait Dar. Bien sûr que le délicieux ragoût ne l'avait pas rendu malade. Kale baissa les yeux vers ses mains jointes sur ses genoux. *Que veut-il que je dise ? Que devrais-je dire ?*

Seuls trois mots lui venaient à l'esprit.

— Je suis désolée.

— Désolée ?

Il arqua un sourcil en la regardant.

— Gymn et Metta sont morts.

— Je sais ce qui est arrivé à Gymn et Metta.

— J'ai perdu l'œuf meech.

— Je sais ce que tu as fait.

— J'ai trébuché sur le levier et entraîné la fermeture de la porte. Quand je l'ai rouvert, elle s'est écroulée. Tout s'est écroulé.

— Je sais.

— Je n'ai pas fait une seule chose correctement. Et Gymn et Metta sont morts.

— C'est Wulder, le responsable de la vie dans notre monde, Kale. Il la donne et Il la reprend. Et quand Il prend la vie à l'une de Ses créatures en ce lieu où nous sommes, Il la déplace avec d'infinies précautions vers un autre endroit dont nous savons peu de choses. Tu n'es pas assez puissante pour avoir la responsabilité de donner et de prendre la vie. Ni ta vie. Ni celle de Gymn. Ni celle de Metta.

Kale frotta ses joues avec le revers de sa main pour essuyer les larmes. Paladin lui offrit son mouchoir.

— Mouche ton nez, lui ordonna-t-il avec gentillesse.

Le bruit embarrassa Kale, mais tout la gênait quand elle se trouvait avec Paladin. Il devrait rendre visite au magicien Fenworth, à Leetu ou à Dar. Pas à elle.

Paladin tendit les bras et prit ses mains dans les siennes. Il se pencha en avant et il esquissa un petit sourire tendre qui, elle ne sut pourquoi, la réchauffa d'un amour paisible.

— Je souhaite ta compagnie, Kale. Tu es plus qu'une servante pour moi. Tu es mon amie, mon enfant, ma vision de l'avenir.

Elle secoua lentement la tête de droite à gauche. Paladin ne pouvait pas avoir tort. Mais ce qu'il disait n'avait aucun sens. Elle était une esclave qui ne suivait même pas très bien les ordres. Elle ne faisait pas la bonne chose. Elle entraînait toute sorte de problèmes. Elle causait de terribles événements.

— Kale, que s'est-il passé la première fois que tu as découvert l'œuf meech et tenté de t'en éloigner ?

— J'étais collée.

Paladin acquiesça.

— Parfois, nous ne pouvons pas nous détourner de nos responsabilités. Que s'est-il passé quand tu as laissé la cape pour revenir dans le tunnel ouvrir la porte ?

— Rien. C'est-à-dire, l'œuf ne m'a pas retenue.

— Il arrive que la priorité change dans nos responsabilités. Ce qui est crucial pendant un moment descend au deuxième, voire au troisième rang dans d'autres circonstances.

Kale plissa le front en essayant de comprendre.

Paladin serra sa main.

— Qu'attendait Wulder de ta part, selon toi ? Que tu restes assise à étreindre l'œuf meech ou que tu tentes de venir en aide à tes amis ?

— Venir en aide ?

Paladin acquiesça.

— Tu as bien agi, Kale. Tu ne t'es pas assise pour y réfléchir. Tu as bondi sur tes pieds et tu as fait la bonne chose. Tu es une meilleure personne que tu crois.

— Mais c'était ma faute.

— Tu as le pouvoir de briser une montagne en deux ? Incroyable ! Je pensais que tu n'étais qu'une esclave.

L'étincelle dans ses yeux effaçait la piqure de ses paroles.

Un sourire joua sur le coin de la bouche de Kale.

— J'imagine que non.

— Tu dois prendre des décisions maintenant, Kale.

Paladin relâcha ses mains et se cala dans sa chaise.

— Tu peux retourner au Manoir avec Dar. Ou tu peux t'installer ici dans la vallée o'rant. L'un ou l'autre de ces choix me convient. Si tu vas au Manoir, tu seras formée, et l'on exigera beaucoup de toi.

« Si tu restes, tu en apprendras beaucoup sur ton peuple. Ta route sera parsemée d'événements, et tu devras apporter ton aide à des amis et même à des étrangers.

Paladin soupira. Il semblait satisfait et à l'aise, nullement troublé par les mauvais magiciens et tout le mal qu'ils arrivaient à engendrer.

— Cet endroit est plus paisible. Les probabilités d'aventures sont moins élevées. Mais tu seras toujours ma servante. Je serai content de toi. Tu m'appartiens, Kale, et je ne dédaigne pas ceux qui m'ont rendu service. Tu ne t'ennuieras pas ici non plus. Il y aura beaucoup de possibilités de faire le bien.

« Tu ne dois pas prendre ta décision ce soir. En fait, tu peux attendre au printemps.

Il se leva et s'étira.

Kale l'observa. Son corps solide découpé par le feu ressemblait davantage à celui d'un jeune homme ; pourtant, Paladin vivait depuis avant la bataille d'Ordray. Ses yeux s'arrondirent en y pensant. Le magicien Fenworth avait lui aussi le même âge. Paladin était spécial de plusieurs façons incompréhensibles pour Kale et il l'avait proclamée son amie, son enfant.

Elle baissa le regard sur ses mains calleuses et égratignées. Elle ne semblait pas une bonne candidate pour servir au Manoir.

— Je n'ai pas beaucoup aimé mener une quête, dit-elle, sa voix à peine plus forte qu'un murmure.

Paladin hocha la tête. Il ne paraissait ni surpris ni embêté par son aveu.

Kale se rappela les paroles de Fenworth. « Les quêtes sont souvent inconfortables. »

Paladin sourit, et Kale sut qu'il reconnaissait la réflexion du magicien.

— Imprévisible, ajouta-t-il.

Kale fit signe que oui en le regardant dans les yeux, consciente qu'il ne la condamnerait pas pour son choix, peu importe lequel.

Il partit en emportant le bol vide. Kale se leva du lit et s'assit sur la banquette sous la fenêtre, posant un regard admiratif sur le paisible paysage campagnard. Sa couverture de neige fraîche brillait sous la pleine lune dans le ciel dégagé.

Il doit y avoir un million d'étoiles dans ce ciel. Librettowit a dit que Wulder connait chacun de leur nom. Paladin connait mon nom… *et Wulder également.* Elle rentra ses orteils gelés sous la longue chemise de nuit. *Je n'ai pas à faire un choix ce soir. Je n'ai pas à prendre ma décision avant le printemps.*

━◆ ◆━

Les jours suivants offrirent à Kale un merveilleux sentiment d'appartenance. Elle s'assit avec les filles Ornopy et apprit à coudre avec Dar. Librettowit les régalait pendant des heures avec des récits et leur enseignait l'histoire. Ils dansaient avec les kimens et exécutaient des corvées avec dame Moorp. Et les corvées n'étaient pas pénibles, mais amusantes en raison de la camaraderie.

Librettowit et Fenworth racontaient des légendes et des chroniques des temps anciens. Leetu et Dar faisaient la démonstration d'exploits de jonglerie. Tout le monde s'y essaya, mais cela finit plus souvent en fou rire qu'en rattrapant les objets lancés dans les airs. Brunstetter et Lee Ark connaissaient un nombre ahurissant de jeux. Des gens de la maison et des invités jouaient tous les après-midi dans la lumière de la verrière. Satisfaite, Kale appréciait chaque moment qu'elle passait en tant que membre de cet entourage heureux.

Les jours s'allongèrent. Les crocus et les pousses printanières montrèrent le bout de leurs têtes colorées à travers la dernière neige. Les oiseaux revenus du sud pour commencer à bâtir leurs nids volèrent de nouveau dans la vallée o'rant. Des agneaux, des veaux et des poulains gambadaient dans les pâturages.

Kale prit sa décision.

Un jour que la brise chassait les nuages gonflés qui avaient arrosé les champs nouvellement ensemencés, elle observa les pentes escarpées du plus petit sommet du mont Tourbanaut et elle soupira.

— J'ai d'abord une chose à faire, dit-elle à la route désertée. Je dois aller trouver l'œuf meech ou ce qu'il en reste.

Elle ne regarda pas derrière elle pour voir les murs clairs et massifs des Résidences Ornopy. Elle n'y retourna pas pour prendre des provisions dans les placards bien garnis de la cuisine. Elle enroula autour de ses épaules le châle qu'elle avait tricoté au bord de l'âtre de dame Moorp. Elle fixa les yeux sur son objectif et entreprit la longue marche pour revenir à l'entrée détruite de la vieille mine tumanhofer abandonnée.

50

Tous pour un

Des eaux boueuses tourbillonnaient dans les rivières descendant de la montagne. Avec le dégel du printemps, la neige fondue lavait les pentes à grande eau en créant des ruisselets qui couraient côte à côte et formaient des ruisseaux qui dégringolaient, et des rigoles rapides et tranquilles. De minuscules fleurs blanches, nommées rosées des montagnes, poussaient sur des plantes ressemblant à de la mousse couvre-sol.

L'odeur de l'herbe tendre, de la terre humide et de la rosée sucrée emplissait Kale d'enthousiasme. Elle grimpa rapidement des sentiers bien usés par les bergers et leurs troupeaux. Lorsque le soleil commença à décliner à l'ouest, elle s'arrêta pour examiner la campagne à présent étendue à ses pieds. Avec un soupir, elle s'assit sur un rocher et admira avec satisfaction la vallée des o'rants. Elle trouva facilement les Résidences Ornopy, trois beaux édifices entourés d'une élégante clôture en fer forgé avec une route droite s'étirant devant son portail d'entrée.

Cela a été un foyer pour moi comme je n'en ai jamais eu auparavant. Cependant, Paladin a revendiqué mon cœur et ma vie. Je veux aller au Manoir.

Elle se leva et entreprit l'escalade plus ardue pour gravir le granit brisé et les rochers escarpés déplacés. L'air frais de la montagne pénétrait ses habits. En frissonnant, elle regretta de ne pas avoir apporté un vêtement un peu plus pratique que le châle.

La cape en rayons-de-lune de Mamie Noon a toujours gardé mon corps au chaud. Je dois trouver la cape et les œufs.

Son pied glissa sur quelques cailloux. Quelques-uns tombèrent dans sa botte. Elle s'assit pour les retirer et secouer les débris, mais dès que son postérieur toucha le sol, elle bondit sur ses pieds.

Kale fronça les sourcils et se pencha pour se rasseoir. Ses jambes se redressèrent, et elle esquissa deux autres pas vers la montagne. Tous les muscles de son corps se tendaient pour avancer.

— Les œufs ! Les œufs m'attirent à eux !

Elle poussa un cri de joie et sourit largement.

— Je vais les trouver. Je vais les trouver sans aucun doute.

Kale grimpa avec plus d'énergie pendant que le soleil couchant faisait place à la lune. Elle atteignit un plateau qui lui parut vaguement familier. Quand elle remarqua l'entrée tordue de la mine tumanhofer, elle comprit pourquoi. Elle tourna le dos à la bouche obscure béante et se dirigea vers la falaise où la cape en rayons-de-lune et son précieux contenu avaient glissé par-dessus le rebord.

Le clair de lune brillant projetait sur la région un parfait mélange d'ombres et de lumière. À droite se trouvait une pente formée de rochers que Kale pourrait plus facilement descendre que l'endroit à ses pieds. Elle esquissa quelques pas dans cette direction. Une lueur au fond de la crevasse attira son attention.

Un nuage luisant planait à la base de l'éboulis de rochers. Il se déplaçait constamment. Les bords amincis finissaient par disparaître. Le centre restait stable, une masse plutôt ronde d'étrange lumière verte.

— Je n'aime pas trop cela.

Kale exprima ses doutes alors même que ses pieds avançaient vers la descente plus facile et la mystérieuse luminescence.

La randonnée et l'escalade de la journée, le manque de nourriture et l'air froid de la nuit commencèrent à l'affaiblir. Elle essaya de chanter certaines des chansons de marche de Dar pour rester éveillée. Elle s'efforça de ralentir le rythme que lui imposait l'attraction de plus en plus forte de l'œuf meech.

Elle grommela pour elle-même :

— Ce n'est pas le moment de t'endormir, tu descends sur le flanc d'une crevasse.

La sensation presque oubliée d'un petit coup dans son esprit la prit par surprise. Elle s'assit avec un bruit sourd sur une roche dure et escarpée.

— Aïe !

Même la douleur ne pouvait pas masquer la chose qui la tracassait sans cesse dans sa tête.

— Gymn ?

Elle se leva.

Gymn !

Kale descendit les rochers avec précaution. Les pensées de Gymn, puis de Metta la bombardèrent. Elle ne dormirait plus à présent, mais elle trouvait quand même difficile de se concentrer pour savoir où poser le pied en toute sécurité.

Ralentis. Je ne comprends pas tout.

Tu vas bien, et Metta aussi.

L'œuf meech se porte bien.

Le ver est une peste.

Le ver ?

Kale frissonna quand elle reçut de Gymn l'image du ver — gros, gluant et les traquant paisiblement. Kale eut la vision des deux dragons nains ramassant des cailloux et volant au-dessus d'un ver rond. Ils les lâchaient sur la bête qui se tortillait. La bombarder décourageait ses avances, et en ondulant, elle reprenait sa place dans les murs de pierre. Selon le compte-rendu de Metta, cela était fréquent. Ils crachaient aussi sur la créature, laissant sur le ver des taches vertes et violettes qui lui faisaient mal et l'incitaient à s'en aller.

Donc, il est très stupide et tenace.

Kale gloussa en entendant la tirade de Gymn.

Et tu es content que j'arrive, parce que toi et Metta en avez assez.

C'était tellement bon de recevoir les réflexions instables et chaotiques des dragons nains à travers son propre schéma de pensées. Kale rit tout haut.

Elle apprit que Metta et Gymn avaient passé un hiver confortable dans une caverne qui bénéficiait de trois sources d'eau chaude et de nombreux insectes et petits rongeurs. Les dragons nains savaient qu'elle reviendrait les chercher. Ils s'étaient fait un devoir de protéger l'œuf meech du ver. La mention du ver précipita Gymn dans une autre longue description de la traque constante de la bête maladroite. Apparemment, quand il capturait une victime, le ver s'enroulait autour et s'endormait, absorbant le captif directement par sa peau suintante.

Kale grimaça de dégoût. De toute évidence, lorsqu'on hiberne dans une caverne, le ver est une présence indésirable.

Elle atteignit le fond du ravin. Des pierres brisées jonchaient le sol. Elle tâtonna pour avancer vers la brume luisante. L'air désagréable sentait le renfermé. Il lui piqua les yeux en chemin. De l'autre côté, un trou dans le roc offrait une entrée vers la caverne où Gymn et Metta protégeaient l'œuf meech. Kale entendit son bourdonnement, profond, régulier et fort. Quand elle entra dans la salle derrière la brume, l'air chaud lui colla à la peau. Des veines de minerai de pierre-soleil marbraient les murs de la caverne, jetant une lumière bleue constante.

Gymn et Metta volèrent pour l'accueillir. Des larmes de joie glissèrent sur les joues de Kale. Elle prononça une prière de reconnaissance à Wulder pendant qu'elle collait chacun des corps minces des petits dragons contre son visage. Elle marcha, avec eux sur ses épaules, et s'effondra à côté du buisson retenant sa cape et l'œuf meech. Là, elle caressa doucement le dos écaillé des deux dragons jusqu'à ce qu'elle se sente calme et reposée.

Pendant que Metta fredonnait une chanson de réjouissance, le moral de Kale se raviva. La petite partie de son cœur qui restait insatisfaite alors même qu'elle prenait plaisir à la compagnie de son peuple se sentait maintenant en paix. Le toucher guérisseur de Gymn chassa la douleur de sa fatigue.

Avant de s'installer pour la nuit, elle cassa avec précaution les branches mortes du buisson qui emprisonnaient la cape et l'œuf. Elle explora les poches et trouva les six œufs de dragon non éclos sains et saufs. Elle plongea la main dans les cavités et découvrit des trésors provenant de ses voyages et de Mamie Noon. Elle s'enveloppa avec la cape en rayons-de-lune, et l'air collant de la caverne ne la gêna plus. Metta lui assura qu'elle pouvait boire l'eau de source, et elle étancha sa soif. Et enfin, elle s'allongea, se blottit contre l'œuf meech bourdonnant et permit aux douces vibrations de bercer son sommeil. Les dragons nains monteraient la garde à tour de rôle pendant la nuit pour surveiller une visite éventuelle du ver.

Kale fut réveillée par les bonds de Metta sur son épaule et son pépiement d'alarme. La lumière du jour filtrait dans la caverne. Kale vit nettement l'énorme ver aller de l'avant lentement à travers l'espace à découvert. Des vers au bout d'un hameçon n'avaient jamais offert un beau spectacle. Un ver de la longueur de six vaches avançant l'une derrière l'autre poussa Kale à s'asseoir pour le fixer. De la chair gris-rose ondulait alors que la créature progressait centimètre par centimètre. Elle se déplaçait poussivement, serpentant et glissant vers un arbre près de l'une des sources.

Kale cligna des paupières à la vue du petit arbre trapu. Elle ne se rappelait pas l'avoir remarqué la nuit précédente. Un enchevêtrement de mousses longilignes pendues à l'un des côtés incita Kale à s'asseoir plus droit et à plisser les yeux devant les branches épaisses.

— Magicien Fenworth !

Metta et Gymn la quittèrent et volèrent vers l'arbre. Ils décrivirent des cercles autour de Fenworth tout en pépiant avec de petits cris aigus. Kale se leva et attrapa une longue branche qu'elle avait cassée la nuit précédente sur le buisson mort. Elle attaqua le ver et le frappa à la tête. Il recula et se détourna. Son retranchement fut lent et maladroit.

— Et bien, si je dois affronter seule un ennemi, ce ver conviendra.

Gymn atterrit sur son épaule et l'admonesta.

— Excuse-moi, dit Kale. Bien sûr que je n'étais pas seule.

Fenworth s'étira et commença à ressembler davantage à un magicien. Il bâilla et secoua la tête. Ses cheveux et sa barbe volèrent autour de lui.

— Tut tut. Je ne devrais pas dormir assis à mon âge. Cela me cause des problèmes musculaires dans les épaules.

— Bon matin, magicien Fenworth, dit Kale. M'avez-vous suivie hier ?

— Suivie ?

Le magicien se racla la gorge.

— Je ne t'ai pas suivie, ma chère. J'ai guidé les autres.

Kale regarda autour de la caverne. Personne ne se tapissait dans l'ombre, autant qu'elle pût en juger.

— Où sont-ils ?

Fenworth jeta un coup d'œil dans les environs avec étonnement.

— Oh zut ; où les ai-je mis ? Non, non, je me souviens. Je suis parti devant. J'étais fatigué de marcher.

Il observa le bout de la queue du ver pendant qu'elle disparaissait dans l'une des nombreuses fissures des murs de la caverne.

— Quelle existence affreuse ! Cela nous rend heureux d'être un magicien.

— Oui, être magicien est de loin préférable à être un ver.

Kale reconnut la voix avant de se tourner pour découvrir le magicien Risto. Stupéfaite, elle remarqua à quel point il ressemblait à Paladin. À peu près de la même stature, leur teint était identique et leurs traits faciaux, semblables.

Depuis l'entrée, il avança d'un pas dans la caverne.

— Mais être un magicien qui a pris sa propre destinée en main est infiniment préférable à être un magicien qui vit pour plaire à un autre.

— Tut tut.

Fenworth secoua lentement la tête. Il délogea un lézard et une souris en agitant sa robe. Comme toujours, des feuilles voltigèrent vers le sol quand il marcha vers Kale et posa une main sur son épaule.

— Il parle de moi, tu sais. Pas dans la première partie, celle où il est question « de prendre sa propre destinée en main ». Dans la deuxième partie, où il est question de plaire.

Il secoua de nouveau la tête.

— Je ne crois pas que Risto m'ait déjà adressé un compliment auparavant. Et vraiment, je devrais lui rendre hommage à mon tour. La politesse, comprends-tu. Mais je ne trouve rien de gentil à dire. Oh zut.

Risto sourit à Fenworth avec dédain. Kale vit disparaître toute ressemblance avec Paladin. Là où la compassion et la sagesse rehaussaient le visage de Paladin pour le rendre séduisant, le mépris de Risto lui composait des traits durs et laids.

Le magicien Fenworth se pencha plus près de l'oreille de Kale.

— Il devait attendre que tu viennes, tu sais. Il ne pouvait pas retrouver seul l'œuf meech, même quand il se trouvait à sa porte, en quelque sorte. Il ne possède pas ton talent pour découvrir les œufs de dragons, ma chère. Cela l'irrite. Il veut être omniscient, tout-puissant. Cela l'irrite qu'une simple jeune o'rant puisse trouver l'œuf meech et qu'il ne le puisse pas. Il a dû te suivre. Cela l'irrite.

Un grognement furieux et guttural s'échappa du magicien maléfique.

— Donne-moi l'œuf meech, vieil homme.

— Oh, je ne peux pas.

Il regarda Kale.

— Peut-être que Kale aimerait…

Kale se découvrit trop effrayée pour parler. Elle secoua la tête.

— Non, dit Fenworth avec tristesse. Je ne crois pas.

— Tu n'es pas de taille à craquer une allumette devant moi, Fenworth.

— Une allumette. Je n'ai pas d'allumette. Je connais un excellent sortilège de boule de feu, mais Librettowit ne veut pas que je l'utilise. Les bibliothécaires peuvent se montrer incroyablement méticuleux pour les détails.

Risto avança d'un pas et rugit :

— Fenworth !

— Oui ?

— Tu m'ennuies avec ton babillage.

— Oh, c'est regrettable. Pourquoi ne vas-tu pas chercher la compagnie d'une personne qui ne babille pas ? Cela m'apparaît comme une bonne solution à ton problème.

— Assez de ces sottises.

Risto traversa la caverne d'un pas vif.

Kale courut.

Elle se lança sur l'œuf et se tendit dans l'attente que Risto l'attrape avec ses larges mains et la projette hors de son chemin. Au lieu de cela, elle entendit des rires : le doux gloussement de Dar et de Leetu, les éclats scintillants des kimens, et les esclaffements francs de Brunstetter et de Lee Ark.

— Déjoué encore une fois.

La voix de Librettowit bouillonnait de joie.

Kale regarda vers l'entrée de la caverne. Ses amis entrèrent à la file et vinrent se tenir près de Fenworth.

— Vous êtes en retard ! déclara le magicien.

— Nous sommes tombés sur un groupe de grawligs en colère, répondit Lee Ark.

Kale roula de l'œuf et s'assit avec un bruit sourd sur le sol dur de la caverne.

— Pourquoi ne s'est-il pas emparé de l'œuf?

Librettowit vint la rejoindre. Il tendit une main et l'aida à se relever.

— Tu te trouvais entre lui et ce qu'il désirait, et tu es la servante de Paladin.

— Je ne suis pas une servante très puissante.

— Aucune importance. Il n'était pas préparé à la résistance.

Le bibliothécaire regarda le magicien frustré. Le visage de Risto devint noir de rage. Les yeux lui sortaient de la tête alors qu'il fixait avec colère la ligne ennemie.

— *Maintenant,* je crois qu'il est prêt. Allons prendre position à côté de nos camarades.

Kale resta près du tumanhofer.

— Y aura-t-il une bataille?

— Davantage une lutte de pouvoir.

Au cours des premières minutes, Kale eut l'impression qu'il ne se passait rien, à part le fait que les magiciens se fixaient beaucoup du regard. Puis, elle remarqua que ses amis disparaissaient. Au début, la couleur de leurs vêtements pâlissait, et ensuite, elle put voir à travers eux comme s'il s'agissait de brume. Elle n'observait plus Risto, mais regardait avec horreur ses compagnons s'évanouir un à un, puis se retrouver remplacés par un nuage luisant vert comme celui à l'entrée de la caverne.

— *Ma petite amie, Kale Allerion.*

Kale leva les yeux vers Risto et constata qu'il avait changé. À présent, il ressemblait encore beaucoup à Paladin.

— *Tout cela a été éprouvant pour toi. Mais tu as réussi. Tu es digne de devenir une de mes fidèles.*

Tu es Risto.

— *Bien sûr que je le suis, chère jeune o'rant. Je suis désolé pour toute cette confusion. Il était nécessaire de m'assurer que tu étais la dernière des Allerion et pas un imposteur.*

Je ne comprends pas.

— *Les Allerion ont toujours travaillé avec moi. On t'a enlevé à nous à la naissance. Nous t'accueillons de nouveau avec joie.*

Kale regarda ses amis pour observer leur réaction par rapport à cette nouvelle. Elle vit seulement des silhouettes brumeuses et luisantes.

Ils ne l'ont peut-être pas entendu parler par télépathie.

— *C'est exact, Kale. Parce qu'ils ne se trouvent pas réellement ici. Tu es seule. Tu l'as toujours été. Tu n'as pas d'amis. Tout cela était une illusion créée par moi. J'ai déployé beaucoup d'efforts pour t'attirer dans notre cercle familial. Et je ne suis pas le seul à attendre ton arrivée.*

Dans sa tête, Kale vit la tourelle d'un château et une femme o'rant assise à la fenêtre, regardant avec nostalgie l'autre côté de la forêt. Kale combattit la panique qui lui enserrait la poitrine.

— *J'ai de l'affection pour toi depuis que j'ai rencontré cette femme qui t'aime.*

La voix de Risto dans l'esprit de Kale calmait sa solitude avec des tons chaleureux et apaisants.

— *Je t'ai protégé lorsque j'ai pu et je me suis tourmenté quand tu as dû souffrir. Tu dois comprendre que si tu viens avec moi, tu assureras non seulement mon bonheur, mais le tien.*

Kale contempla le visage de Risto. Il s'apparentait tellement à Paladin, à l'exception de cette touche de dureté dans les yeux, des rides sévères de désapprobation autour de sa bouche et de sa mâchoire serrée de colère.

— *Crois en moi, Kale. Je vais t'enseigner les merveilles de tes pouvoirs. Personne d'autre ne peut te donner les réponses que tu souhaites, car personne d'autre ne te ressemble. Je suis le gardien parfait pour toi, Kale. Personne ne veut t'aider comme moi. Personne ne le peut sauf moi.*

« *Je serais énormément bouleversé s'il t'arrivait quelque chose et, si tu me quittes, j'ai peur que le désastre t'attende. Tu serais détruite. Il n'y a aucun doute. Prends la bonne décision, Kale. Allez; apporte l'œuf meech et viens.*

Kale se souvint que Pretender avait affirmé aux kimens qu'il dirigeait leur température et qu'il avait le pouvoir de les anéantir. Il avait menti.

Elle se rappela que Leetu lui avait dit que lorsque Risto racontait des mensonges, cela sonnait comme la vérité.

Elle se remémora le conseil de Mamie Noon.

— Je suis sous l'autorité de Wulder.

Kale prononça les mots à voix haute.

Risto grimaça.

Ses amis apparurent sans une seule volute de brume accrochée à leurs habits. Metta chanta. Sa chanson de louanges s'éleva haut et fort. Ses trilles et ses séries de notes retentissaient sur les murs de pierre. Shimeran et Seezle tournoyèrent sur place, puis commencèrent à danser. Dar sortit sa trompette et fit résonner un coup triomphant.

Risto les fixait tous d'un regard furieux.

— Nous avons gagné? demanda Kale au bibliothécaire dans un murmure tout en gardant un œil sur le magicien imprévisible.

Il acquiesça.

— Il a essayé d'affaiblir chacun de nous en esprit avec des mots maléfiques. Nous sommes tous restés fermes dans notre loyauté envers Paladin.

Fenworth posa une main sur l'épaule de Kale.

— Prudence, ma chère. Ne présume de rien. Tut tut, mon cher bibliothécaire. Je crois que tu as parlé trop vite. Regarde le comportement de notre ennemi.

Kale jeta un coup d'œil sur le visage sérieux de Fenworth, puis son regard se porta vers le méchant magicien. L'homme tremblait de rage. À mesure que les secondes s'écoulaient, la tension montait dans son corps. L'énergie de sa haine faisait flamber ses yeux. Kale aurait voulu se cacher derrière quelqu'un. Fenworth et Librettowit, qui étaient sages. Lee Ark, Leetu et Brunstetter, qui étaient forts. Les kimens et Dar, qui, d'une façon ou d'une autre, la réconfortaient par leur présence.

Kale souhaita que Paladin traverse la brume luisante à l'entrée de la caverne et vienne bannir Risto. Du coin de l'œil, elle vit le géant urohm ramasser l'œuf meech dans sa main en coupe et le tenir délicatement dans ses bras pour le protéger.

Le sol de pierre trembla sous les pieds de Kale. L'air crépita autour du mauvais magicien. La rage s'échappa de son corps et emplit la petite caverne. Des vibrations malveillantes s'intensifièrent et les murs de pierre commencèrent à osciller. Kale trembla, mais elle n'aurait su dire si c'était en raison de la peur en elle ou à cause du monde qui bougeait autour d'elle.

— Approchez-vous, maintenant, ordonna Fenworth. Il est temps de partir. Je crois que nous allons tourbillonner. Kale aime tourbillonner. Tenez-vous par la main. Restons ensemble, les enfants. Je ne veux perdre personne.

Metta et Gymn volèrent jusqu'à Kale, filèrent sous le rebord de la cape de rayons-de-lune et se frayèrent un chemin vers leur antre de poche. Au même moment, ses camarades se groupèrent autour de Fenworth. Une lumière aveuglante éclata dans la caverne.

Un rugissement de colère emplit ses oreilles et diminua graduellement, comme si la distance augmentait entre elle et celui qui rugissait. On avait laissé Risto derrière.

— Destination?

La voix de Fenworth lui parvint, bien qu'elle ne sache pas où il se trouvait.

Elle tenait la main de quelqu'un. Elle pensait qu'il s'agissait de celle de Dar, car elle était petite et poilue. Elle fut frappée par un vent violent.

— Oh zut, oh zut. On nous suit.

Ils furent entourés par des cris féroces d'animaux sauvages. Des dents acérées mordirent les talons de Kale. Elle était incapable d'ouvrir les paupières pour regarder, pourtant elle voyait dans son esprit la silhouette sombre d'énormes chiens de chasse les pourchassant. Leurs yeux rouges transperçaient son âme et l'incitaient à hurler d'effroi. Des grognements sourds lui mettaient les nerfs à vif, et l'air s'emplit de l'odeur fétide de la viande rance.

— Détour ! s'exclama Fenworth.

L'instant suivant, de l'eau éclaboussa les jambes de Kale, trempant son pantalon et ses bottes. Le liquide ravivait la douleur piquante de petites blessures aux chevilles infligées par les chiens de chasse.

Même à travers ses yeux fermés, Kale sentit que l'éclat autour d'elle s'amenuisait. L'air devint glacial. Une barrière quelconque atténuait à présent le son du vent. Elle jeta un bref coup d'œil, mais fut incapable de distinguer des silhouettes tout près. Elle ne pouvait même pas voir la forme de la personne lui tenant la main.

— Oh zut, oh zut. J'ai besoin d'aide maintenant. Vous tous, restez ensemble et invoquez Wulder.

Comment puis-je invoquer Wulder ? Juste en Lui parlant ?

Un éclair noir fonça sur l'oreille droite de Kale en grésillant dans l'air et lui brûla le côté du visage.

Oh, Wulder, je ne sais pas si Fenworth est assez sage ou si l'un de nous est assez fort pour que nous puissions nous sortir de ces ennuis. S'il Te plaît, aide-nous.

Elle perçut au loin le bruissement d'ailes de dragon dans le vent. Elle entendit les meuglements du bétail et les cris des merles avertissant d'une intrusion. La lumière s'intensifia de nouveau, et elle serra très fort les paupières. Le vent siffla.

Fenworth gloussa.

— Des renforts. Ah ! Oui, bon, où donc voulais-je aller ?

Des renforts ? Quoi ? Où ? Encore une fois, son esprit captura une vision qui échappait à ses yeux. Des dragons aux ailes blanches, le corps des bêtes affichant une multitude de couleurs, des hommes en armure scintillante. Paladin sur un grand dragon luisant, des armes qui flamboyaient. Trop de gens prenaient forme dans l'obscurité pour qu'elle puisse les compter. Ils montaient des ombres foncées et rapides, et ils donnaient la chasse.

Kale avait l'impression d'être traînée dans les buissons. Elle perdit sa poigne sur la main qu'elle serrait et sentit une étrange structure cylindrique se former sous elle de façon à ce qu'elle se tienne à califourchon en plein ciel. Le vent tomba. La lumière s'évanouit. Kale ouvrit les yeux pour voir son environnement.

Elle et ses compagnons étaient assis sur des branches d'un imposant arbre trang-a-nog. Tout près, il y avait une maison de ferme o'rant, une grange et une charrette. Au loin, les Résidences Ornopy s'élevaient avec élégance, baignant dans la vive lumière du printemps.

Fenworth regarda avec anxiété autour de lui.

— Vraiment inconfortable! Avons-nous perdu quelqu'un? Comptage! Lee Ark, Leetu et Brunstetter. Trois. Devrions-nous compter l'œuf meech? Non, je ne crois pas. Ne le laisse pas tomber, Brunstetter. Je dois l'amener à la maison et l'éduquer. Ridicule, devenir parent à mon âge. Où en étions-nous? Ah oui; trois. Une o'rant, deux kimens, deux dragons nains. Huit. Un bibliothécaire et un diplomate. Dix. Il nous en manque un.

— Qui est le diplomate? demanda Kale à Librettowit assis sur une branche au-dessus d'elle.

— Dar. On considère souvent les doneels comme la quintessence des diplomates.

Il s'éclaircit la gorge et leva une main pour attirer l'attention de Fenworth.

— Tu as oublié de te compter.

Le magicien se hérissa.

— Sottise. Je suis le plus vieux, je me suis donc compté en premier.

— Tu es le plus vieux et tu ne t'es pas compté du tout.

Trois corniauds chargèrent par la porte ouverte de la grange en jappant furieusement. Ils entourèrent la base de l'arbre. L'un d'eux se tenait avec deux pattes posées sur le tronc lisse vert olive et défia les intrus. Un autre sauta dans les airs en essayant de mordre les talons de Brunstetter qui se balançaient juste au-dessus de sa mâchoire. Le troisième courait dans tous les sens autour du pied de l'arbre et jappait furieusement son avis sur ceux qui osaient pénétrer sur son territoire d'une façon si peu conformiste.

Le fermier et sa femme apparurent à la porte de leur demeure et regardèrent avec étonnement la scène dans la cour devant leur maison.

— Apporte une échelle, mon brave, ordonna Fenworth. Nous sommes de retour, les héros victorieux.

La femme du fermier donna un petit coup de coude à son mari abasourdi. Il répondit d'un hochement de tête et fila vers la grange pour en ressortir une minute plus tard avec une longue échelle sous le bras.

Kale se tourna vers Dar, assis dans un tas de larges feuilles de trang-a-nog sur une autre branche.

— Et ensuite ?

— Nous célébrons… et nous rentrons à la maison.

Les mots parurent aussi doux que de la musique aux oreilles de Kale. À la maison. Pas aux Résidences Ornopy, mais au Manoir, le Manoir à Vendela, le Manoir de Paladin.

ÉPILOGUE

À DEUX PAS

Dar voyagea avec elle. Paladin lui avait donné la permission d'entrer au Manoir et d'être formé pour servir.

Veazey et D'Shay avaient volé avec les grands dragons par-dessus le col de montagne dès que la température l'avait permis. Merlander et Célisse avaient transporté Dar et Kale pour le long voyage vers le sud le long de la chaîne de montagnes Morchain. Quand ils arrivèrent à un endroit que Kale reconnut, elle insista pour qu'ils atterrissent près de la route marchande.

— Dar, voici où j'ai quitté la charrette du fermier Brigg.

Elle se tint debout à côté de la route animée et fixa la belle cité de Vendela à l'opposé de la vallée. Metta et Gymn, excités, volaient autour de sa tête. Ils se posaient sur ses épaules à peine le temps de redécoller en pépiant entre eux et en faisant des loopings.

Le printemps était venu et reparti. Le Jour de la fête du solstice d'été était imminent et avait attiré de nombreux voyageurs à Vendela, la capitale d'Amara. Le soleil étincelait sur les murs blanc pur de la ville, sur ses toits d'un bleu brillant et ses dômes dorés. Des flèches, des clochetons et des tourelles dominaient la ville dans une variété de formes et de couleurs. Plus d'une douzaine de châteaux étaient groupés à l'extérieur de la capitale et davantage de palaces étaient éparpillés sur un paysage vallonné de l'autre côté d'une large rivière.

— J'entre cette fois, dit Kale à ses compagnons. Cette fois, je n'ai pas peur des petits coups intrusifs dans mon esprit qui me disent qu'il y a plus de nouvelles choses dans Vendela qu'il me sera possible de compter.

Elle sentit encore une fois le pouls de la cité, les nombreux esprits remplis de leurs propres réflexions qui se déversaient dans sa conscience à elle. Elle bloqua facilement le torrent, gérant l'afflux humain et conservant sa propre identité. Son don de télépathe ne lui causait plus d'angoisse.

— Cette fois, je pourrai poser des questions et obtenir des réponses. J'apprendrai sur Wulder et sur Paladin, et j'en apprendrai aussi davantage sur moi. J'apprendrai même peut-être sur les Allerion.

Elle posa les mains sur ses hanches et soupira de plaisir.

— Nous y sommes presque.

— Presque, ce n'est pas encore à destination. Viens, allons-y, dit Dar en dirigeant ses pas vers Merlander. À cette même heure demain, tu porteras ton uniforme de leecent.

— Leecent? Qu'est-ce qu'un leecent?

— Le grade le moins élevé au service de Paladin. Tu ne seras pas pour autant mal traitée parce que tu détiens le grade le moins élevé, pas au service de Paladin, mais…

— Attends. Est-ce que tu dis que je deviendrai Leecent Kale?

— Bien sûr.

— Et Lee Ark? Le Lee veut dire?

— Le grade le plus élevé. En fait, il s'agit du général Lee Ark, un grade plus élevé que commandant Lee ou simplement Lee.

— Leetu?

— Deux grades plus bas que Lee. Ne le savais-tu pas, Kale?

Kale secoua lentement la tête. *Maître Meiger avait raison. Je ne sais rien.*

Elle lança un grand sourire à son ami doneel.

— Mais j'apprends !

Ce soir, elle dormirait au Manoir. Demain, elle porterait son uniforme de leecent. Il y avait une fête à célébrer, et elle avait des professeurs à rencontrer, des cours à suivre et une vie à vivre.

Kale traversa en courant la petite colline et sauta sur la selle de Célisse.

— Allons-y !

GLOSSAIRE

Amara
Continent entouré par l'océan sur trois côtés.

Arbre à gommes
Un arbre avec des feuilles collantes et des fleurs à pétales jaunes dont on peut cueillir le centre pour le mâcher.

Arbre borling
Arbre à l'écorce brun foncé portant des noix profondément ridées enchâssées dans une écale aromatique globulaire.

Arbre trang-a-nog
Écorce lisse vert olive.

Armagot
Arbre national ; feuilles bleu violet à l'automne.

Bande herbacée
Un bracelet finement tissé par les kimens avec des vignes provenant de la plante herbacée. Il chasse les guêpes et autres insectes piqueurs, ainsi que les reptiles venimeux.

Bataille d'Ordray

Bataille historique où l'armée bisonbeck a menacé d'exterminer les kimens. Les urohms, assistés par les magiciens et les dragons, se sont battus pour les sauver. Ordray est une province du sud-est d'Amara occupée surtout par les urohms ; c'est une langue de terre entre la chaîne de montagnes Morchain et la chaîne de montagnes volcanique Dormanscz.

Bisonbeck

La plus intelligente des sept races inférieures. Elle compose la majorité de l'armée de Risto.

Blimmet

L'une des sept races inférieures. Créature creusant des terriers et sortant en masse du sol pour s'adonner périodiquement à une séance d'alimentation frénétique.

Brillum

Une bière qu'aucune des sept races supérieures ne consommerait. Elle sent l'eau de mouffette et tache comme le jus noir de noix de borling. Les mariones la vaporisent sur leurs champs afin d'éloigner les insectes.

Broer

Une substance sécrétée par les glandes buccales des dragons femelles et utilisée pour construire des nids. Elle durcit comme le roc et ressemble à une meringue grise.

Chaîne de montagnes Dormanscz

Chaîne de montagnes volcanique dans le sud-est d'Amara.

Chaîne de montagnes Morchain

Des montagnes s'étirant du nord au sud au centre d'Amara.

Chukkajoop

Un ragoût de betteraves, d'oignons et de carottes, le favori des o'rants.

Coccinelle batteuse
Petite coccinelle brune qui produit un claquement sonore avec ses ailes quand elle n'est pas en vol.

Cynœud
Un arbre tropical poussant en sol extrêmement humide ou dans les eaux peu profondes. Les branches sortent du tronc comme des rayons au milieu d'une roue et s'entrecroisent souvent avec celles des arbres voisins.

Débalafreur
Substance huileuse utilisée dans des préparations médicinales.

Doneel
L'une des sept races supérieures. Ces gens sont couverts de fourrure, ils ont des yeux protubérants, de minces lèvres noires et des oreilles situées sur le devant de la tête. Ils ont un petit gabarit et mesurent rarement plus de un mètre. Ils sont habituellement doués pour la musique et aiment porter des vêtements flamboyants.

Dragon de feu
Sortis des volcans dans les temps anciens; ces dragons crachent du feu et sont plus portés à servir les forces du mal.

Dragon éléphant
Dragon de la taille d'un éléphant plus souvent utilisé pour le transport personnel.

Dragon meech
Le plus intelligent des dragons, capable de parler.

Dragon nain
Le plus petit des dragons, de la taille d'un chaton. Les différents types de dragon nain possèdent des capacités diverses.

Druddum

Animal ressemblant à la belette qui vit tout au creux des montagnes. Ces créatures sont des bandits et elles voleront tout ce qu'elles peuvent emmagasiner. Elles aiment obtenir de la nourriture, mais sont aussi attirées par tout ce qui brille et a une texture inhabituelle.

Écorce de mœrston

Lorsqu'on la mâche, elle calme la faim et rafraîchit la bouche. Bosselée, brune et mince.

Émerlindian

L'une des sept races supérieures. Les émerlindians naissent avec un teint pâle, des cheveux blancs et des yeux gris pâles. En vieillissant, ils brunissent. Un groupe d'émerlindians est de petite taille, tout au plus un mètre et demi. L'autre groupe distinct mesure entre un mètre quatre-vingt et deux mètres.

Ersatz

Une imitation, un substitut artificiel et inférieur à une chose réelle.

Feuillecourbe

Arbre à feuilles caduques et étroites avec de longues branches minces et tombantes.

Forêt Fairren

Une grande forêt surtout composée d'arbres à feuilles caduques dans le sud-ouest d'Amara.

Fortaline

isson avec des épines de cinq centimètres.

Grand dragon
Le plus grand des dragons, capable de transporter plusieurs hommes ou cargaisons.

Grawligs
Des ogres de montagne et l'une des sept races inférieures.

Grenouille batteuse
Amphibien semi-aquatique sans queue, à la peau lisse et humide, aux pieds palmés et avec de longues pattes de derrière. Teintes de vert; pas plus gros que le poing d'un enfant; capable de produire un son tonitruant.

Grive mouchetée
Petit oiseau avec de petites taches blanches sur fond brun.

Herbes dos-d'âne
Des herbes hautes poussant en massifs et formant leurs propres petites buttes.

Jimmin
N'importe quel petit animal utilisé pour sa viande. Nous parlerions de veau, d'agneau et de jeune poulet.

Kimen
La plus petite des sept races supérieures. Les kimens sont insaisissables, lilliputiens et rapides. Moins de soixante centimètres de haut.

Légende de Durmoil
Conte folklorique relatant l'histoire des dragons qui ont émergé des volcans.

Les marais
Composée de quatre marais aux frontières indistinctes. Situé dans le sud-ouest d'Amara.

Mamie émerlindian
Les mamies sont hermaphrodites. On dit qu'elles ont plus de cinq cents ans. Leur peau est à présent brune, et leurs yeux et leurs cheveux sont brun foncé.

Marione
L'une des sept races supérieures. Les mariones sont d'excellents fermiers et guerriers. Ils sont petits et larges d'épaules, habituellement tout en muscles plutôt que corpulents.

Melon crocodile
De la forme d'un cantaloup avec une peau vert foncé dure et bosselée. Goût amer, mais non vénéneux.

Mordakleep
L'une des sept races inférieures. Associés aux sources d'eau douce, ces êtres peuvent changer de forme.

Mullins
Beignets frits en bâtonnet.

Noix d'armagot
Fruit de l'armagot.

Noix de borling
Noix de l'arbre borling.

ant
e des sept races supérieures. Entre un mètre et demi et un quatre-vingt.

Oiseau demiportion
Oiseau de grandeur moyenne aux couleurs vives.

Paspoire
Fruit vert ressemblant à une poire.

Pataugeur des rivières
Un poisson d'eau douce au dos noir charbon, aux nageoires de la couleur du coucher du soleil et au ventre couvert d'écailles argentées.

Petit pain nordy
Pain à grains entiers sucré et au goût de noix.

Pierre-soleil
Toutes les pierres ressemblant à des quartz et émettant une lueur.

Pin de roche
Arbre à feuillage persistant avec des pommes épineuses aussi lourdes que des roches.

Plante rayons-de-lune
Une plante mesurant entre un mètre et un mètre vingt portant de grandes feuilles luisantes et de petites fleurs rondes ressemblant à la Lune. Les tiges sont fibreuses et utilisées pour fabriquer du tissu.

Poisson blattig
Poisson d'eau douce mesurant souvent soixante à quatre-vingt-dix centimètres, voracement carnivore, reconnu pour attaquer et dévorer des animaux vivants.

Pommes de terre pnard
Tubercule contenant de l'amidon avec une chair rose pâle.

Poudre feufollet
Composé jaune cristallin utilisé comme explosif.

Quiss
L'une des sept races inférieures. Ces créatures possèdent un énorme appétit. Tous les trois ans, elles développent la capacité de respirer l'air et, pendant six semaines, elles s'approvisionnent le long de la côte océanique et font des ravages. Elles sont extrêmement glissantes.

Razbaies
Petites baies rouges qui poussent en grappe à flanc de montagne, un peu comme des raisins. Les vignes sont utiles pour grimper.

Ribbet
Jeu de ballon disputé entre deux équipes, semblable au football.

Rivière au Loin
Village marione dans l'est d'Amara.

Rivière Pomandando
Rivière courant sur la frontière est de Vendela.

Ropma
L'une des sept races inférieures. Cette créature mi-homme mi-animale est utile pour rassembler les troupeaux et prendre soins des bêtes.

Rosées des montagnes
Petites fleurs blanches poussant près du sol, presque comme une mousse couvre-sol.

Roselin à double huppe
Un petit oiseau coloré avec une double huppe sur le dessus de la tête.

Schoerg
L'une des sept races inférieures. Poilue, petite et mince.

Taillis
Buissons touffus et épineux portant de délicates fleurs pourpres au printemps et des baies noires vénéneuses à la fin de l'automne.

Urohm
La plus grande des sept races supérieures. De doux géants bien proportionnés et très intelligents.

Vendela
Capitale de la province Wynd.

Vénérable émerlindian
Les vénérables sont âgés de presque mille ans et sont noirs.

Wittoom
Région peuplée par les doneels dans le nord-ouest d'Amara.

À PROPOS DE L'AUTEURE

Donita K. Paul vient d'une famille de conteurs et de professeurs, il est donc naturel qu'elle adore dérouler le fil de son imagination pour tisser des récits imaginatifs mêlés de folklore. Enseignante retraitée, elle continue de mettre la main à la pâte se comptant parmi les conteurs professionnels du département d'enseignement du catéchisme de son église.

Donita a deux enfants adultes, deux petits-enfants et deux chiens. Elle vit actuellement à Colorado Springs au Colorado, à l'ombre de Pikes Peak. Quand elle n'écrit pas, elle prend plaisir à lire tous les genres, de la bande dessinée à la biographie.

éditions

www.AdA-inc.com
info@AdA-inc.com